KB035607

걸프 사태

재외동포 철수 및 보호 3

사우디아라비아, 철수 지원

걸프 사태

재외동포 철수 및 보호 3

사우디아라비아, 철수 지원

한국학중앙연구원

| 머리말

　걸프 전쟁은 미국의 주도하에 34개국 연합군 병력이 수행한 전쟁으로, 1990년 8월 이라크의 쿠웨이트 침공 및 합병에 반대하며 발발했다. 미국은 초기부터 파병 외교에 나섰고, 1990년 9월 서울 등에 고위 관리를 파견하며 한국의 동참을 요청했다. 88올림픽 이후 동구권 국교 수립과 유엔 가입 추진 등 적극적인 외교 활동을 펼치는 당시 한국에 있어 이는 미국과 국제 사회의 지지를 얻기 위해서라도 피할 수 없는 일이었다. 결국 정부는 91년 1월부터 약 3개월에 걸쳐 국군의료지원단과 공군수송단을 사우디아라비아 및 아랍 에미리트 연합 등에 파병하였고, 군 · 민간 의료 활동, 병력 수송 임무를 수행했다. 동시에 당시 걸프 지역 8개국에 살던 5천여 명의 교민에게 방독면 등 물자를 제공하고, 특별기 파견 등으로 비상시 대피할 수 있도록 지원했다. 비록 전쟁 부담금과 유가 상승 등 어려움도 있었지만, 걸프전 파병과 군사 외교를 통해 한국은 유엔 가입에 박차를 가할 수 있었고 미국 등 선진 우방국, 아랍권 국가 등과 밀접한 외교 관계를 유지하며 여러 국익을 창출할 수 있었다.

　본 총서는 외교부에서 작성하여 30여 년간 유지한 걸프 사태 관련 자료를 담고 있다. 미국을 비롯한 여러 국가와의 군사 외교 과정, 일일 보고 자료와 기타 정부의 대응 및 조치, 재외동포 철수와 보호, 의료지원단과 수송단 파견 및 지원 과정, 유엔을 포함해 세계 각국에서 수집한 관련 동향 자료, 주변국 지원과 전후복구사업 참여 등 총 48권으로 구성되었다. 전체 분량은 약 2만 4천여 쪽에 이른다.

2024년 3월

한국학술정보(주)

| 일러두기

· 본 총서에 실린 자료는 2022년 4월과 2023년 4월에 각각 공개한 외교문서 4,827권, 76만 여 쪽 가운데 일부를 발췌한 것이다.

· 각 권의 제목과 순서는 공개된 원본을 최대한 반영하였으나, 주제에 따라 일부는 적절히 변경하였다.

· 원본 자료는 A4 판형에 맞게 축소하거나 원본 비율을 유지한 채 A4 페이지 안에 삽입 하였다. 또한 현재 시점에선 공개되지 않아 '공란'이란 표기만 있는 페이지 역시 그대로 실었다.

· 외교부가 공개한 문서 각 권의 첫 페이지에는 '정리 보존 문서 목록'이란 이름으로 기록물 종류, 일자, 명칭, 간단한 내용 등의 정보가 수록되어 있으며, 이를 기준으로 0001번부터 번호가 매겨져 있다. 이는 삭제하지 않고 총서에 그대로 수록하였다.

· 보고서 내용에 관한 더 자세한 정보가 필요하다면, 외교부가 온라인상에 제공하는 『대한 민국 외교사료요약집』 1991년과 1992년 자료를 참조할 수 있다.

| 차례

정 리 보 존 문 서 목 록

기록물종류	일반공문서철	등록번호	2020120195	등록일자	2020-12-28
분류번호	721.1	국가코드	XF	보존기간	영구
명 칭	걸프사태 : 재외동포 철수 및 보호, 1990-91. 전14권				
생 산 과	북미1과/중동1과	생산년도	1990~1991	담당그룹	
권 차 명	V.4 특별 전세기 운항, 1990.8-9월				
내용목차	* 재외동포 철수 및 비상철수계획 수립 등				

0001

	분류번호	보존기간

발 신 전 보

번 호 :   종별 :

수 신 : 주 이라크 대사.송영사

발 신 : 장 관 (중근동)

제 목 : KAL 특별기 투입

연 : WBG-0212

이라크, 쿠웨이트 사태 관련, 상황 합동 대책반(관련부처 편성)을
8.10. 구성, 금일 이라크 및 쿠웨이트 교민 안전 대책 회의를 갖은 결과, 긴급
상황시 교민 철수를 위해 KAL 특별기를 투입키로 결정 하였으니 참고 바라며,
연호 교섭 결과 보고 바람. 끝.

(중동아국장 이 두 복)

예 고 : 90.12.31. 일반

		보 안 통 제	

앙 고 재	90 년 8 월 11 일 중근동화	기안자 성명		과 장		국 장		차 관	장 관	

외신과통제

0002

관리
번호 90-씨씨

외 무 부

종   별 : 긴 급

번   호 : BGW-0482   일   시 : 90 0812 1100

수   신 : 장 관 (중근동,영재,기정) 사본:주쿠웨이트대사

발   신 : 주 이라크 대사

제   목 : 교민철수

연:BGW-0478

1. 연호관련, 본직은 8.12.11:00 시 AJJAM 영사국장으로 부터 특별기 착륙, 철수문제에 대해 현재 주재국 영공이 폐쇄된 상태를 유지하여야 하기 때문에 쿠웨이트 및 이라크 주재 한국인의 항공기를 통한 철수는 곤란하다고 통보받음

2. 동국장은 쿠웨이트 거주 한국인의 요르단 국경을 통한 철수방법에 동의한다고 하고 차량등 철수장비는 각자 또는 당관이 마련토록 요구하고 아울러 이는 이라크에 체류하는 아국인에게도 해당 된다고 하였음

3. 인도의 경우도 항공기 착륙은 불허된것으로 보이며, 아국을 포함한 아세아인의 철수는 상기와 동일한 방법으로 시행토록 방침을 정한것으로 보임.끝

(대사 최봉름-국장)

예고:90.12.31.일반

1990.12.31.에 예고문에 의거
일반문서로 재분류됨

중아국	장관	차관	1차보	2차보	통상국	영교국	정와대	안기부

PAGE 1   90.08.12   17:25
                                                         외신 2과 통제관 DL

관리 90/
번호 /1362

원 본

외 무 부

종 별 :

번 호 : IRW-0447   일 시 : 90 0812 1530

수 신 : 장관(중근동,건설부,노동부)

발 신 : 주 이란 대사

제 목 : 이락,쿠웨이트사태 대책

  1. 대:WIR-0263(90.8.10)
  연:IRW-0444(90.8.12)

  2. 연호관련 당관이 알아본바에 의하면 쿠웨이트진출 현대건설(주) 근로자 313
명은 8.9 자 본사 철수명령에 따라 이라크(바그다드)경유 요르단(암만)에서 대한항공
전세기편 서울로 철수할 계획이라하며 사태악화시 이라크진출 현대건설 근로자도 같은
방법으로 철수할것이라하니 참고바람. 끝

  (대사정경일-국장)

  예고:90.12.31 까지

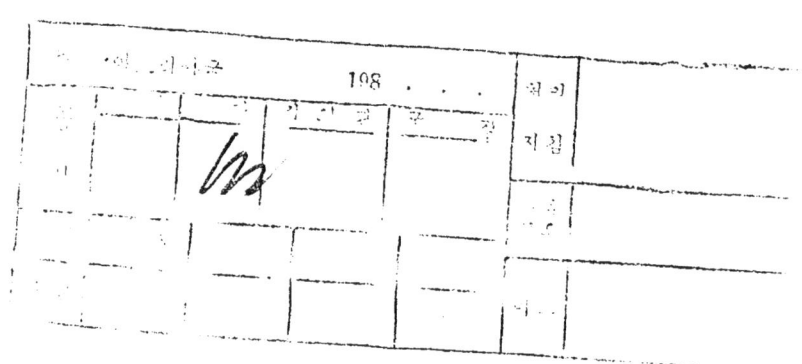

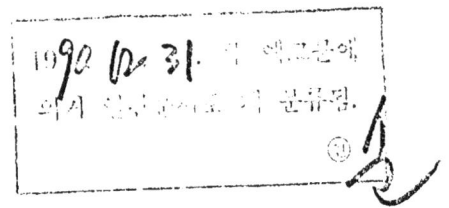

중아국	장관	차관	1차보	2차보	통상국	정문국	청와대	안기부
건설부	노동부	대책반						

PAGE 1   90.08.12   21:55

외신 2과 통제관 DO

0004

외 무 부

종 별 : 긴 급

번 호 : KUW-0436   일 시 : 90 0814 1800

수 신 : 장 관 (중근동,영재,기정) 사본: 요르단, 이라크대사(직송필)

발 신 : 주 쿠웨이트 대사

제 목 : 교민철수

    1. 8.17-20 사이에 몇차례에 걸쳐 철수교민이 요르단국경에 도착예정임. 아직
최종집계 중이나 200명 예상

    2. 은행이 아직도 폐쇄중이어서 대부분 돈이 없으므로 요르단체류와 귀국 항공편이
제공되어야함.

    3. 확실한 인원수와 도착예정일을 추보하겠으나 2항의 사정에 따른 예비를 위하여
우선 보고함

    4. 인원수에 따라 특별기가 준비되는지 암만에서 가까운 대한항공기 착지까지 개별
항공권을 주던지 하는 방법이 강구되어야 할것으로 봄.

    5. 현대 314명은 8.20일쯤 도착 예상.끝

    (대사 소병용-국장)

중아국   영교국   안기부   차관 /차보 2차보 대책반 통상국

PAGE 1   90.08.15   00:16 FC

                                        외신 1과 통제관
                                        0005

외 무 부   동 보

종   별 : 긴 급

번   호 : JOW-0276   일   시 : 90 0815 1030

수   신 : 장 관(중근동, 영재, 기정) 사본:주 이락,쿠웨이트 대사

발   신 : 주 요르단 대사

제   목 : 교민철수

대: WJO-0167

1. 대호 특별기 주선을 위해서는 사전교섭등시간이 필요하므로 이미
8.20경까지당지 도착예정으로있는 쿠웨이트 교민 200여명과 현대건설 소속300여명등
조기 후송을 위해 최소한 지금부터라도 조치를 취해야 할것으로 봄.

2.추가 산발적으로 도착하는 교민은 2,3일 정도대기시켜 후송할수 있을것임.

(대사 박태진-국장)

중아국   영교국   안기부   /차보   2차보   대책반   통상국.

PAGE 1   90.08.15   16:49 FG

외신 1과 통제관

0006

발 신 전 보

분류번호	보존기간

번 호 : WJO-0181   900817 1140 FC   종별 : 긴급   WBG-0262 WKU-0243

수 신 : 주 요르단 대사//총영사 사본: 주이락, 쿠웨이트 대사

발 신 : 장 관 (중근동)

제 목 : KAL 특별 전세기 운항

연 : WJO-0174

　　　　1. 연호 관련 KAL측의 특별 전세기 운항 계획을 별첨 타전하니, 주재국
공항의 착륙 허가를 긴급 획득, 교민 철수에 만전을 기하기 바람.

　　　　2. 동 전세기 운항을 위해 KAL 젯다 지점장이 귀지 출장 예정인바,
동인과 접촉 제반 사항 지원 바람. 끝.

　　　첨 부 : 동 운항 계획서

　　　　　　　　　　　　　　　　　　　(중동아국장 　이 두 복)

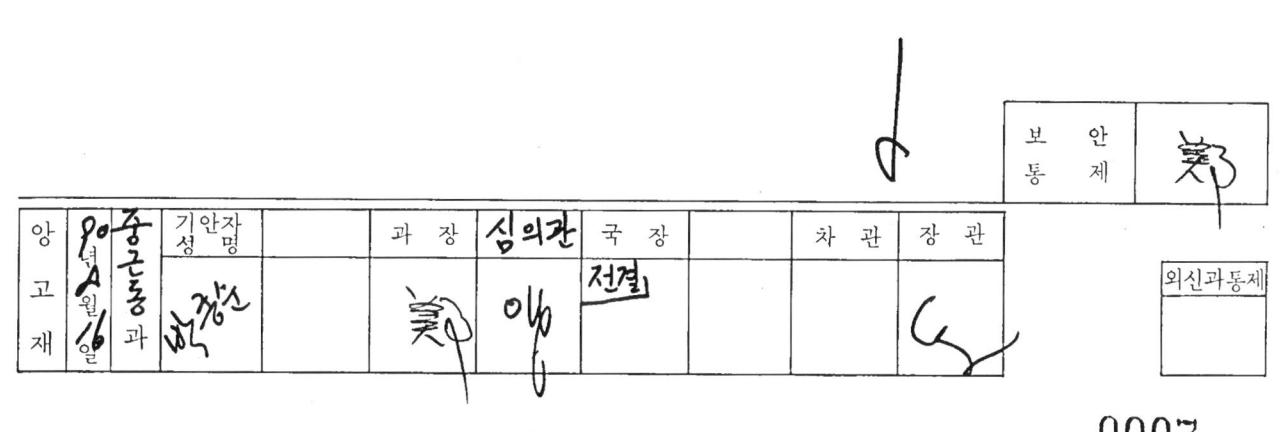

JORDAN 특별 전세기 운항 계획

1. 제 1 편

- 운항 일자/시간
  - 서울 출발 : 8월 20일 06:00L
  - 암만 도착/출발 : 8월 20일 14:00L/18:00L
  - 서울 도착 : 8월 21일 16:50L

- 운항 구간 : 서울/(바레인)/암만/(바레인)/(방콕)/서울
  - * ( )는 기술 착륙지 임

- 운항 기종 : B747 (378석)

- 운항 스케줄
  - 서울발 0600L   바레인착/발 1015L/1135L   암만착 1400L
  - 암만발 1800L   바레인착/발 2025L/2145L   방콕착/발 0835L/0940L+1   서울착 1650L+1

2. 제 2 편

- 운항 일자/시간
  - 서울 출발 : 8월 20일 22:00L
  - 암만 도착/출발 : 8월 21일 06:00L/10:00L
  - 서울 도착 : 8월 22일 06:20L

- 운항 구간 : 서울/(바레인)/암만 (왕복)

- 운항 기종 : DC10 (272석)

- 운항 스케줄
  - 서울발 2200L   바레인착/발 0215L/0335L+1   암만착 0600L+1
  - 암만발 1000L   바레인착/발 1225L/1345L   서울착 0620L+1

3. 참고 사항

- 8월 19일 서울발, 8월 20일 서울 도착하는 서울/바레인/제다(왕복) EXTRA는
  상기 계획외에 추가 별도 운항

TOTAL P.01 0008

발 신 전 보

	분류번호	보존기간

번   호 : WND-0613   900817 1458 DY   종별 : 긴급

WBA -0177   WOM -0119
WBM -0304   WBG -0264
WKU -0244   WJO -0183

수   신 : 주 수신처 참조   대사.총영사

발   신 : 장 관 (중근동)

제   목 : KAL 특별 전세기 운항

1. 이라크.쿠웨이트 사태로 인한 이라크 및 쿠웨이트 체류 아국 교민의 긴급 대피 철수를 위해 8.20 KAL 특별 전세기 2대(B747 및 DC-10)를 요르단 암만 공항에 투입할 예정이며, 요르단 당국과 ··· 암만 공항에 착륙 허가를 긴급 교섭 중임.

2. 이와 관련, 동 특별기의 요르단 착륙을 위해 귀 주재국 영공을 통과해야 하는바, 별첨 운항 계획대로 ~~운항다대금~~ 영공 통과 허가를 8.19까지 얻도록 주재국 당국과 긴급 교섭, 결과 보고 바람.

3. KAL 측은 8.16. 22:00경 귀주재국 공항 당국에 영공 통과 허가를 신청한바 있으나, 민간 베이스에 의한 정상적인 허가 신청으로는 약 1주일이 소요된다는바, 상기 아국 교민의 긴급 대피 철수 상황을 주재국에 적의 설명 바람.

첨 부 : 동 운항 계획. 끝.

(중동아프리카국장   이 두 복)

수신처 : 주 인도, 방글라데쉬, 오만, 미얀마 대사
        (사본 : 주 이라크, 쿠웨이트, 요르단 대사)

앙고재	90년8월17일 중근동과	기안자 성명		과 장	심의관	국 장 전결		차 관	장 관	

보안통제

외신과통제

0009

FRM : 대한항공 영업계획부
JORDAN 국 별 전세기 운항 계획

1 . 제 1 편

- o 운항 일자/시간
  - 서울 출발 : 8월 20일 05:00L
  - 암만 도착/출발 : 8월 20일 14:00L/18:00L
  - 서울 도착 : 8월 21일 16:50L

- o 운항 구간 : 서울/(바레인)/암만/(바레인)/(방콕)/서울
  - * ( )는 기술 착륙지 임

- o 운항 기종 : B747 (378석)

- o 운항 스케쥴
  - 서울발 0500L   바레인착/발 1015L/1135L   암만착 1400L
  - 암만발 1800L   바레인착/발 2025L/2145L   방콕착/발 0835L/0940L+1   서울착 1650L+1

2 . 제 2 편

- o 운항 일자/시간
  - 서울 출발 : 8월 20일 22:00L
  - 암만 도착/출발 : 8월 21일 06:00L/10:00L
  - 서울 도착 : 8월 22일 06:20L

- o 운항 구간 : 서울/(바레인)/암만 (왕복)

- o 운항 기종 : DC10 (272석)

- o 운항 스케쥴
  - 서울발 2200L   바레인착/발 0215L/0335L+1   암만착 0600L+1
  - 암만발 1000L   바레인착/발 1225L/1345L   서울착 0620L+1

3 . 참고 사항

- ㅇ 8월 19일 서울발, 8월 20일 서울 도착하는 서울/바레인/제다(왕복) EXTRA는
  상기 계획외에 추가 별도 운항

0010

원 본

외 무 부

종　별 : 긴급

번　호 : NDW-1114 　　　　　　긴결 　시 : 90 0817 1730

수　신 : 장관(중근동)

발　신 : 주 인도 대사

제　목 : 특별전세기 운항

　　대: WND-0613

　　1. 당관은 대호 내용을 금 8.17(금) 주재국 외무부 동아국과 교통부 민간항공청에 외교공한 첨부, 지급 요청한데 대해, 주재국측은 즉시 이에 동의한다고 하면서 동일한 내용을 대한항공측에도 회신했다고 당관에 통보해옴.

　　2. 인도측은 동 항공기의 안전운항을 위해서는 걸프지역 출동 미군측과 사전협조 및 교신조치가 필요하다고 언급한 바 있음을 참고로 보고함.

　　(대사 김태지-국장)

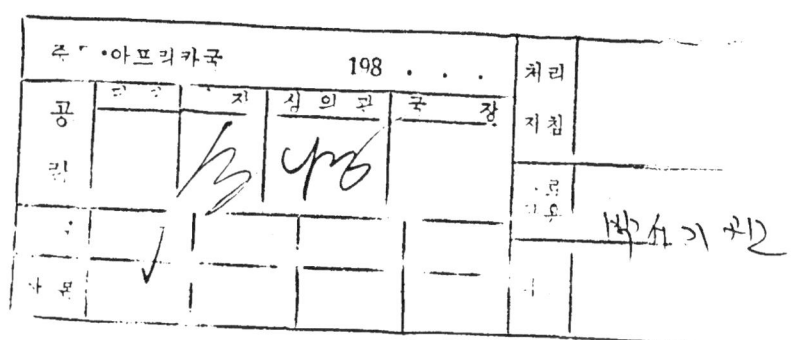

중아국　　대책반

PAGE 1

발 신 전 보

	분류번호	보존기간

번   호 : WBA-0179   900818 1624 DY   종별 : 긴 급

수   신 : 주 방글라데쉬   대사. 1형영사

발   신 : 장 관 (중근동)

제   목 : KAL 특별전세기 운항

연 : WND - 0613

1. 8.20. KAL 특별전세기 운항 계획에 따라 귀주재국이외 국가의 영공
    통과 허가는 받았으나, 상금 주재국 허가 미접인바, 이를 긴급 교섭,
    허가를 얻도록 조치하고 결과 보고 바람.

2.   동 특별기의 귀주재국 통과 지점 및 시각은 아래와 같음.

  ㅇ KAL 8015편 통과 지점 및 시각

    - Entry Point : CHILA 0210 (GMT) Aug. 20

    - Exit Point : IDAPA 0235 (GMT) Aug. 20

  ㅇ KAL 8035편 통과 지점 및 시각

    - Entry Point : CHILA 1810 (GMT) Aug. 20

    - Exit Point : IDAPA 1835 (GMT) Aug. 20   끝.

(중동아프리카국장 이 두 복)

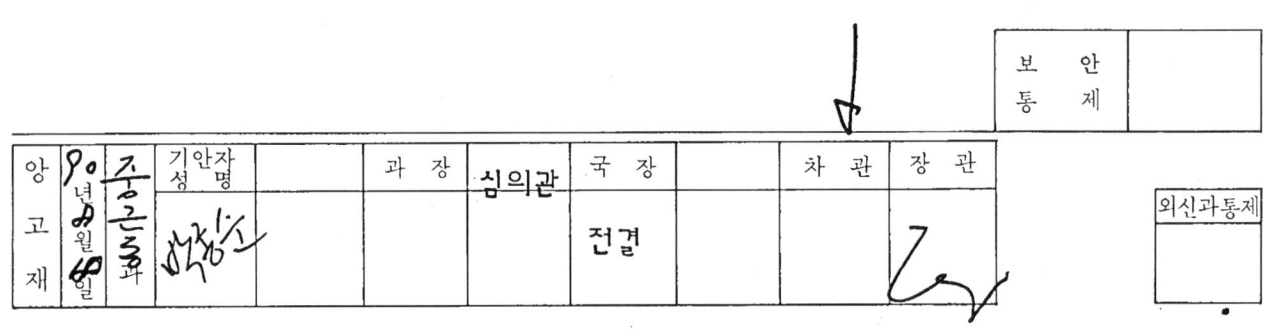

0012

발 신 전 보

WJO-0196   900818 1722 DY

번   호 : _____   종별 : 긴 급

수   신 : 주   요르단   대사. 總領事

발   신 : 장 관 (중근동)

제   목 : 항공기 착륙 허가

대한항공은 KAL 항공기의 귀지 이착륙 허가 사실을 상금 통보 받지 못하고
있다 하는 바, 지급 확인 보고 바람. 끝.

(중동아프리카국장   이 두 복)

앙고재	90년8월18일 승근동 과	기안자 성명		과 장	심의관	국장		차 관	장 관	보안통제
						721명				
									외신과통제	

0013

발 신 전 보

	분류번호	보존기간

WJO-0197   900818 1812 FC   종별: 긴 급

번 호 :

수 신 : 주   요르단   대사. *참/장/사/*

발 신 : 장 관 (중근동)

제 목 : KAL 특별기 운항

연 : WJO - 0181, 0196, *0194*

1. KAL특별전세기는 연호 스케쥴 대로 8. 20. 운항 예정이나, 상금 주재국 공항이 착륙 허가 사실 미접인바, 아직 허가를 받지 못하였다면, 긴급 허가 교섭 하고, 결과 보고 바람.

2. 주재국 허가 즉시 동사실을 KAL에 통보 바람. 끝.

(중동아프리카국장   이 두 복)

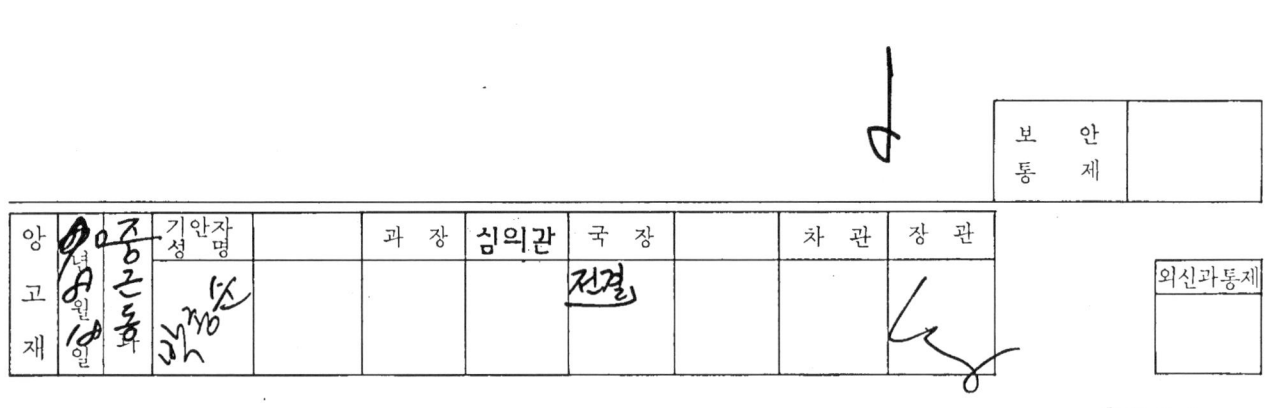

앙고재	90년8월18일	기안자 성명 중근동		과 장	심의관	국 장 전결		차 관	장 관	

보 안
통 제

외신과통제

0014

관리 번호	80/15까		분류번호	보존기간

발 신 전 보

번   호 : __WSB-0334   900818 1819 FC__   종별 : **긴 급**

수   신 : __주   사우디   대사. 청영IM__   사본 : **쿠요ᄆᆯ98 대사**

발   신 : __장   관 (중군동)__

제   목 : __KAL 특별 전세기 운항__

　　1. 이라크·쿠웨이트 체류 아국 교민의 긴급 대피 철수를 위해 8.20. KAL특별 전세기 2대(B747 및 DC-10)를 요르단 암만 공항 투입 예정임.

　　2. 동 특별기 중 DC-10기는 8.20. 22:00 서울 출발 ～주 재국 다란- ^(바레인경유)
암만 route로 운항, 다란에 잠시 착륙후, 암만으로 향발예정 인바, 귀 주 재국 공항이, 착륙 허가를 주 재국과 긴급 교섭, 결과 보고 바람. 끝.

　　　　　　　　　　　진입출리정확시간등 기술사항은
　　　　　　　　　　　각각 귀주재국 당국이 하전토록 하겠음.

　　　　　　　　　　(중동아프리카국장 이 두 복)

예고 : 90. 12. 끼. 인반

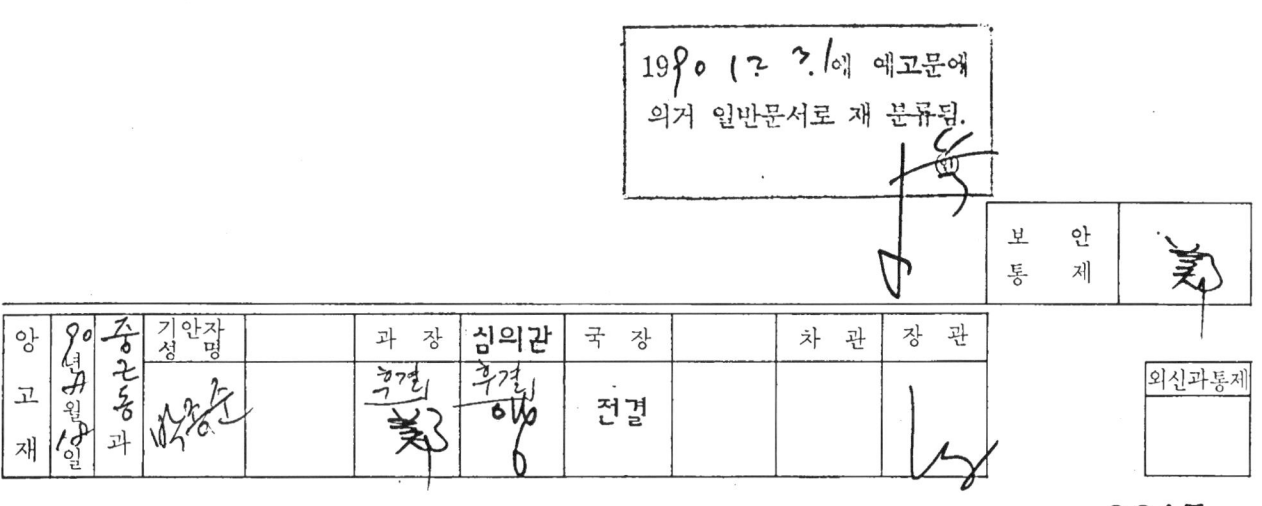

1990 12 3.1에 예고문에
의거 일반문서로 재 분류됨.

		보안 통제	

앙고재	90년 8월 18일	중군동 과	기안자 성명 박종수		과장 후결	심의관 후결	국장 전결		차관	장관		외신과통제

0015

발 신 전 보

분류번호	보존기간

번   호 :   종별 :

수   신 : 주 수신처 참조   대사 . 총영사

발   신 : 장   관   (중근동)

제   목 : KAL 특별 전세기 운항

     1. 이라크.쿠웨이트 사태로 인한 이라크 및 쿠웨이트 체류 아국 교민의 긴급 대피 철수를 위해 8.20 KAL 특별 전세기 2대(B747 및 DC-10)를 요르단 암만 공항에 투입할 예정이며, 요르단 당국과　　　　　　요르단 암만 공항이 착륙 허가를 긴급 교섭 중임.

     2. 이와 관련, 동 특별기의 요르단 착륙을 위해 귀 주재국 영공을 통과해야 하는바, 별첨 운항 계획대로 운항되게끔 영공 통과 허가를 8.19 까지 얻도록 주재국 당국과 긴급 교섭, 결과 보고 바람. 끝.

              (중동아프리카국장   이 두 복)

수신처 : 주 인도, 방글라데쉬, 오만, 미얀마 대사
         (사본 : 주 이라크, 쿠웨이트, 요르단 대사)

보 안 통 제	

앙 고 재	년 월 일	과	기안자 성명		과 장		국 장		차 관	장 관

외신과통제

0016

외 무 부

원 본

종 별 : 긴 급

번 호 : OMW-0239　　　　　　　　　　일 시 : 90 0818 0930

수 신 : 장 관(중근동)

발 신 : 주 오만 대사

제 목 : KAL 특별 전세기 운항

　　대: WOM-0119

　　대호 관련, 주재국 교통부 당국과 긴급접촉한바, 금 8.18(토) 09:00 대호 8.20일 2편의 특별기 및 8.19일 특별기 모두에 대해 주재국 영공통과 허가를 결정했으며 이를 KAL 측에 즉시 회보하였다함.끝

　　(대사 강종원-국장)

종아국　대책반　/차보　경교국

PAGE 1　　　　　　　　　　　　　　　　　　　90.08.18　15:04 DY

외신 1과 통제관

0017

원 본

외 무 부

종 별 : 긴 급

번 호 : NDW-1119   일 시 : 90 0818 1420

수 신 : 장 관 (중근동)

발 신 : 주 인도 대사

제 목 : 북별전세기 운항

대: WND-0613

연: NDW-1114

주재국 공군당국의 요청이니 대호 아국특별전세기의 주재국 영공 통과지점 및 정확한 시간을 긴급 회시바람.

(대사 김태지-국장)

중아국   대책반

90.08.18   18:22 FC

외신 1과 통제관

0018

발 신 전 보

분류번호	보존기간

번 호 : WND-0621   900818 2006 DP
종별 : 긴급

수 신 : 주 인 도 대사. 총영사//

발 신 : 장 관   (중근동)

제 목 : KAL 특별 전세기 운항

대 : NDW - 1114, 1119

연 : WND - 0613

대호 KAL 특별기의 주재국 영공 통과 지점 및 시각은 아래와 같음.

о KAL 8015편

- Entry Point : CHILA 0210 (GMT) Aug.20

- Exit Point : MAROB 0430 (GMT) Aug.20

о KAL 8035편

- Entry Point : CHILA 1810 (GMT) Aug.20

- Exit Point : MAROB 2030 (GMT) Aug.20

끝.

(중동아프리카국장 이 두 복)

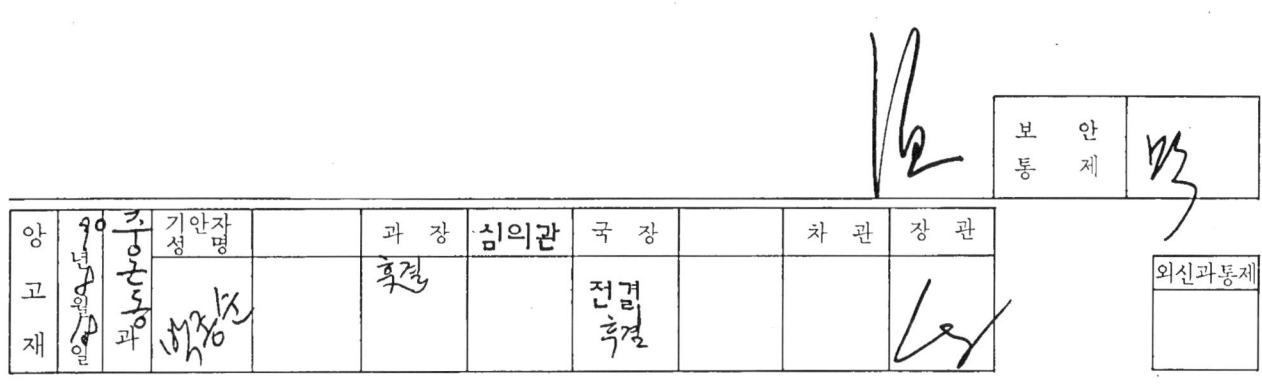

앙고재	90년8월18일	중근동과	기안자 성명	과 장	심의관	국 장	차 관	장 관	보안통제
				후결		전결 후결			외신과통제

0019

원 본

외 무 부

종 별 : 긴 급

번 호 : BAW-0334   일 시 : 90 0818 1630

수 신 : 장 관(중근동)

발 신 : 주방대사

제 목 : 칼 특별 전세기 운항

대: WBA-0177,0179

대호 운항 계획을 주재국 외무부에 긴급 공한 봉보하고, 영공통과 허가를
요청하였음. 외무부(의전장)이 관계당국과 긴급 협의중인바, 허가를 득하는데 별다른
문제가 없을것이라함. 명 8.19(일) 오전중 결과 추보위계임.

(대사 이재춘-국장)

중아국   대책반

외 무 부

종　　별 : 긴　급

번　　호 : JOW-0291　　　　　　　　　　일　　시 : 90 0818 1430

수　　신 : 장 관 (중근동,마그,기정) 사본: 대한항공 영업 계획부

발　　신 : 주 요르단 대사

제　　목 : KAL 특별전세기 운항

　　대: WJO-0181

　　1. 대호 금 8.18 주재국 민항청으로부터 주재국공항 착륙허가를 득함

　　2. BALQAZ 민항청장은 금 8.18 현재 각국으로부터 77편의 특별전세기가 운항되므로 비상시의 기본급유외에는 주재국에서의 급유는 어려울 것이라고 말하였음

　　　(대사 박태진-국장)

발 신 전 보

번 호 : WJO-0193 900818 1539 DY 종별 :

수 신 : 주 요르단 대사 *촘/참사*

발 신 : 장 관 (중근동)

제 목 : 기자 입국 협조

1. 8.20. 귀지 도착 예정인 대한항공 전세기 1편에 철수 교민 취재 목적으로 당부 출입기자 및 사진기자 약간명 (10명이내)이 동승 준비중인바, 동 기자들이 입국 사증을 공항에서 받을 수 있도록 사전 교섭하고 결과 보고 바람.

2. 상기 명단 및 여권번호는 결정되는 동보 위계임. 끝.

(중동아프리카국장 이 두 복)

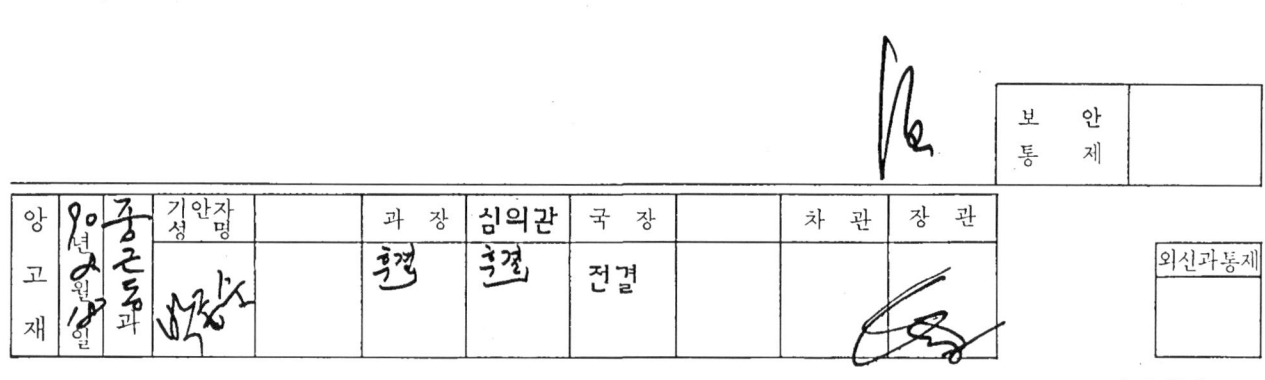

0022

외 무 부

원 본

종 별 :

번 호 : JOW-0293   일 시 : 90 0818 1630

수 신 : 장 관 (중근동,공보)

발 신 : 주 요르단 대사

제 목 : 기자입국 협조

    대: WJO-0193
    대호 명단 및 여권번호 주재국 관계기관에 통보즉시 즉각 조치 가능함
    (대사 박태진-국장)

중아국   공보

PAGE 1   90.08.19   06:58 FC

긴급

수신: FAX
~~751 - 7386~~ 751 - 7522
대한항공(주) 홍보실장 (영업관리
부장)

발신 외무부 중근동과장

0024

공   란

발 신 전 보

	분류번호	보존기간

번 호 : ~~WKU-0257~~ WSB-0335   900819 0951 CT   종별 : 긴급(암호송신)

수 신 : 주 사우디 대사. 참/영사 (양봉렬 서기관)

발 신 : 장 관 (중근동 과장)

제 목 : 업 연

연 : WSB-0334

연호건 계속 추진 바람. 끝.

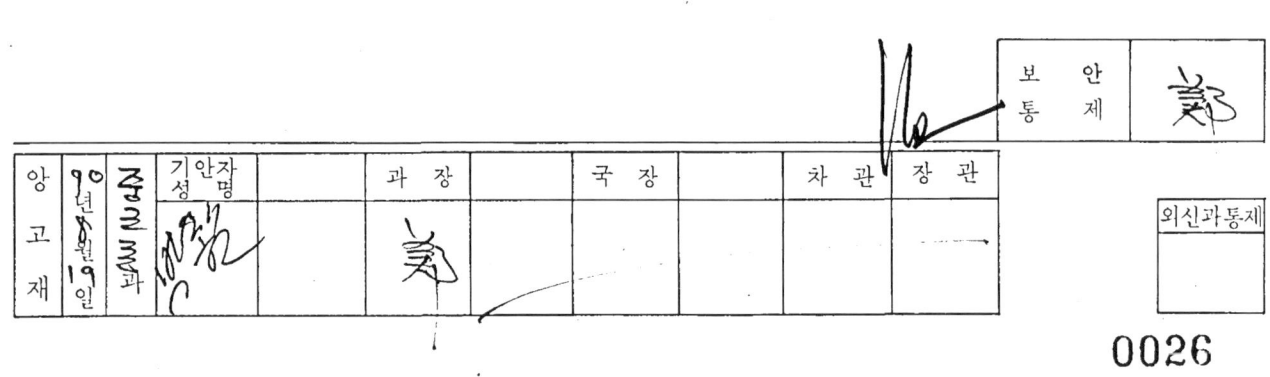

앙고재	90년8월19일	중근동과	기안자성명		과 장		국 장		차 관	장 관		보안통제	

외신과통제

0026

발 신 전 보

분류번호	보존기간

번 호 : WJO-0200   900819 1203 FD   종별 : 긴급

수 신 : 주 요르단   대사 // 총영사

발 신 : 장 관 (중근동)

제 목 : 기자 및 직원 입국 협조

연 : WJO-0181, 0193

1. 연호 관련, 동승 예정인 당부 출입기자 및 사진기자 (당초 10명 내외) 등 23명 정도 인바, 동 기자등 입국사증 허가 교섭에 차질없기 바라며, 상기 명단 및 여권 번호 결정 즉시 통보 예정임는 별첨과 같음.

2. 또한, 교민 철수 지원차 본부에서 직원 2명(이면주 부이사관 및 이경환 사무관)이 KAL 전세기 2진(DC-10)편에 동승 출발 예정인바, 동인들의 공항에서의 입국사증 허가도 사전 교섭, 결과 보고 바람. 여권번호등 별도 통보 예정임. 끝.

(중동아국장   이 두 복)

앙 고 재	90년 8월 일 중근동	기안자 성 명		과 장	심의관 국 장		차 관	장 관
					전결 후결			

보 안 통 제

외신과통제

분류번호	보존기간

번 호 : WJO-0201   종별 : 긴 급 ＜암호송신＞

수 신 : 주 요르단 대사. 총영사 (사본 : 주 이라크, 쿠웨이트 대사)
                                    WBG-0280 WKU-0259

발 신 : 장 관 (중근동)

제 목 : 교민 철수

연 : WJO-0181

　　　1. KAL 특별기 이착륙 관련, GROUND HANDLING등 제반 필요 행정사항 및 철수교민 탑승 관련사항등에 대한 KAL측 요청이 있을 경우, 귀지 출장 KAL 젯다 지점장과 수시 협의, 현지 실정에 맞게 최대 지원　　　　바람.

　　　2. 동 특별기 도착 즉시, 탑승 수용 인원수대로 교민 탑승이 이루어지도록 조치하고 철수 현황 수시 보고 바람.

　　　3. 참고로 KAL은 전세기 2대 이외 자체적으로 1대를 별도 운항 계획 (8.19 출발, 서울-젯다-암만 ROUTE)있을 첨언함. 끝.

　　　　　　　　　　　　　　　　(중동아국장　　이 두 복)

	기안자 성명	과 장	심의관	국 장	차 관	장 관
앙고재 90년 8월 19일 중근동과	박광순					

보안통제

외신과통제

0028

WJO-0201   900819 1437 CT   WBG -0280   WKU -0259

0029

발 신 전 보

분류번호	보존기간

번 호 : WKU-0260　　　　종별 : 긴급　　〈암호송신〉
　　　　　　　　　　　　　　　　　WBG-0281　WJO-0202
수 신 : 주　수신처 참조　대사 // 총영사
발 신 : 장 관 (중근동)
제 목 : 교민 철수

연 : 수신처 참조

　　1. 연호 관련, 현대건설 본부는 쿠웨이트 및 이라크 진출 동사 소속
필수요원을 포함한 모든 인원을 철수토록(동사 바레인 및 쿠웨이트 지점 경유)
이라크 지점에 별첨과 같이 지시~~귀 공관에 전달토록 조처~~하였다는바, 귀지
동사 지점과 접촉, 철수 추진에 ...... 만전을 기하기 바람.

　　2. KAL 특별기 2대는 연호 운항 계획대로 투입 예정(제2진 DC-10은
다란 경유 암만 도착)인바, 동 특별기 2대 탑승 수용 인원수(650명)만큼 대로 탑승이
가능토록 8.20 까지 철수교민의 요르단 도착을 추진하고, 연호 지시와 같이
필수요원 포함 이라크 및 쿠웨이트 전교민 모두가 철수되도록 노력 바라며,
철수 현황 수시 보고 바람. 끝.

　　　　　　　　　　　　　(중동아국장　　　이 두 복)

수신처 : 주 쿠웨이트(WKU-0253), 이라크(WBG-0274) 대사
　　　사본 : 주 요르단(WJO-0174) 대사
　　　　　　(WJO-0181)

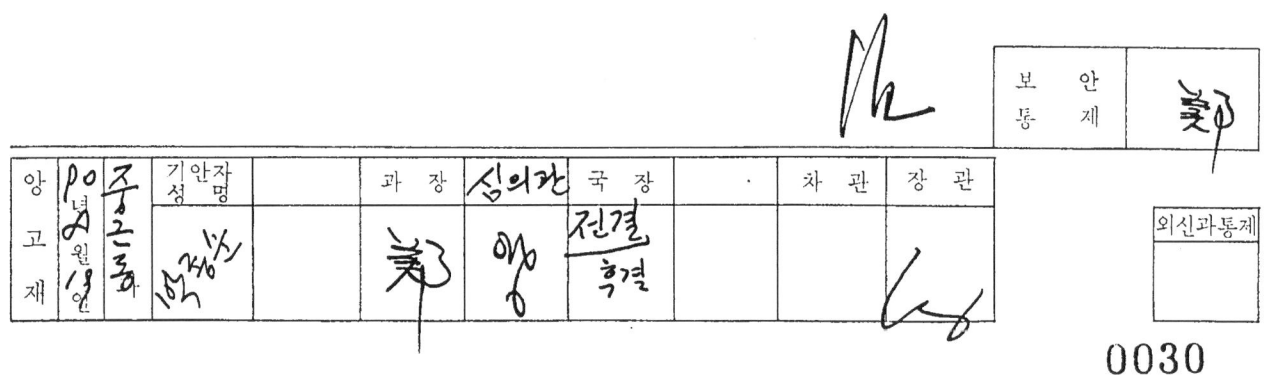

0030

발 신 전 보

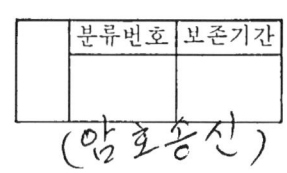

분류번호	보존기간

（암호송신）

번 호 : WJO-0204   900819 1957 DY   종별 :

수 신 : 주 요르단   대사 . 총영사

발 신 : 장 관   （중근동）

제 목 : KAL 특별 전세기 운항

연 : WJO-0181

　　　KAL 특별 전세기 B 747(8.20.　06:00 서울발 예정)은 연호 스케줄데로
운항 예정이며, DC-10(8.20.　20:20 서울발 예정)은 교민 철수 현지 상황에
따라 다소 출항시간이 유동적일 것임을 양지 바람. 끝.

　　　　　　　　　　　　　（중동아프리카국장   이 두 복）

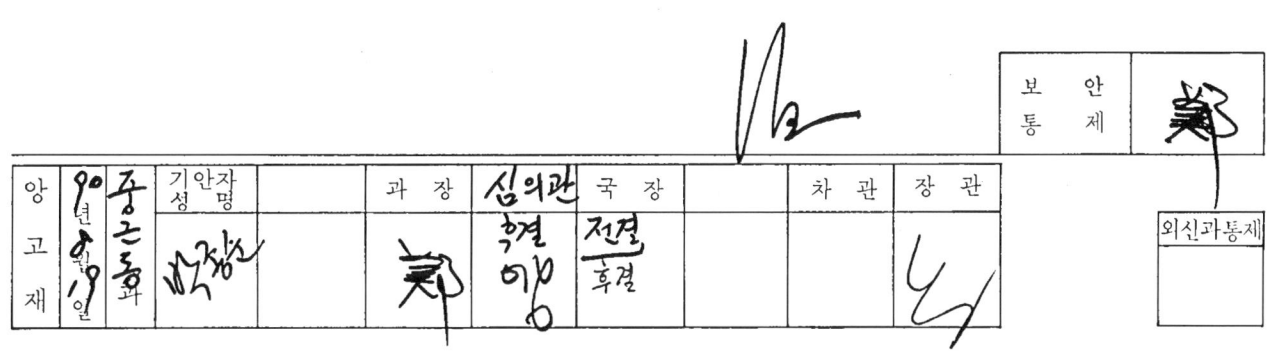

보 안 통 제	
외신과통제	

앙 고 재	기안자 성명		과 장	심의관	국 장		차 관	장 관

0031

원 본

외 무 부

종 별 : 긴 급

번 호 : BAW-0335   일 시 : 90 0819 0955

수 신 : 장 관(중근동)

발 신 : 주 방대사

제 목 : KAL 특별 전세기 운항

대: WBA-0177

연: BAW-0334

주재국 외무부 의전장은 90.8.18자로 연호 영공통과 허가가 부여 되었음을 당관에 알려왔으며 허가번호는 아래와 갑음.

- 아래 -

CAA-1715-1-AT (허가일시 1990.8.18)

(대사 이재춘-국장)

중아국

발 신 전 보

<table>
<tr><td>분류번호</td><td>보존기간</td></tr>
<tr><td></td><td></td></tr>
</table>

(암호송신)

번   호 : WSB-0337   900819 1956 DY   종별 : 긴급

WJO-0203

수   신 : 주 사우디   대사 . 총영사 (사본 : 주 요르단 대사)

발   신 : 장 관   (중근동)

제   목 : KAL 특별 전세기 운항

연 : WS B-0334

연호 특별기 (DC-10)의 주재국 다란 경유 운항계획이 취소 되었음을
양지 바람. 주재국 공항 착륙 허가 불요임.

(중동아국장   이 두 복)

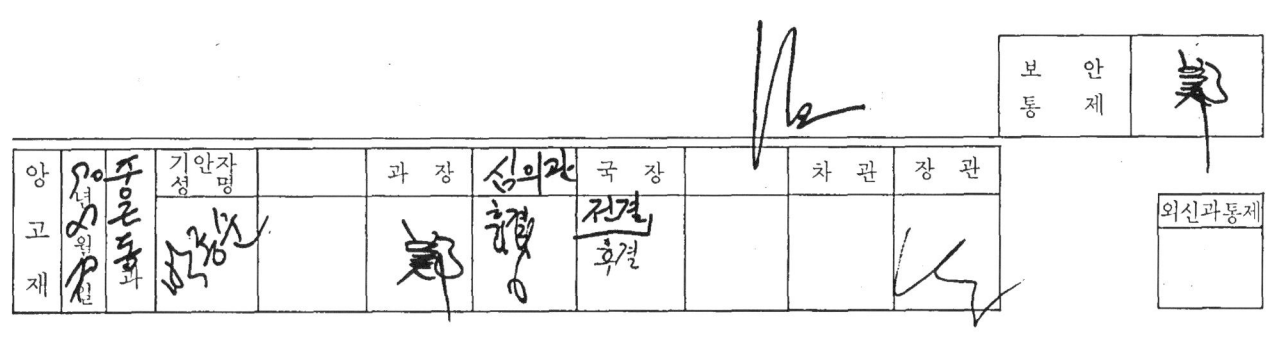

<table>
<tr><td rowspan="2">앙
고
재</td><td rowspan="2"></td><td>기안자
성 명</td><td></td><td>과 장</td><td>심의관</td><td>국 장</td><td></td><td>차 관</td><td>장 관</td><td rowspan="2"></td></tr>
<tr><td></td><td></td><td></td><td></td><td></td><td></td><td></td><td></td></tr>
</table>

보 안
통 제

외신과통제

0033

원 본

외 무 부

종 별 : 지 급
번 호 : KUW-0465   일 시 : 90 0819 1730
수 신 : 주 요르단 대사   사 본:중근동,이라크대사 (정계표)
발 신 : 주 쿠웨이트 대사
제 목 : 외국국적 직원

　　8.21 출발하는 사람중 에집트 국적직원(동행가족2명)과 태국국적 각1인이 있으니
해당공관과 협조해 주시기바람.끝
　　(대사 소병용-대사)

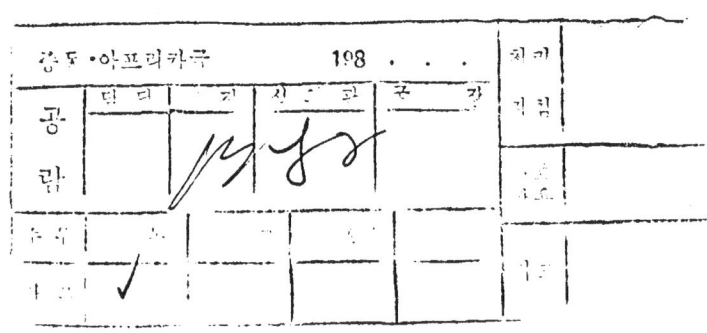

중아국　　상황실　　안기부　　　· JO, BG→아　　1차보　2차보　통상국

90.08.20   02:23 DY
외신 1과 통제관
0034

外 務 部

종 별 : 지 급

번 호 : KUW-0473

일 시 : 90 0820 1800

수 신 : 장관(중근동)

발 신 : 주 쿠웨이트대사

제 목 : 귀국인원 정보

연: KUW-0466

대: WKU-0272

1. 대호 1항중 항공료를 제외한 사항은 KUW-0463(8.19) 로 보고 드렸음

2. 만일 수신내용이 정확하지 않으면 다시 보내기는 통신사정상 어려우니 다음참조
하고 본부 인사자료를 활용해 주시기 바람.

　　　가. 이수련: 대사처

　　　이정금: 정참사관 처(가족 2명, 정효재, 정성진)

　　　나. 이참사관과 가족 전원 5명

　　　다. 임건설관과 가족전원 3명

　　　라. 이종애: 최영사처와 자녀 3명전원

　　　마. 이노부관과 가족 3명전원

　　　바. 이상희 (김외신관처)

　　　아. 이경의 한국학교 교사와 부인

3. 이상 성명, 생년월일 등을 항공권 예약을 위해서 주요르단 대사관에도 통보해
주시기 바람. 끝

　　　(대사 소병용-국장)

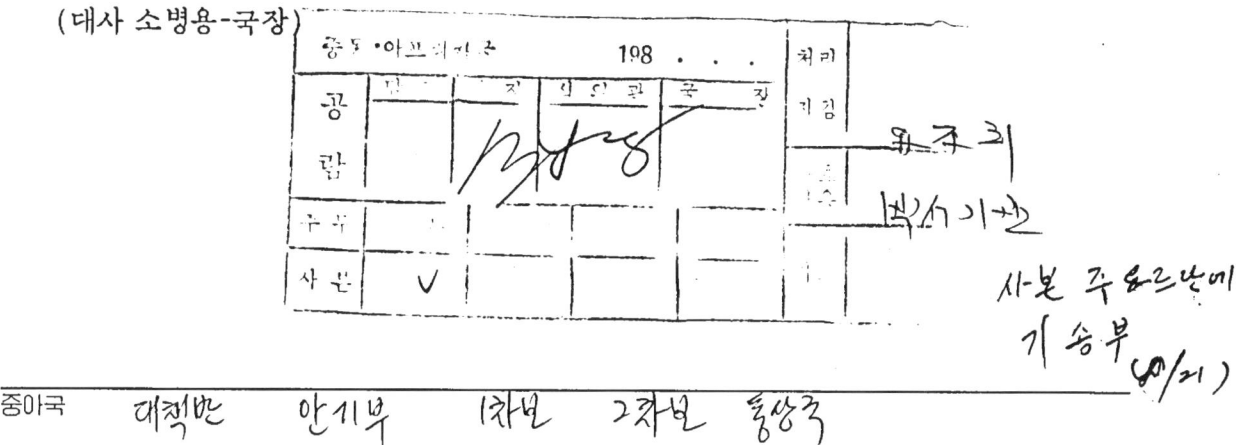

중아국　　대책반　　안기부　　1차보　　2차보　　통상국

PAGE 1

90.08.21　　04:18 DA

외신 1과 통제관

0035

걸프사태 : 재외동포 철수 및 보호, 1990-91. 전14권 (V.4 특별 전세기 운항, 1990.8-9월)　　41

외 무 부

암 호 수 신

종 별 : 긴급

번 호 : JOW-0301   일 시 : 90 0819 2200

수 신 : 장 관(중근동, 영재, 마그, 기정)(사본:주 이락, 쿠웨이트 대사-중계필)

발 신 : 주 요르단 대사

제 목 : 교민철수

참조:KUW-0436

금번 쿠웨이트 철수 교민들은 참조와 여히 갑작스러운 사변으로 수중에 돈이 없는
실정인바, 현대소속 요원을 제외한 쿠웨이트 철수교민 제 1,2 진(215 명)에 대한 당지
호텔 체류비등 처리지침 지급회시요망.(출국시까지 예상 체류비는 13,000 여 미불
예상되며 대사관 지불보증 개월 이내 후불처리 가능)

(대사 박태진-국장)

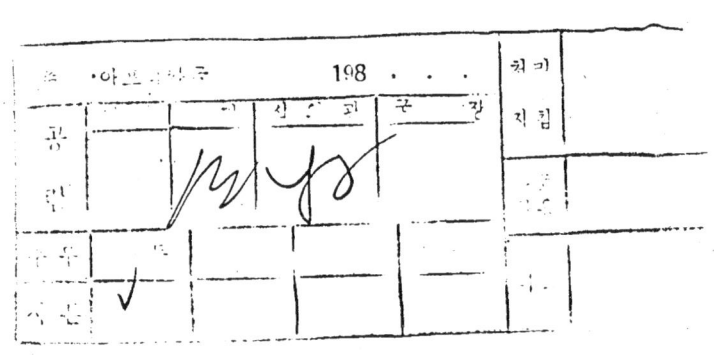

중아국 대책반	장관	차관	1차보	2차보	중아국	영교국	정와대	안기부

PAGE 1   90.08.20   05:22
                                                    외신 2과 통제관 EZ

0036

원 본

암 호 수 신

외 무 부

종 별 : 지 급

번 호 : JOW-0302

일 시 : 90 0819 2300

수 신 : 장 관(중근동,마그,기정)사본:주 이락,쿠웨이트 대사-준계관

발 신 : 주 요르단 대사

제 목 : 교민철수

　　　쿠웨이트 현대소속 1 진 (아국인 172 명, 태국인 688 명)은 8.19 22:30 요르단
입국수속을 마치고 암만으로 출발함

　　　(대사 박태진-국장)

중아국	장관	차관	1차보	2차보	중아국	청와대	안기부	대적반

PAGE 1

90.08.20　　05:23

외신 2과　통제관 EZ

0037

발 신 전 보

	분류번호	보존기간

번   호 : WJO-0206   900820 0813 FC   종별 :

수   신 : 주 요르단   대사. 송영자 (사본 : 주 이락크, 꾸웨이트 대사) WBG-0288 WKU-0266

발   신 : 장 관 (중근동)

제   목 : KAL 특별 전세기 운항

연 : WJO-0181
BCW-0262, WKU-0243

KAL 특별 전세기 제1편(B 747)은 8.20 07:00 귀지 향발 하였음
(김포공항 ATC HOLDING 관계로 출발이 1시간 지연됨) 끝.

(중동아국장   이 두 복)

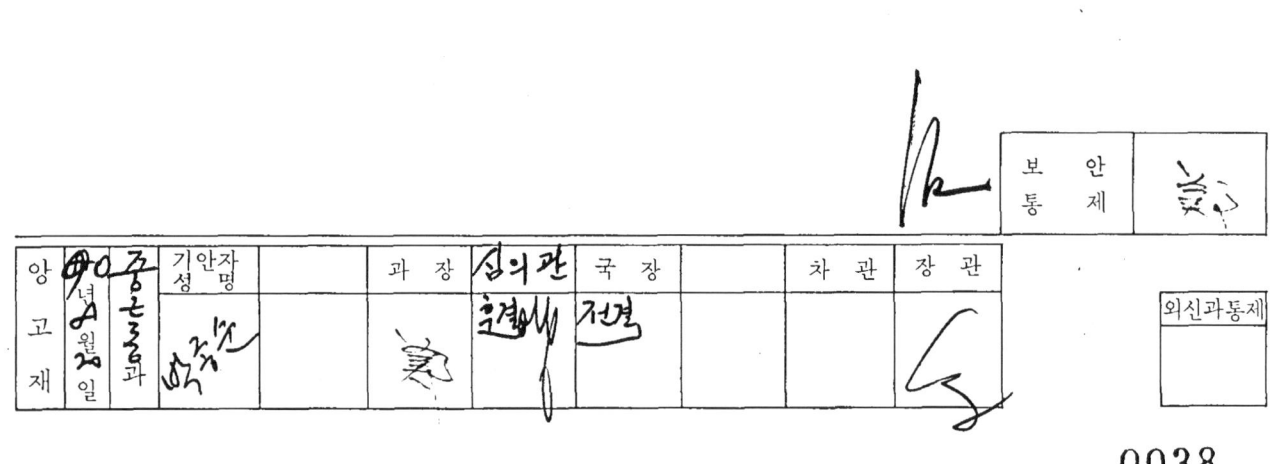

0038

발 신 전 보

분류번호	보존기간

WJO-0210   900820 1514 CT   종별 : 지급

번 호 :

수 신 : 주 요르단 대사. 총영사

발 신 : 장 관 (중근동)

제 목 : 기자출발

연 : WJO-0200

　　　금일 오전 출발한 대한항공 특별 전세기 제1편에는 당초 탑승 예정
이었던 기자 22명중 KBS 3명, 중앙경제 2명, 내외경제 1명등 총 6명이 동행
계획을 취소, 기자 16명과 공보관실 김성철 사무관 등 17명이 탑승하였음. 끝.

(중동아프리카국장 이 두 복)

보 안 통 제	🖋

양고재	기안자 성명		과 장	심의관	국 장		차 관	장 관
90년 8월 30일 중근동	🖋		🖋	전결			🖋	

외신과통제

0039

발 신 전 보

	분류번호	보존기간

번   호 :   WJO-0211   900820 1514 CT   종별 : 지급

수   신 :   주   요르단   대사 . 총영사///

발   신 :   장 관   (중근동)

제   목 :   직원 출장

연 : WJO-0200

    1. 연호 귀지 출장 예정 직원(2명) 인적사항 아래와 같음.

ㅇ 이면주 부이사관 (MYUN JOO, RHEE)

    - 생년월일 : 38. 10. 4.

    - 여권번호 : ▮▮▮▮

ㅇ 이경환 사무관   (KYUNG HWAN, LEE)

    - 생년월일 : 50. 2. 18.

    - 여권번호 : ▮▮▮▮

    2. 동인들의 귀지 체류중 숙소관계등 제반사항 가능한 지원 바람. 끝.

(중동아국장   이 두 복)

앙고재	기안자 성명		과 장	심의관	국 장		차 관	장 관	보안통제
90년 월 20일 중근동				전결					
									외신과동재

1990-08-21 15:06 FRO⎯⎯CGKE 02 751 7522 ⎯ TO M.O⎯ P.01

0041

수신 : 외무부 중동2과 박준우 서기관

발신 : 테헤란 양영철

제목 : 이란 특별기 제2차 운항관련

※ 회보할 2 PAGES

암만 특별기 제 2편 운항계획 변경

* 암만 현지사정으로 인하여 2일(48시간) 지연

* 편명, 운항구간, 기종, 구간별 출발/도착 시간 변경없음

1. 운항일자 / 시간

○ 서울 출발 : 8월 22일(수) 22:00

○ 암만 도착/출발 : 8월 23일(목) 06:00 / 10:00

○ 서울 도착 : 8월 24일(금) 08:35

2. 편명 및 운항구간

○ KE8035 : 서울 / (바레인) / 암만

○ KE8045 : 암만 / (바레인) / (방콕) / 서울

　○ ( ) 는 기술착륙지

3. 운항기종 : DC10 (272석)

4. 운항스케줄 (현지시간)

○ 서울발 2200   바레인착/발 0215/0335   암만착 0600

○ 암만발 1000   바레인착/발 1225/1335   방콕착/발 0025/0125   서울착 0835

0042

발 신 전 보

분류번호	보존기간

WJO-0212　　900820 1620　ER　종별: 초긴급

번 호 :

수 신 : 주　요르단　대사．총영사　(사본 : 주 이라크, 쿠웨이트 대사)　WBG-0292　WKU-0269

발 신 : 장 관　（중근동）

제 목 : KAL 특별 전세기 운항 연기

대 : JOW-0296

연 : WJO-0181, 0202

　　1.　KAL 특별기 제2편 운항 관련, KAL은 당초 계획을 변경, 48시간 연기
운항(8.22 22:00 서울발) 요청해온바, 이럴경우 귀지 철수교민 수송상 문제점
여부 및 귀견을 긴급 회보 바람.

　　2.　항공임 관계로 철수교민 탑승에 차질 없도록 현지 KAL 협조아래, 교민
안전 보호 차원에서 우선 철수교민 전원을 탑승 귀국 조치케 하고, 귀국후
항공임 정산 문제 해결토록 추진 바람.　끝.

　　　　　　　　　　　　　　　　　　　　　（중동아국장　　이 두 복）

앙고재	90년8월20일 중근동과	기안자 성명	과 장	심의관	국 장 전결	차 관	장 관	보안통제

외신과통제

0043

외　무　부

원　본

종　별 : 초긴급

번　호 : JOW-0304

일　시 : 90 0820 1300

수　신 : 장 관(중근동,마그,기정)

발　신 : 주 요르단 대사

제　목 : KAL 특별기 전세기 운항

대:WJO-0212,209

1. 48시간 연기 운항되면 다소 시간적 여유가 있어 현대소속 인원및 추가로 당지에 도착하는 철수인원 수송에 도움이 될 것이며, 당국과의 협조도 완료됨

2. 철수 민측은 국가지원 난민수 전세기로 무임승을 당연시 하면서 KAL 측의 후불지불 요구에 강한 반발을 보이고 탑승을 거부하는 사태가 발생하고 있음에 교민철수에 차질 및 큰 혼란이 예상되어 본직이 KAL측과 교민들을 설득하고 있음.

(대사 박태진-국장)

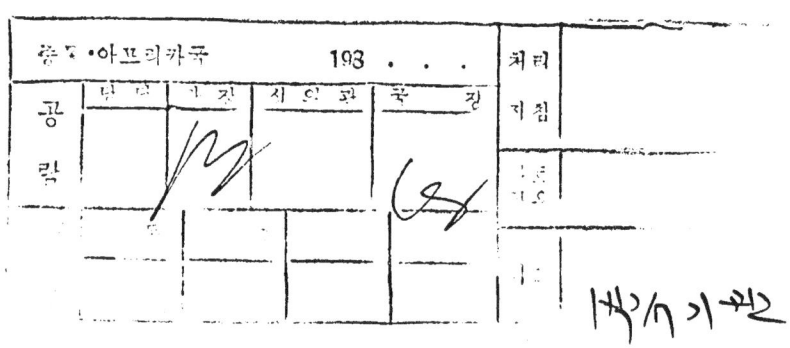

중동·아프리카국	193 . . .		처 리 지 침
공 람	과 장	심의관	국 장

중아국　1차보　2차보　중아국　안기부　대책반

발 신 전 보

분류번호	보존기간

번   호 : WJO-0216   900820 2052 DN 종별 : _____

수   신 : 주 요 르 단   대사 ./향/영/사

발   신 : 장   관   (중근동, 공보관)

제   목 : 직원 출장 연장

      귀관 지원 요원인 이연주 연구관외 1명의 귀지 도착이 KAL 제2편의

연기로 지연되는바 김성철 사무관의 귀관 지원이 필요하다고 판단되는 경우

KAL 제2편으로 귀국하도록 조치 바람.   끝.

               (중동아프리카국장   이 두 복)

앙고재	기안자 성명		과 장	국 장		차 관	장 관	보안통제
80년 4월 1일	중근동화		심의관 호결	전결				외신과통제

0045

원 본

암 호 수 신

외 무 부

종 별 : 긴 급

번 호 : JOW-0305   일 시 : 90 0820 1400

수 신 : 장 관(중근동, 영재, 마그, 노동부, 건설부, 기정)사본:주이락, 쿠웨이트대사

발 신 : 주 요르단 대사   (중계필)

제 목 : 교민철수(현대)

연:JOW-0302

1. 연호 쿠웨이트 현대소속 1 진(168 명) 및 이락 현대 근로자 8 인 및 쿠웨이트 철수교민 가족 10 명, 총 186 명 금 8.20. 10:00 암만에 무사히 도착함

2. 태국인 근로자 688 명은 주재국 입국 수속을 종료하고 인수할 태국 요원에게 인계, 임시 난민촌으로 향하였음

(대사 박태진-국장)

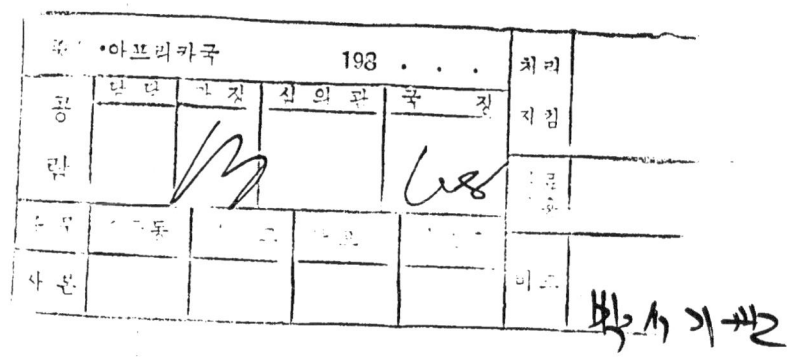

중아국 노동부	차관 대책반	1차보	2차보	중아국	통상국	영교국	안기부	건설부

외 무 부

원 본

암 호 수 신

종 별 :

번 호 : JOW-0306

일 시 : 90 0820 1630

수 신 : 장 관(중근동),사본:노동부

발 신 : 주 요르단 대사

제 목 : 직원출장

대:WJO-0185

대호 주 이락 대사관 이양정 노무관은 8.19 도착 지원근무중임

(대사 박태진-국장)

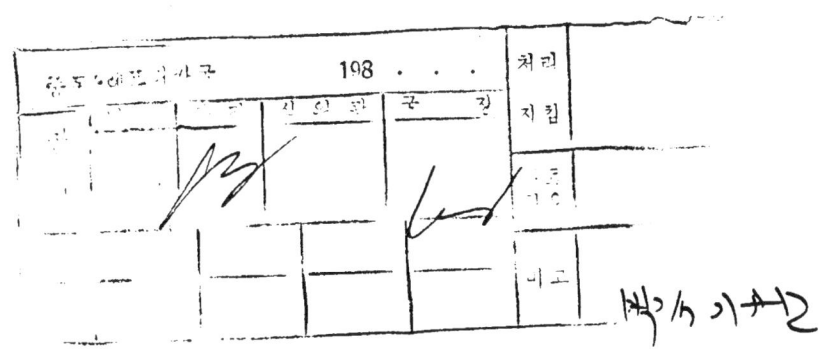

종아국   노동부

PAGE 1

90.08.20   23:04

외신 2과 통제관 DO

0047

원 본

외 무 부

종 별 : 초긴급

번 호 : JOW-0308

수 신 : 장 관(중근동, 마그, 기정)

발 신 : 주요르단 대사

제 목 : 교민철수 경비문제

일 시 : 90 0820 2320

연: JOW-0304

1. 8.20 일 출발 예정된 쿠웨히트 교민들은 연호와 여히 자신들은 사실상의 난민임에도 불구하고 정상적인 수익자부담원칙 적용에 크게 반발하고 비행장행 버스탑승을 거부하면서 자신들의 처지들을 경변하였음

2. 모든 설득에도 불구하고 탑승하여야할 시간이 1시간 이상초과 하도록 이들은 항공료 및 숙박비에 대한 정부로 부터 난민구호의 보상이 없는한 탑승을 거부하겠다고 완강히 저항 하였음 (필리핀의 경유 전세기에 무임 탑승하고 있음을 예를들고있음)

3. 이들이 탑승하지 않을경우 앞으로의 수용문제, 허가 초과문제 및 비행낭비등 제반 문제로 크게 혼란을 초래할 것임으로 불가피 이들에게 항공료및 당지 체류비는 본직이 책임지고 정부에 반영시켜 해결해 주겠다고 언급하고 사태를 일단수습하여 조치하였음.

4. 한편 교민철수 KAL 기가 금일 20:00 출발 예정인것이 1시간 이상 지연 되었음에도, 22:40 현재 KAL 측은 항공료 지불보증을 대사관이 해주지 않는 이상 출발할수 없다고 주장하고 있음. 이에 대사관에서는 아국 항공사에 지불 보증은할 필요가 없는것임을 알려주고 있음

5. 금번 교민철수에 따른 경비문제가 이렇게 혼선이 계속되면 앞으로 교민철수에 큰차질이 있을 것으로 예상되는바 긴급조치 요망됨

(대사 박태진-국장)

중아국   중아국   안기부

상황실

PAGE 1

90.08.21   05:48 DA

외신 1과 통제관

0048

외　무　부

종　별 : 지　급

번　호 : XQKUW-0001　　　　　　　　　　　일　시 : 90 0820 17800

수　신 : 주 요르단 대사(사)사본: 중근동

발　신 : 주 쿠웨이트 대사

제　목 : 항공료

　　암만-파리-서울의　1등,　2등,　12세이하의　어린이　2등요금을　중근동과에　보고해
주시기바람.끝

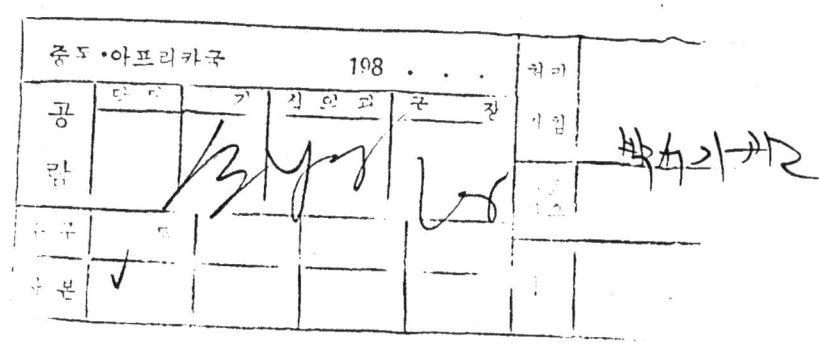

중아국

PAGE 1　　　　　　　　　　　　　　　　　　　　　90.08.21　　07:56 FC

　　　　　　　　　　　　　　　　　　　　　　　　외신 1과 통제관

　　　　　　　　　　　　　　　　　　　　　　　　　　　0049

외 무 부

원 본

종 별 : 긴 급

번 호 : JOW-0311 일 시 : 90 0821 0030

수 신 : 장관(중근동,마그,기정)

발 신 : 주 요르단 대사

제 목 : KAL 특별기 출발

1. KAL 특별기 제 1편 8.20 23:50 당지를 출발함

2. 탑승객은 총 333명으로 내용은 다음과 같음

가. 아국인: 332명

- 이라크 및 쿠웨이트 교민, 주재원 및 가족: 222명

- 쿠웨이트 현대근로자 및 가족: 97명

- 암만 한보지사직원: 1인

- 출입기자등: 12인

나. 외국인: 1인 (인도인, 한국인 남편)

(대사 박태진-국장)

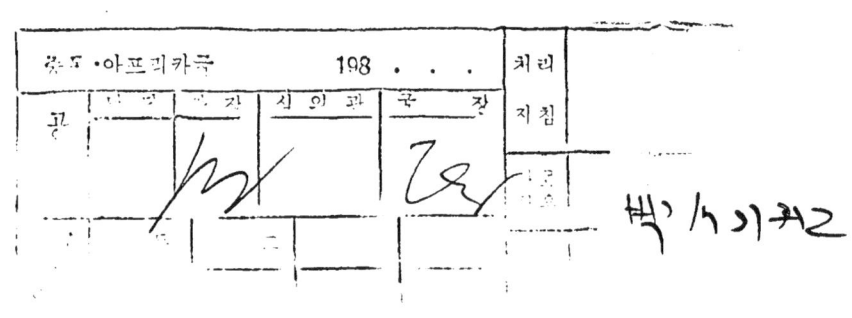

중동·아프리카국			198 . . .	처리
공		심 의 관	국 장	지침

중아국 1차보 2차보 중아국 안기부 대책반 통상국 차관

| 관리
번호 | 90/545 |

	분류번호	보존기간

발 신 전 보

WJO-0217   900824 0917 FC   종별 : <u>긴급</u>

WBG -0300

사본 : 주이라크대사

번   호 : _____

수   신 : 주 요르단   대사 .<u>총영사</u>

발   신 : 장   관   (중근동)

제   목 : KAL 특별 전세기 제2편 운항

대 : JOW-0296, 0304

연 : WJO-0212, 0211

1. KAL 특별기 제2편(DC-10)은 8.22. 22:00 귀지 향발 예정임
   (운항 계획서 별도 타전)

2. 동 특별기편에 이라크 및 귀지 체류 철수 교민용 위문품(라면 100박스)
및 귀관 요청물품(워키토키 2셋트 및 핸드마이크 1대)를 송부하니, 통관에 따른
사전 필요조치 바람.

3. 연호 직원 2명이 동 특별기에 동승함을 참고 바람.   끝.

(중동아국장   이 두 복)

예 고 : 90.12.31. 일반

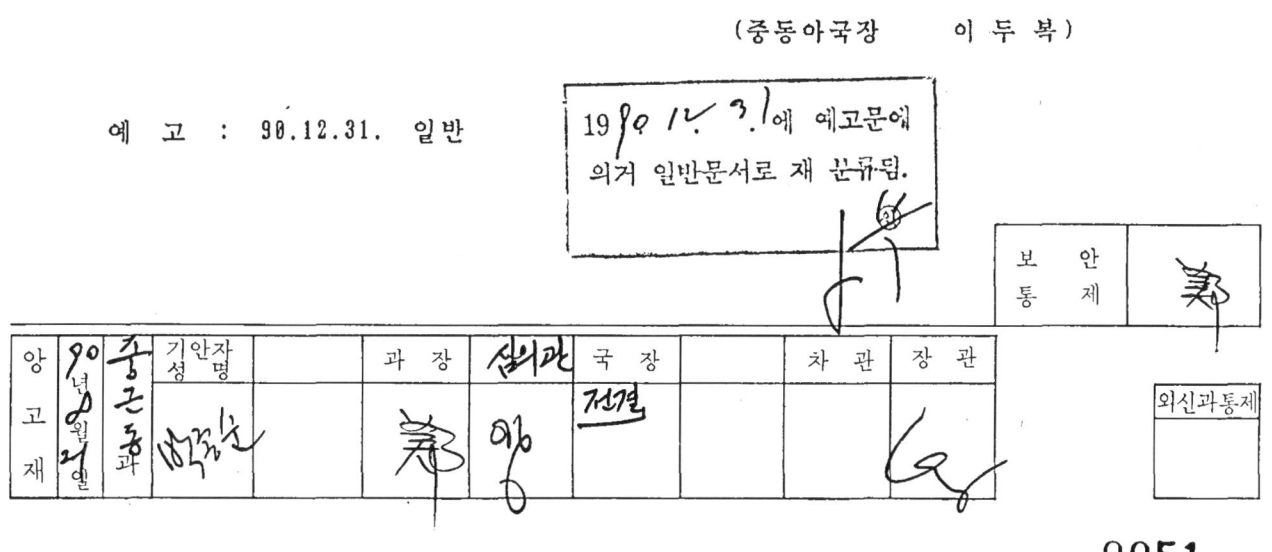

1990 12 31에 예고문에
의거 일반문서로 재 분류됨.

보 안 통 제	

앙 고 재	90년 8월 21일 중근동과	기안자 성명		과 장		국 장		차 관	장 관	
										외신과통제

발 신 전 보

WND-0625   900821 1802 DY

번   호 :

수   신 : 주   수신처 참조   대사. 총영사   종별 : 긴급

(사본 : 주 OWEM단-0123)   WBA -0181   WBM -0308
                                                    WJO -0222

발   신 : 장 관   (중근동)

제   목 : KAL 특별 전세기 운항

연   : WND-0613, WBA-0177, WBM-0304, WOM-0119

　　　1. 연호 KAL 특별 전세기 제2편(DC-10)의 운항 계획이 별첨과 같이
변경되었는바, 이를 주재국 공항 당국에 통보, 영공 통과 허가 관련 적의、조치
바람.

　　　2. 귀 주재국 통과 지점 및 시각은 KAL이 주재국 공항 당국에 직접
통보 예정임.

　　첨 부 : 동 운항 계획서

　　　　　　　　　　　　　　　　　　　(중동아프리카국장   이 두 복)

　　수신처 : 주 인도, 방글라데쉬, 미얀마, 오만 대사

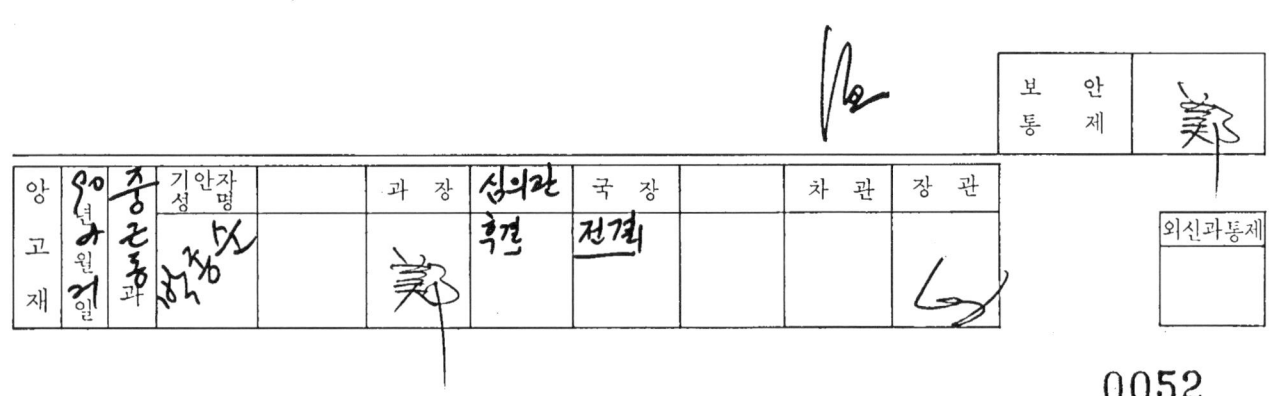

0052

KAL 특별 전세기 제2편(DC-10) 운항 계획

o 운항 일자 / 시간

　- 서울출발　:　8월 22일　　22:00L

　- 암만도착 / 출발　:　8월 23일　　06:00L / 10:00L

　- 서울도착　:　8월 24일　　06:20L

o 운항구간　:　서울 / (바래인) / 암만(왕복)

o 운항기종　:　DC 10 (272석)

o 운항 스케쥴　:

　- 서울발 2200L 바래인착 / 발 0215L / 0335L+/　암만착 0600+/

　- 암만발 1000L 바래인착 / 발 1225L / 1345L 서울착 0620L+/

0053

원 본

외 무 부

종 별 : 지 급

번 호 : JOW-0316

일 시 : 90 0821 1530

수 신 : 장 관(중근동,마그) 도 ·아프리카국

발 신 : 주 요르단 대사

제 목 : KAL 전세기 운항관련

연: JOW-0308

1. 8.20 당지에 운항된 KAL 전세기의 항공운임과 관련 연호와 여히 말썽이 있었던바 당시 대사관의 입장은 교민 긴급피난대책으로 본국에서 결정한 특별전세기에 대한항공운임 지불보증을 현지 대사관이할 성질의 것이 아님을 알려주었음에도 KAL측은본사 지시에 의하여 어떠한 일이 있어도 대사관의 지불보증이 없으면 출발 할수없다고 완강히 주장 출발을 지연시켰던 것임.

2. KAL 현지 직원과는 대화가 되지않고 탑승객의 불만은 고조되고있는 상황에서더 이상 지체시킬수 없어 역시 불가피 대사관보증확인 시킨후 동 특별 전세기를 출발시켰음

3. 이와관련 23일 당지 도착예정인 DC-10 의 경우도 20일의 것과 같은 말썽이 되풀이 되지 않도록 출발전 본부에서 사전 조치 요망됨.

(대사 박태진-국장)

중아국   1차보   2차보   중아국   대책반

PAGE 1

90.08.21   22:45 CG

외신 1과 통제관

0054

원 본

외 무 부

종　별 : 긴 급

번　호 : BAW-0348

일　시 : 90 0822 1040

수　신 : 장 관(중근동)

발　신 : 주 방 대사

제　목 : KAL 특별 전세기 운항

대: WBA-0181

대호 KAL 전세기 제2편 운항 계획 변경을 8.21 주재국 외무성에 통보하였는바, 주재국측은 동변경에 아무런 문제가 없다고함.

(대사 이재춘-국장)

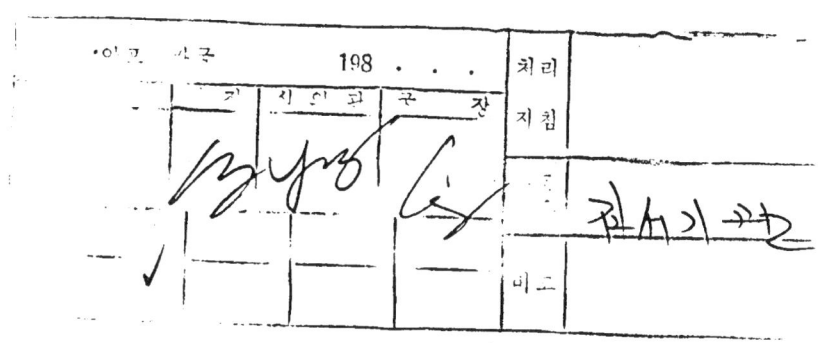

중아국

PAGE 1

90.08.22　14:08 WG

외신 1과 통제관

0055

원 본

외 무 부

종 별 : 지 급

번 호 : BMW-0504

일 시 : 90 0822 1100

수 신 : 장 관(중근동,아서)

발 신 : 주 미얀마 대사

제 목 : KAL 특별 전세기 운항

대: WBM-0308

연: BMW-0494

본직은 8.22 교통부 민항국장과 접촉, 대호 전세기의 변경된 운항계획에 따른 협조를 요청하였던바, 동국장은 대한항공측에 즉시 영공통과 허가를 통보하고 필요한 협조를 하겠다고 말하였음.끝

(대사 김항경-국장)

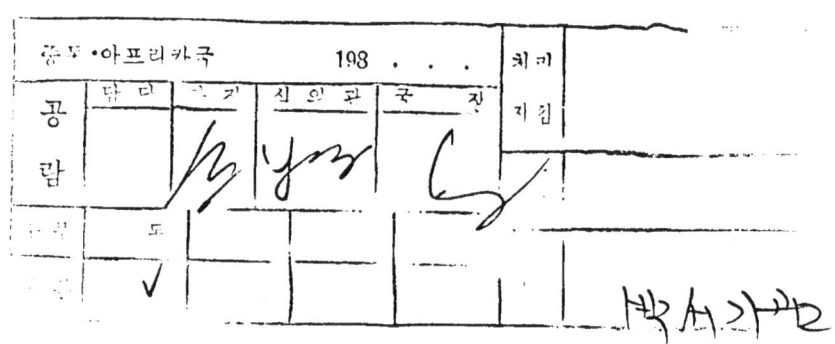

중아국   아주국

PAGE 1

90.08.22   14:10 WG

외신 1과 통제관

0056

외 무 부

원 본

종 별 : 초긴급

번 호 : JOW-0319 일 시 : 90 0822 1030

수 신 : 장 관(중근동,마그,영재,노동,건설,기정)사본:대한항공

발 신 : 주 요르단 대사

제 목 : KAL 특별기 제2편

1. 대호 KAL 특별기 2편(DC-10)의 탑승 가능인원은 사실상 250여석에 불과하나,
동 특별기편 탑승을 요하는 인원은 다음과 같음(탑승 예상인원)

 -쿠웨이트 현대근로자 192명

 -이락 현대근로자 31명

 -한양,정우 20명

 -쿠웨이트 잔류교민 14명

 -이락 잔류교민 7명

 -쿠웨이트 공관가족등 32명

 -이락 대사관 직원가족 15명

 -계: 311명

2. 이락 공관 가족 당지 도착시간 관계로 전세기 도착시간을 6시간 정도 지연 조정
필요하며 기종역시 탑승인원을 고려바람. 끝.

 (대사 박태진-국장)

중아국 대책반	1차보	미주국	중아국	통상국	영교국	안기부	건설부	노동부

PAGE 1

90.08.22 16:55 BB

외신 1과 통제관

0057

원 본

외 무 부

종 별 : 긴급

번 호 : OMW-0247　　　　　　　　　일 시 : 90 0822 0845

수 신 : 장관(중근동)

발 신 : 주오만대사

제 목 : KAL 전세기 운항

　대: WOM-0123

　대호 KAL 전세기 제2편의 운항계획 변경에따른 주재국 영공통과 허가 관련, 주재국 공항당국이 KAL 측에 승인을 기통보하였음.끝

　(대사 강종원-국장)

중도·아프리카국			198 . . .		처리	
공람	담당	과장	심의관	국장	지침	
주무	도					
사본	✓					

중아국　　1차보　　미주국　　정문국　　대책반

PAGE 1　　　　　　　　　　　　　　　　90.08.22　17:07 DP

외신 1과 통제관

0058

발 신 전 보

번 호 : WJO-0245   900823 1811 DY   종별 : 지급

수 신 : 주 요르단 대사//총영사/

발 신 : 장 관 (중근동)

제 목 : 교민 철수

　　　　KAL 측은 8.24 서울발 - 트리폴리 정기 항공편 (KE 802, DC-10)의 트리폴리로 부터 귀항시, 귀지 체류 철수교민 수송을 위해 운항 일정을 임시 변경, 암만을 잠시 경유하여, 젯다 - 서울 향발 예정이라는바, 일부 잔류 철수 교민이 동 정기편을 이용, 귀국토록 조치 바람. 끝.

　　　　　　　　　　　　　　　(중동아프리카국장 　 이 두 복)

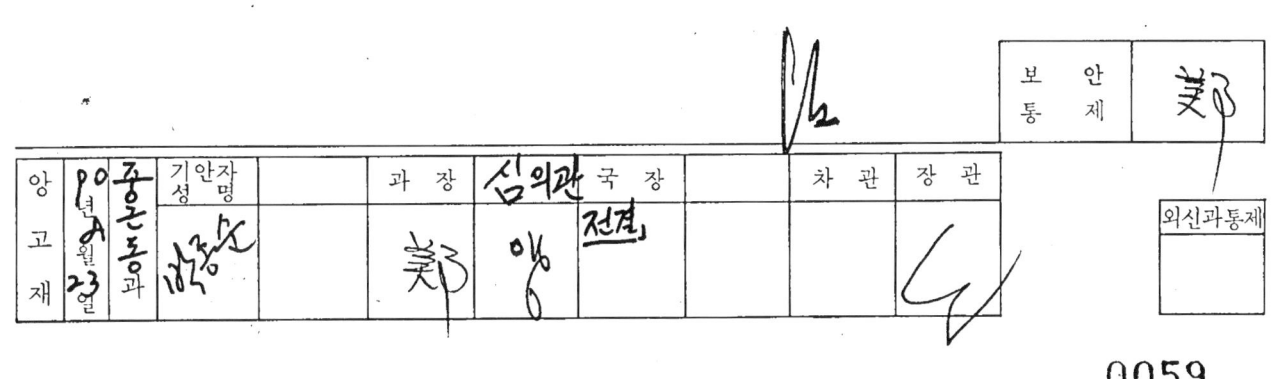

앙 고 재	1990년 8월 23일	중 근 동 과	기안자 성명		과 장	심의관	국 장 전결		차 관	장 관	보 안 통 제	

외신과통제

0059

원 본

암 호 수 신

외 무 부

종 별 : 긴급

번 호 : JOW-0332
일 시 : 90 0823 1400

수 신 : 장 관(중근동,마그,기정) 사본:주이락대사-중계필

발 신 : 주 요르단 대사

제 목 : KAL 특별 전세기 2편

    1. KAL 특별 전세기 제 2 편은 금 23 일 06:50 당지도착, 다음과 같이 이라크 대사관 가족 15 명을 포함 254 명의 승객과 함께 11:45 서울로 출발함

    가. 이락 현대근로자 : 198 명

    나. 한양 : 15 명

    다. 정우개발 : 8 명

    라. 유학생 및 가족 : 3 명

    마. 쿠웨이트 잔류교민 : 10 명

    바. 이락 대사관 가족 : 15 명

    사. 외무부 출입기자 : 5 명

    2. 쿠웨이트 잔류교민중 남상권씨 부인은 8.22 여아를 분만, 동가족 3 인은당지 체류중이며, 잔여 쿠웨이트 교민 2 인중 1 인은 사업관계로 동남아로 곧 향발하며, 유학생은 사이프러스로 출발예정으로있음

    3. 동특별기편 이면주 연구관외 1 인 도착, 당관 지원업무 개시하였으며, 격려품및 장비 무위수령함

    (대사 박태진-국장)

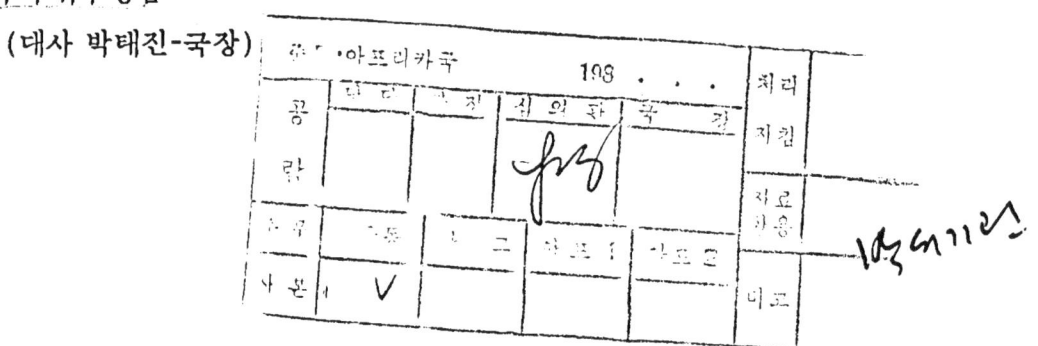

중아국   장관   차관   1차보   2차보   중아국   정문국   영교국   청와대
안기부   대책반

PAGE 1
90.08.23   21:18
외신 2과   통제관 CW

0060

발 신 전 보

분류번호 | 보존기간

번 호 : WJO-0248   900824 1029 FC   종별 : 지급

수 신 : 주 요르단싪체착존 대사 . 총영사   (사본 : 주 이락크 대사관)
                                       WBG-0335

발 신 : 장 관   (중근동)

제 목 : 쿠웨이트 공관원 가족 철수

연 : WJO-0245

　　　　1.   귀지 체류중인 쿠웨이트 공관원 및 가족(27명)이 연호 KAL

서울 - 트리폴리 정기 항공편(KE 802)에 탑승 귀국토록 좌석 확보등 필요조치

하고 결과 보고 바람.
　　　　변천
　　　　2.   동 정기편 운항 스케쥴은 별첨과 같음을 참고 바람. 하며, 주재국당국에 통보 바람. 끝. 통접 의 조치 바람.

　　　　　　　　　　(중동아프리카국장   이 두 복)

보 안
통 제

앙고재	90년 8월 24일	기안자 성명		과장	심의관	국장		차관	장관	외신과통제
	중근동			국결	앵	전결				

0061

운 항 계 획 서

o KE 801 운항일자 / 시간   지급

- 서울 출발 : 8월 24일 ₃/   22:00L

- 바레인 도착 / 발 8월 25일   02:15L / 04:50L

- 젯다 도착 / 발   8월 25일   06:55L / 07:55L

- 트리폴리 착   8월 25일   10:55L /

o KE 802 운항일자 / 시간

- 트리폴리 발   8월 25일   12:10L

- 암만 착   8월 25일   16:30L

- 암만 발   8월 25일   17:50L

- 젯다 / 바레인 경유   2 (일)

- 서울 착   8월 26일 (일)   16:35L

o 운항구간 : 서울(바레인) / 젯다 / 트리폴리 / 암만 / 젯다 /

         바레인 / 서울

o 운항기종 : DC-10

0062

외 무 부

종 별 : 지 급

번 호 : JOW-0342   일 시 : 90 0824 1640

수 신 : 장 관(중근동,마그,기정)

발 신 : 주 요르단 대사

제 목 : KAL 항공편 암만기착

대: WJO-0248

1. 금 24일 민항청으로부터 대호 KE-802 편 당지착륙허가 득함

2. 쿠웨이트 공관원 및가족,교민,이락현대근로자등은 동 KAL 편귀국토록 조치중임

(대사 박태진-국장)

중아국   안기부 중아국 차관 1차 2차 미국국 대책반 통상국

PAGE 1   90.08.24   22:56 CT

외신 1과 통제관 하

0063

원 본
암 호 수 신

외 무 부

종 별 : 지급

번 호 : JOW-0355

일 시 : 90 0825 1830

수 신 : 장 관(영재,중근동,경이,노동,기정) 사본:주이락대사-중계필

발 신 : 주 요르단 대사

제 목 : 근로자 철수상황 보고(25. 18:30)

1. 8. 25 18:30 현재 KE-802 편 근로자 철수상황을 아래와 같이 보고함

가. 쿠웨이트(철수인원 귀국완료)

나. 이락(64 명)

-8. 21 철수잔류인원(현대)25

-8. 24 철수인원(현대)35

-8. 24 철수인원(정우)2

-8. 24 철수인원(개별취업)2

2. 당지잔류인원(4 명)

-한양 1 명

-정우 1 명(8. 26 사우디출장 예정)

-현대 2 명(유부장 및 본사지원 요원)

3. 참고사항

-동항공편 쿠웨이트 공관원및 가족 25, 이락 현대종합상사 및 현대가족 9, 쿠웨이트 교민 6 명등이 동승하였음(귀국인원 총 104 명)

-이락 주재 상업은행 주재원 및 가족 4 명은 8. 25 03:00 유고경유 런던향발하였음

(대사 박태진-국장)

영사교민국 대한민국	기안 검토 결재	담 당	재 장	과 장	관리관	국 장

영교국 안기부	장관 노동부	차관 대책반	1차보	2차보	중아국	경제국	정문국	청와대

90.08.26   06:26
외신 2과 통제관 CW

0064

발 신 전 보

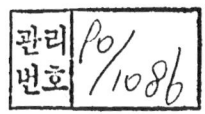

관리번호 PO/1086

번 호 : WJO-0272   900828 1408 CG   종별 : 지급

수 신 : 주 요르단 대사.총영사///   (사본 : 주 이라크 대사)   ^{WBG-0373}

발 신 : 장 관   (중근동)

제 목 : 교민 철수

연 : WJO-0264, 0271
    WBG-0357, 0369

　　　귀지 잔류교민(120여명)철수를 위해, 8.31. 서울발-트리폴리 정기
항공편 (KE 802, DC-10)의 트리폴리로 부터 귀항시, 운항 일정을 임시 변경,
암만을 잠시 경유하여, 젯다-서울 향발토록 할 계획(별첨 운항 스케쥴 참조)
인바, 주재국 공항이.착륙 허가 교섭등 관련사항 사전 조치 바람. 끝.

　　첨부 : 동 운항 계획서

　　　　　　　　　　　　　　　　　　(중동아프리카국장   이 두 복)

예그: 90. 12. 31. 일반

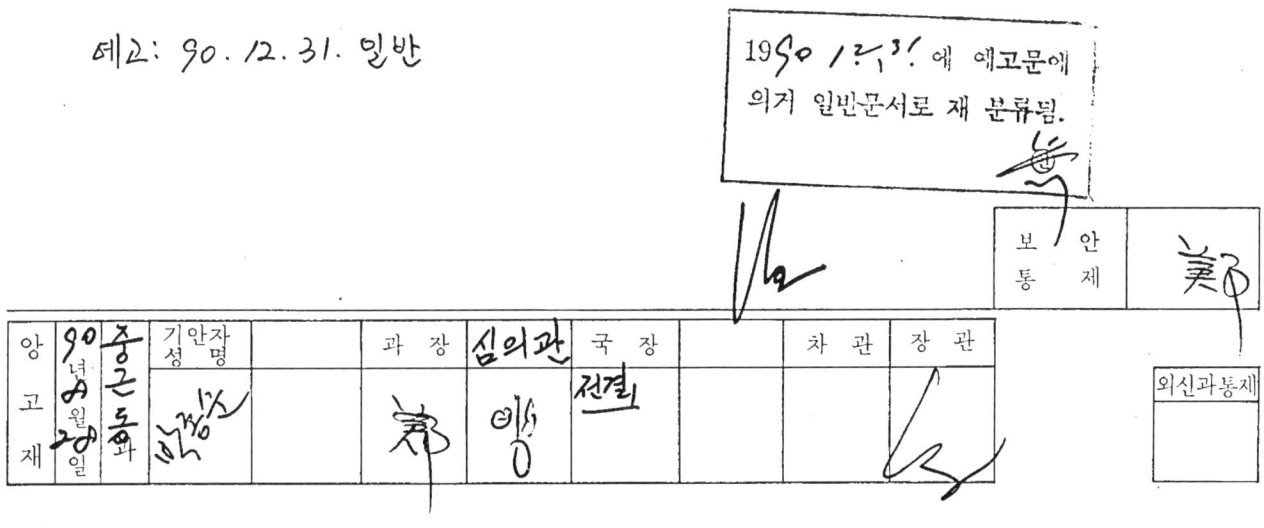

1990 1231 에 예고문에
의거 일반문서로 재 분류됨.

앙고재	90년 8월 28일 중근동	기안자 성명		과 장	심의관	국 장 전결		차 관	장 관	

보안통제

외신과통재

0065

운 항 계 획 서

WBG -0373

o KE 801 운항일자 / 시간

　- 서울출발 :　　　　　8월31일　　22:00L

　- 바레인 도착 / 발 :　9월 1일　　02:15L / 04:50L

　- 젯다도착 / 발 :　　9월 1일　　06:55L / 07:55L

　- 트리폴리 착　　　　9월 1일　　10:55L

o KE 802 운항일자 / 시간

　- 트리폴리 발　　　　9월 1일　　12:10L

　- 암만 착　　　　　　9월 1일　　16:30L

　- 암만 발　　　　　　9월 1일　　17:50L

　- 젯다 / 바레인 경유

　- 서울 착　　　　　　9월 2일(일)16:35L

o 운항구간 : 서울(바레인) / 젯다 / 트리폴리 / 암만 / 젯다 /

　　　　　　　　　바레인 / 서울

o 운항기종 : DC - 10

0066

관 리 번 호	ℓ℀ℓ℀		원 본

외 무 부

종 별 : 지 급

번 호 : JOW-0381   일 시 : 90 0829 1630

수 신 : 장 관(중근동, 영재, 마그, 노동, 건설, 기정)

발 신 : 주 요르단 대사

제 목 : 교민철수

대:WJO-0272

금 8.29 주재국 민항청으로부터 대호 KE-802 편 9.1 당지 착륙허가(번호:
DGCA/3-0518)를 득함

(대사 박태진-국장)

예고:90.12.31 일반

1990. 12. 31일 예고문에
의거 일반문서로 재 분류됨

중아국 노동부	차관 대책반	1차보	2차보	중아국	영교국	청와대	안기부	건설부

PAGE 1

90.08.29   22:50

외신 2과 통제관 DO

0067

분류번호	보존기간

발 신 전 보

WJO-0281   900831 1333 DN

번 호 :   종별 :

수 신 : 주   요르단   대사. 총영사 (사본 : 주이라크 대사)   WBG-0385

발 신 : 장 관   (중근동)

제 목 : 교민 철수

연 : WJO - 0272

　　연호 서울 - 트리폴리 정기 노선 KE 802(DC-10)은 8.31. 22:00 당지 출발

예정(9.1. 16:30 귀지 착)인바, 가능한 귀지 잔류 철수 교민 전원 탑승토록

추진하고, 쿠웨이트 철수 잔류 교민 10명(남상권 부부 가족 3인 포함)은 우선적

으로 탑승 귀국토록 조치 바람.

(중동아국장 이두복)

예고 : 90.12.31. 일반

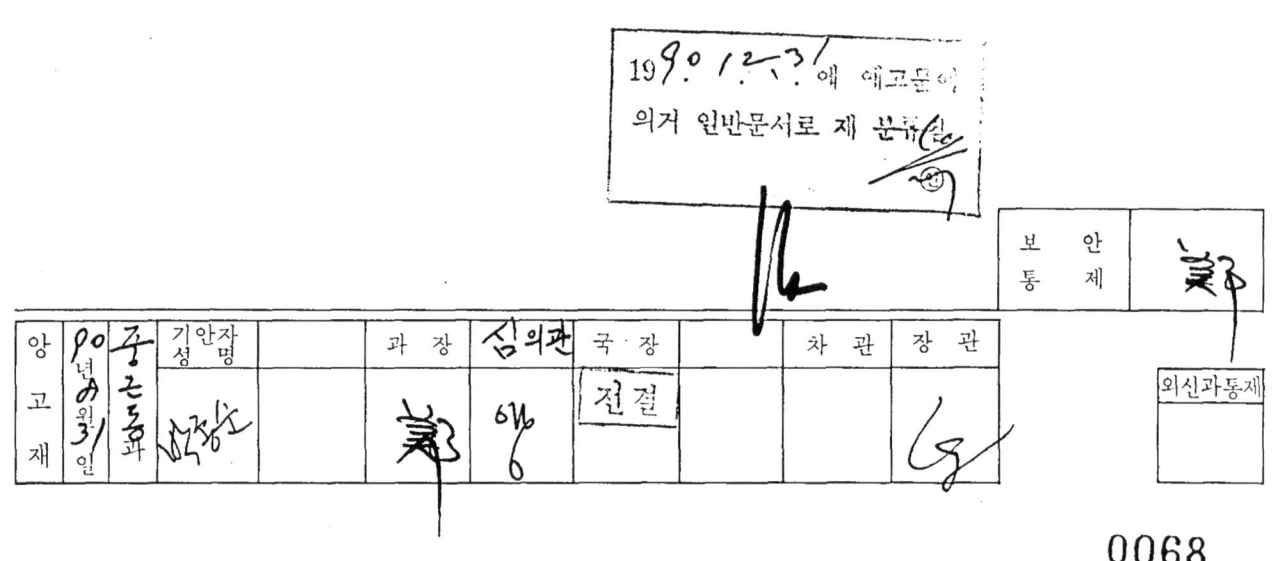

1990.12.31에 예고문에
의거 일반문서로 재 분류함

앙고재	90년 8월 31일 중근동과	기안자 성명		과 장	심의관	국 장 전결		차 관	장 관		보안통제
											외신과통제

외 무 부

종   별 : 긴 급

번   호 : JOW-0332

일   시 : 90 0823 1400

수   신 : 장 관(중근동,마그,기정) 사본:주이락대사-중계필

발   신 : 주 요르단 대사

제   목 : KAL 특별 전세기 2편

1.KAL 특별 전세기 제 2 편은 금 23 일 06:50 당지도착, 다음과 같이 이라크 대사관 가족 15 명을 포함 254 명의 승객과 함께 11:45 서울로 출발함

　　가. 이락 현대근로자:198 명

　　나. 한양:15 명

　　다. 정우개발:8 명

　　라. 유학생 및 가족:3 명

　　마. 쿠웨이트 잔류교민:10 명

　　바. 이락 대사관 가족:15 명

　　사. 외무부 출입기자:5 명

2. 쿠웨이트 잔류교민중 남상권씨 부인은 8.22 여아를 분만, 동가족 3 인은당지 체류중이며, 잔여 쿠웨이트 교민 2 인중 1 인은 사업관계로 동남아로 곧 향발하며, 유학생은 사이프러스로 출발예정으로있음

3. 동특별기편 이면주 연구관외 1 인 도착, 당관 지원업무 개시하였으며, 격려품및 장비 무위수령함

　　(대사 박태진-국장)

영사교민국	인 인 인	담 당	제 정 과 장	관 리 관	국 장
			16		

중아국 안기부	장관 대책반	차관	1차보	2차보	중아국	정문국	영교국	청와대

90.08.23   21:18
외신 2과 통제관 CW

0069

원 본

외 무 부

종 별 : 지 급

번 호 : JOW-0342   일 시 : 90 0824 1640

수 신 : 장 관(중근동,마그,기정)

발 신 : 주 요르단 대사

제 목 : KAL 항공편 암만기착

대: WJO-0248

1. 금 24일 민항청으로부터 대호 KE-802 편 당지착륙허가 득함

2. 쿠웨이트 공관원 및가족,교민,이락현대근로자등은 동 KAL 편귀국토록 조치중임

(대사 박태진-국장)

중아국   안기부 중아국 차관 1과 2과 미주국 대책비 통상국

90.08.24   22:56 CT

외신 1과 통제관

0070

항공료 확인서

성인 운임   : 685 불 (정상운임 1,369 불)

소아 (만 2-11세) : 성인운임의 50 %

유아 (만 2세 미만): 성인운임의 10 %

○ 90년 8월 26일 현재 수송인원

- 국내업체 소속 인원   : 465 명

- 이락/쿠웨이트 공관   성인 : 35 명

                        소아 : 10 명

- 무의탁 철수 교민   성인 : 185 명

                        소아 : 9 명

                        유아 : 3 명

(주) 대한항공 국제여객 부장   박 찬 영
                                    8/28

0071

運賃 確認書

1. 區間 : AMMAN --> SEOUL

2. 運賃 :　　最初運賃　　USD 996

　　　　　　　調整運賃　　USD 685

　　　　　　　但, 成人 基準

3. 運賃 調整 事由

가. 最初 運賃 算出 根據

　　　航空機 時間當 費用 : USD 12,000

　　　AMMAN 往復 時間　 : 27時間 25分

　　　座席 使用　　　　　 : 330 席 (使用率 80 %)

　　　1 人當　　　　　　 : USD 996

나. 營業的 次元의 輸送이 아닌 公益性 次元의
　　　輸送임을 감안 直接 原價 部分만 適用 (685弗)

(株) 大韓航空 國際旅客部長　　　　朴 贊 嘆

TOTAL P.01

수신 : 외무부 중동과 박 서기관

발신 : 대한항공

항공예매처 전화 : 135-번호
이상

편 명	운항일자	기 종	운항구간 및 시간		비 고
			연 발	연 경	
KE881	8월 31일	DC10	서울발 21:00 바레인착/발 01:15/02:30 제다착/발 04:35/06:10 트리폴리착 09:10	서울발 22:00 바레인착/발 02:15/04:50 제다착/발 06:55/07:55 트리폴리착 10:55	* 운항시간 변경
KE882	9월 2일	DC10	트리폴리발 12:01 제다착/발 16:50/18:05 바레인착/발 20:00/21:20 서울착 13:25	트리폴리발 12:10 제다착/발 16:30/17:58 바레인착/발 20:00/21:00 바레인인착/발 22:55/00:01 서울착 16:05	* 운항구간 변경

2 - 별 경 사 유 : 인내 전방인원 수송 타격

- 인내 전방인원 수송 타격 (예정 1990년)

1990-08-31 09:48 FROM SELCGKE 02 751 7522 TO M.O.F.A P.01

외 무 부

종   별 : 긴 급

번   호 : JOW-0393

일 시 : 90 0901 1900

수   신 : 장 관(중근동,영재,마그,노동,건설,기정)사본:주이락대사-필

발   신 : 주 요르단 대사

지   목 : 교민철수

대:WJO-0281

1. 대호 KE 802 편은 9.1. 18:15 당지 출발한바, 탑승내역(152 명)은 다음과 같음

가. 현대근로자: 141 명

-쿠웨이트:36 명

-이라크:105 명(9.1 암만도착한 근로자 26 명중 5 명 탑승)

나. 쿠웨이트 교민:11 명(영아포함)

-당초 제네바로 출발예정이던 김만철씨도 귀국함

2. 금 9.1 현재 쿠웨이트 철수교민 및 근로자는 없으며, 이락 근로자중 당지 체류자는 현대근로자 21 명, 정우 2 명, 한양 1 명임

(대사 박태진-국장)

중아국	장관	차관	1차보	2차보	중아국	영교국	청와대	안기부
건설부	노동부	대적반						

PAGE 1

90.09.02   02:13

외신 2과 통제관 EZ

U074

정 리 보 존 문 서 목 록					
기록물종류	일반공문서철	**등록번호**	2020120200	**등록일자**	2020-12-28
분류번호	721.1	**국가코드**	XF	**보존기간**	영구
명　　칭	걸프사태 : 재외동포 철수 및 보호, 1990-91. 전14권				
생 산 과	북미1과/중동1과	**생산년도**	1990~1991	**담당그룹**	
권 차 명	V.9 특별 전세기 운항, 1991.1-2월				
내용목차	* 재외동포 철수 및 비상철수계획 수립 등				

0001

분류기호 문서번호	중근동 720-	기 안 용 지 (720-2327)			시 행 상 특 별 취 급	
보존기간	영구.준영구 10. 5. 3. 1	차 관		장 관		
수 신 처 보존기간				국무보고필		
시행일자	1991. 1. 10.					
보조 기관	국 장	협 조 기 관	제1차관보 제2차관보 기획관리실장	문 서 통 제		
	심의관					
	과 장					
기안책임자	박 종 순			발 송 인		
경 유		발 신 명 의				
수 신	품 의					
참 조						

제 목　걸프전쟁 발발 대비 특별기 운항 교민 철수대책 건의

　　　1.　걸프지역 전쟁 위험이 고조되고 서방 각국을 포함한

대다수 국가가 걸프지역 공관원 및 가족은 물론 자국민을 철수시키고

있는 가운데 이지역으로 부터의 항공편 예약이 1.15. 이후까지 이미

완료되고 많은 항공사가 이지역 취항을 중단하고 있음에 비추어 별첨과

같이 걸프전쟁 발발 대비 특별기 운항 교민 철수대책을 건의 하오니

재가하여 주시기 바랍니다.

　　　2.　교민 철수를 위한 특별기 운항은 1.6. GCC 공관장 회의

에서도 건의된 사항 입니다.

　　첨 부 : 동 교민 철수대책(안) .　끝.

0002

걸프地域 戰爭 勃發 對備

特別機 運航 僑民 撤收 對策 (案)

(1991. 1. 9.)

1. 狀況
2. 基本 方針
3. 特別機 搭乘 對象 豫定人員
4. 特別機 運航 方案
5. 所要 豫算
6. 當面 措置事項
7. 留意事項

外 務 部
中東아프리카局

0003

1. 狀 況

가. 美·이락 外務長官의 1.9. 제네바 會談이 豫想대로 이렇다할 成果를 거두지 못한채 끝나고 유엔이 定한 1.15. 時限이 수일앞으로 다가옴에 따라 걸프地域에는 어느때보다도 戰爭의 危險이 커지고 있는 가운데 西方國을 包含한 大部分의 나라들은 이락, 요르단, 이스라엘은 물론 其他 戰爭의 被害가 豫想되는 周邊國들로 부터 自國 大使館을 閉鎖하기 위한 措置를 취하는 한편 自國民에 대해 撤收를 命令 또는 積極 勸獎 하고 있는 實情임.

나. 이러한 狀況아래 이地域에서 나오는 航空便은 이미 1.15. 以後까지 豫約이 完全히 끝난 狀況이며, 많은 航空社는 이地域 運航을 中斷하고 있으므로 이地域 我國 僑民의 迅速한 待避를 위해 KAL 特別機 運航 必要性이 擡頭됨.

2. 基本 方針

가. 90.8月 下旬 이락·쿠웨이트 僑民 撤收時 特別機를 運航할때와 原則的으로 같은 方式으로 推進(當時 延 5回 運航)

나. 關聯部處와 緊密한 協調

다. 進出業體別 自體 撤收計劃과 連繫 推進

라. 事態 推移에 따라 運航時期, 機種, 回數等은 伸縮性있게 運營

마. 搭乘 集結地를 選定, 投入

바. 經費는 事後 精算

3. 特別機 搭乘 對象 豫定 人員 : 約 6,300名 (內譯은 別添 參照)

가. 第1次 撤收 對象者 : 2,600여명
   1) 公館員 家族 約 100名 (6個 公館)
   2) 純粹僑民等(自進撤收 志願者)

0004

나. 第2次 撤收 對象者 : 3,600여명

    1) 進出業體 所屬 職員

    2) 進出業體와 協議, 搭乘 對象人員 選定

다. 第3次 撤收 對象者 (最終)

    1) 걸프地域 駐在 公館員 約 100名

4. 特別機 運航 方案

가. 運航 時期

    1) 第1段階

        가) 戰爭 臨迫 判斷時 (이락, 요르단等 最 危險地域으로 부터 始作)

        나) 第1次 撤收 對象者 輸送

    2) 第2段階

        가) 事態 推移 감안 段階的 運航

        나) 第2次, 第3次 撤收 對象者 輸送

나. 投入 場所 (集結地)

    1) 我國 公館 所在地 : 바그다드(이락), 암만(요르단), 마나마(바레인),

        다란.리야드.젯다(사우디), 도하(카타르), 아부다비(UAE), 테헤란(이란)

    2) 搭乘 豫定者는 我國 公館 所在地에 集結, 公館員 引率下에 搭乘

    3) 現地 進出業體 所屬 職員은 支社長 責任 아래 集結

다. 特別機 機種(KAL 特別 전세기)

    1) B747 (400名 收容) 및 DC-10 (250名 收容)

    2) 서울-트리폴리間 KAL 定期 航空便의 運航 스케줄 變更 特別 運航

라. 運航 經路

    1) 最 危險地域 : 서울 → 바그다드 → 암만 → 서울

    2) 次 危險 周邊地域 : 서울 → 마나마 → 사우디 3個 集結地 → 서울

    3) 其他 周邊地域 : 서울 → 사우디 → 도하 → 아부다비 → 테헤란 → 서울

    4) 리비아 취항기 迂廻 運航 : 狀況에 따라 決定

마. 運航回數, 經路等은 狀況 展開에 따라 融通性있게 KAL側과 協議 實施

5. 所要 豫算 : 約 $ 150 萬弗 推定(純粹 航空賃만 計算)

가. 算出根據 : 航空賃 $1,000×약 1,500名 基準

나. 支出 項目 : 豫備費 申請

다. 航空賃 精算 :

1) 航空賃은 後拂로 하고 KAL측에 事後 精算

2) 公館員 및 家族, 個別就業者 및 純粹僑民中 支拂 能力이 없는자
   : 政府 負擔

3) 其他 搭乘人員 : 受益者 負擔

6. 當面 措置 事項

가. 實務協議를 위한 關聯部處 會議 召集
   - 經企院, 安企部, 外務, 交通, 建設, 勞動部, KAL等
     (中東阿局長 主宰 關聯部處 課長級 參席)

나. KAL 特別機 搭乘 對象者 把握(단계적 탑승별) :
   - 現地 公館에 指示 및 進出業體 本社 幹部 召集, 協議

다. 걸프地域 駐在 公館員 家族 全員 特別機 1次 投入時 撤收 訓令 下達
   - 公館別 必須要員을 公館長 判斷으로 選定 指示(有事時 必須要員外
     人員 撤收는 事後 檢討)

라. KAL기 空港 離·着陸 許可 獲得 위한 駐在國 當局과의 事前 交涉

마. KAL 特別機 投入 所要豫算 確保 措置 : 經企院과 協議, 豫備費 申請

7. 留意事項

가. 本 計劃의 具體的 履行에는 다음과 같은 問題點이 豫想되나 最大限
   人員이 撤收 되도록 積極 努力할 것임.

1) 所屬이 없는 純粹僑民은 撤收 勸告(特別機 搭乘 勸誘)에도 不拘,
   撤收를 원하지 않는 사람이 相當數 있을 可能性 있음.

0006

2) 戰爭 勃發 前까지는 大多數 進出業體가 勤勞者 撤收에 消極的
態度를 보이고 事態 推移를 觀望할 可能性 있음.

3) 戰爭이 勃發한 後에는 空港 閉鎖로 特別機의 空港 離.着陸이
不可能할 수 있음.

나. 戰爭 勃發後 殘留僑民 撤收 不可 狀況에서는 아래와 같이 對處하는
것이 좋겠음.

1) 可能한 多數가 한 場所에 集結, 自衛力 强化

2) 必要時 美國等 友邦國 輸送手段 利用토록 協調 要請(船舶便 包含)

3) 陸路, 海路等을 利用, 隣接國에 待避 協調

添 附 : 1) 戰爭 危險地域 滯留 僑民 現況
2) 걸프 地域 地圖

0007

(別添 1)

戰爭 危險地域 殘留僑民 現況

(91.1.7. 現在)

國 家 別	總 滯 留 者 數	公館員, 商社, 建設業體 勤勞者	純 粹 僑 民 (現地就業者等)
사 우 디	4,980 (사우디大使館管轄 : 3,622 (젯다總領事館 管轄 : 1,358)	3,070 (公館員 147, 業體 2,923)	1,910
이 라 크	125 (쿠웨이트 僑民 9명 包含)	116 (公館員 9, 業體 107)	9 (쿠웨이트 殘留 僑民 9명 包含)
요 르 단	66	21 (公館員 12, 業體 9)	45
바 레 인	335	278 (公館員 14, 業體 264)	57
카 타 르	77	19 (公館員 13, 業體 6)	58
U. A. E.	650	329 (公館員 19, 業體 310)	321
總 6個地域	6,233	3,833	2,400

0008

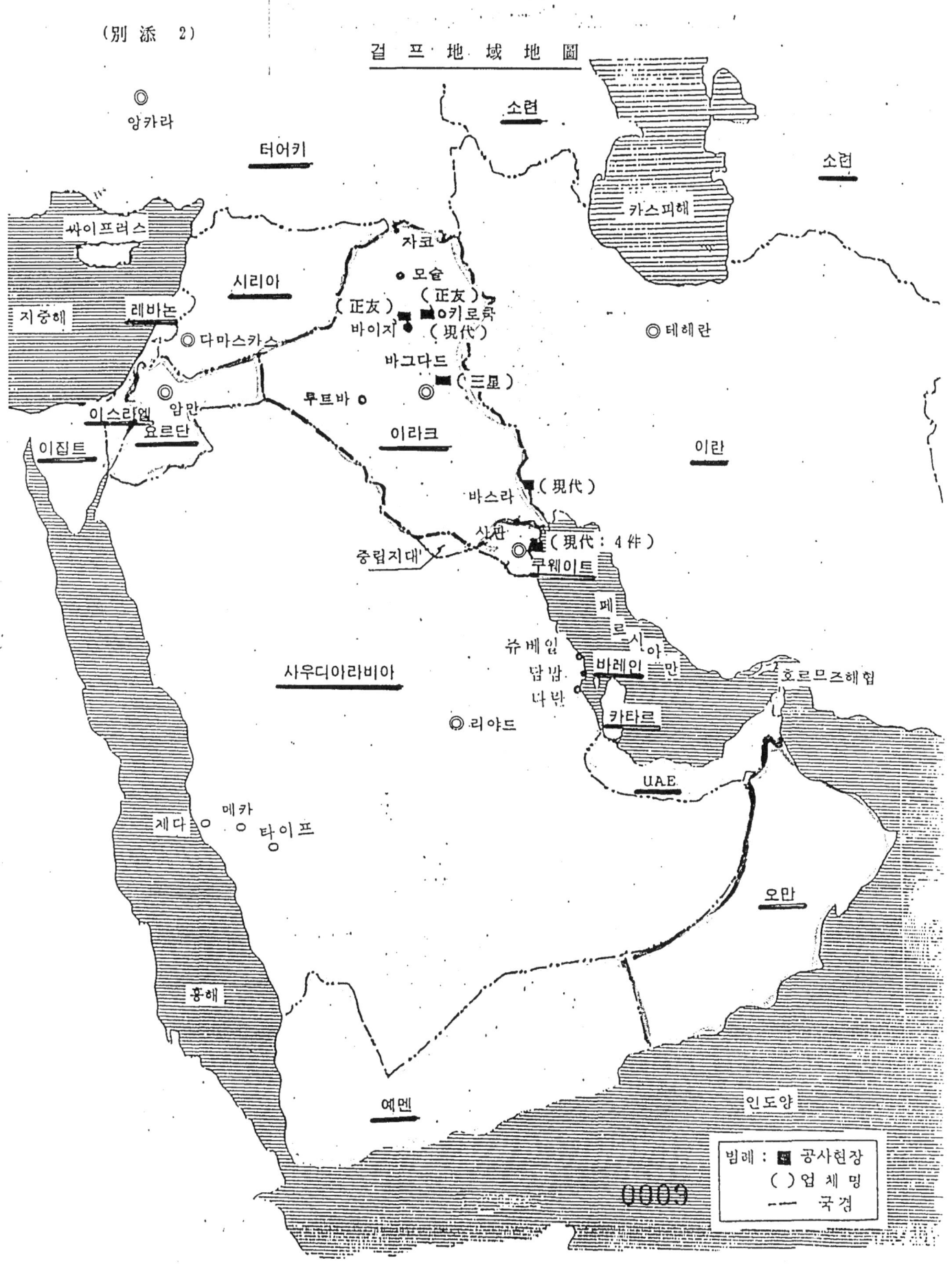

걸 프 地 域 地 圖

걸프지역 전쟁 발생대비
특별기 투입 교민 철수 대책

1. 상 황

가. 다국적군과 이락군 병력의 계속 증강으로 군사적 긴장이 고조되고
  있는 가운데, 미.이락간 직접 대화를 시도하고 있으나 양측의 강경
  입장 고수로 평화적 해결 전망이 불투명

나. UN이 정한 이락군의 쿠웨이트 철수 시한인 1.15.까지 이락이 철수치
  않을 경우, 걸프지역에서의 전쟁 발발 가능성이 높아가고 있음.

다. 이러한 상황아래 1.10. 이후부터 걸프지역에서 대부분의 항공편 예약
  불가 및 운항 스케쥴 취소등이 예견됨에 이락 및 전쟁 피해가 예상
  되는 동 지역 체류 아국교민을 사전 신속히 안전 대피시키기 위해
  KAL 특별기 투입 필요성이 대두됨.

2. 기본 방침

가. 관련부처(경기원, 교통, 노동, 건설부등)와 긴밀한 협조아래 추진

나. 사태 추이에 따라 유동적으로 단계적 투입

다. 진출업체별 자체 철수계획과 연계 추진

라. 탑승 집결지를 선정, 투입 추진

3. 특별기 탑승 대상 예정 인원 : 약 6,300여명 (인원 내역은 별첨 참조)

가. 제1차 투입(철수) 대상자 : 2,600여명
  1) 공관원 가족 및 순수교민(자진 철수 예정자)

0010

나 . 제2차 투입(철수)대상자 : 3,600여명

　　1)　진출업체 소속 직원

　　2)　현지 진출업체와 협의, 탑승 대상인원 선정

다 . 제3차 투입(철수)대상자 (최종)

　　1)　걸프지역 주재 공관원 약 100여명

4. 특별기 투입 방안

가 . 투입 시기 및 장소

　　1)　시기

　　　　가)　제1단계

　　　　　　ㅇ 1.15. 이전(1.12-1.14경), 자진 철수자, 순수교민 및
　　　　　　　　공관원 가족등(2,600여명 추산)

　　　　나)　제2단계

　　　　　　ㅇ 1.15. 이후, 사태 추이 감안 단계적 투입 (3,700여명)

　　2)　장소

　　　　가)　걸프지역 주재 아국 공관 소재지 : 사우디(리야드),
　　　　　　바레인(마나마), 요르단(암만), UAE(아부다비), 카타르(도하)

　　　　　　※ 탑승 예정자는 주재 아국공관 소재지에 집결, 공관원
　　　　　　　　인솔하에 탑승(현지 진출업체 소속 직원은 업체 지사장
　　　　　　　　책임아래 인솔, 공관과 협의 탑승 조치)

나 . 투입기종 및 탑승 수용인원

　　1)　KAL 특별 전세기 B747 (400명 수용), DC-10(250명 수용) 각 3대
　　　　(3회 운항)

다 . 투입 방법

　　1)　운항방법 :

　　　　가)　특별 전세기의 현지 직접 투입

　　　　나)　서울-트리폴리간 KAL 정기 항공편의 운항 스케쥴 변경 특별투입

0011

2) 투 입 로 :

　　가) 서울 → 요르단 → 서울 및 서울 → 바레인 → 카타르 →

　　　　UAE → 서울

　　나) 서울 → 사우디 → 서울

　　다) 트리폴리 → 사우디 → 서울 코스로 추진

　　　　(KAL 정기 항공편 운항 스케쥴 변경 투입시)

3) 투입 회수, 투입로등은 상황 전개에 따라 융동성 있게 KAL측과

　　협의 실시

5. 소요 예산 : 약 $ 270 만불 추정(순수 항공임만 계산)

가. 산출내역 : 항공임 $1,000×2,700여명(공관원 및 가족, 소속없는

　　　　　　　　　　개별 취업자 및 순수교민등)

나. 예비비에서 별도 지출토록 예산 확보 예정

다. 항공임 정산 문제

　　1) 먼저 탑승, 본국 철수 조치하고 사후 KAL측에 항공임 정산토록 추진

　　2) 개인취업자, 순수교민등 소속없는 교민 및 공관원 가족 : 정부 부담

　　3) 업체소속 3,600여명의 탑승 소요비용은 업체가 자체 부담토록 추진

6. 당면 조치 사항

가. 관련부처 실무협의를 위한 회의 소집

　　: 경기원, 안기, 외무,교통, 건설, 노동부, KAL등

　　(중동아국장 주재 관련부처 과장급 참석)

나. KAL 특별기 탑승 대상자 파악(단계적 탑승별) :

　　현지 공관에 지시 및 진출업체 본사 간부 소집, 협의

다. 걸프지역 주재 공관원 가족 전원 철수(1.12-14) 훈령 지시

라. KAL기 공항 이.착륙 허가 획득 위한 주재국 공항 당국과의 사전 교섭

마. KAL 특별기 투입 소요예산 확보 조치 ; 경기원과 협의

0012

7. 유의사항

가. 현 상황 아래서 걸프지역 체류자 대다수를 철수할 필요가 있다고
   판단하나, 구체적 철수에는 다음과 같은 문제점이 있음
   1) 소속이 없는 순수교민은 철수 권고(KAL 특별기 탑승 권유)에도
      불구, 철수를 원하지 않는 사람이 다수일 가능성 있음.
   2) 전쟁 발발 전까지는 대다수 진출업체가 근로자 철수에 소극적
      태도를 보이고 사태 추이를 관망할 가능성 있음.
   3) 전쟁이 발발할 경우, 공항 폐쇄로 특별기의 공항 이.착륙이
      불가능할 수 있음.

나. 전쟁 발발후 잔류교민 철수 불가 상황에서는 아래와 같이 대처
   1) 가능한 다수가 한 장소에 집결, 자위력 강화
   2) 필요시 미국등 우방국 수송수단 이용(선박등 가능 경우)
   3) 육로, 해로등을 이용, 인접국에 대피

첨 부 : 걸프 6개국 체류 아국교민 현황

0013

戰爭 危險地域 滯留僑民 現況

(91.1.6. 現在)

國 家 別	總 滯 留 者 數	公館員, 商社, 建設業體 勤勞者	純 粹 僑 民 (現地就業者等)
사 우 디	4,980 (사우디大使館管轄: 3,622 (젯다總領事館 管轄 : 1,358)	3,070 (公館員 147, 業體 2,923)	1,910
이 라 크	125 (쿠웨이트 僑民 9명 包含)	116 (公館員 9, 業體 107)	9 (쿠웨이트 殘留 僑民 9명 包含)
요 르 단	89	12 (公館員 12, 業體 0)	77
바 레 인	335	278 (公館員 14, 業體 264)	57
카 타 르	77	19 (公館員 13, 業體 6)	58
U. A. E.	650	329 (公館員 19, 業體 310)	321
總 6個地域	6,256	3,824	2,432

0014

	분류번호	보존기간

발 신 전 보

번   호 :   WSB-0061   910112 2021 FC   종별 : 초긴급

수   신 :   주 수신처 참조   ~~대사~~ // ~~총영사~~

WJO -0040	WAE -0016
WBH -0012	WQT -0010
WJD -0005	WBG -0037
WOM -0008	WYM -0011

발   신 :   장 관   (중근동)

제   목 :   특별기 운항   WIR-0023
                                    (910113 0950)

　　　　1.　금 1.12. 페만 비상 대책본부는 이기주 차관보 주재로 관계부처
회의를 갖고, 아래와 같이 KAL 특별기 보잉 747(400석) 또는 DC-10(250석)
한대를 운항키로 결정 하였음.

가.　일 정 : 1.14.(월) 12:00 서울 출발, 동일 19:40 리야드 도착,
　　　21:10 리야드 출발, 23:20 암만 도착, 1.15(화) 00:50 암만 출발,
　　　동일 21:30 서울 도착

나.　운항목적 : 26명의 대사우디 의료지원단 파견 사전조사단 수송 및
　　　방독면등 화학전 대비 교민용 장비 2,000 셋트 운송하고 귀로에는 걸프
　　　지역 6개 공관원 가족(의무적은 아님)과 자진 철수를 원하는 교민의
　　　본국철수(교민의 경우 항공임 1인당 약 1,500불은 탑승자 부담임)

　　　　2.　따라서 귀관은 철수 인원을 긴급 파악하는 한편 경유지(리야드,
암만)로 집결시킬 수 있는지 보고 바람.

　　　　3.　주 사우디 및 요르단 대사는 특별기 이·착륙 허가를 위해 우선
주재국측과 사전 협조 바람. 허가에 필요한 상세는 추보 하겠음.

　　　　　　　　　/ 계속 . . .

보 안 통 제	

앙 고 재	기안자 성 명		과 장	심의관	국 장		차 관	장 관	
					전결				외신과통제

4. 교민중 철수희망 인원이 많으면 추가 운항도 가능하며, 혹시
개인 취업자중 철수를 희망하나 항공임 부담 능력이 없는 경우는 숫자가
많지 않으면 공관장이 특별 건의하면 항공료를 정부가 부담할 수도 있음.

5. 방독면에 대하여는 별전지시 하겠음. 끝.

(중동아국장   이 해 순)

예 고 :   91.12.31. 일반

수신처 : 주 사우디, 욜단, UAE, 바레인, 카타르 대사관
        주 젯다 총영사관
사 본 : 주 이락, 오만, 예멘 대사관 , 주이란대사

검토필(91.6.30.)

19 . . . 예 예고문에
의거 일반 문서로 재분류됨.

0016

| 관리
번호 | 91 -
18 | |

원 본

외 무 부

종   별 : 긴 급

번   호 : JOW-0040   일   시 : 91 0113 1140

수   신 : 장 관(마그,중근동,기정)

발   신 : 주 요르단 대사

제   목 : 교민 비상 철수

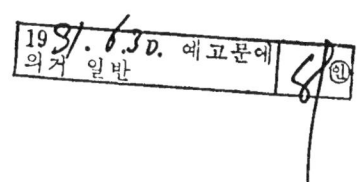

대:WJO-0040,0042

대호와 관련 전세기 탑승자 예정인원 교민철수현황은 아래와 같음

1. 기철수 및 1.13. 출국예정인원:24 명

2. 전세기 탑승예정자:15 명

-공관직원가족:9 명

-요정부지원 탑승인원:5 명

자비부담:1 명

3. 미정(관망대기):8 명

4. 잔류희망:19(공관직원포함)

(대사 박태진-국장)

예고:91.6.30 일반

| 1991. 6. 30. 예고문에
의거 일반 | |

중아국   장관   차관   1차보   2차보   중아국   청와대   안기부

관 리 번 호	91- 10

외 무 부

종 별 :

번 호 : CAW-0044   일 시 : 91 0113 2100

수 신 : 장관(마그)

발 신 : 주 카이로 총영사

제 목 : 폐만사태 관련 교민안전

① 일보에포함
② 특별기운항
   계획 통보

연:CAW-0035
대:WCA-0037

1. 대호, 재이스라엘 한인회 연락처는 TEL.02-818508(신광식회장대리),02-411561
(한인회 회계),02-885158(김진해목사), P.O.BOX 31086 임.
001-972

2. 이스라엘잔류 아국교민수는 13 명이 추가 대피하여 1.13 현재 98 명이며, 이중
상당수의 교민(약 40 여명)이 1.15 을 전후하여 당지등으로 추가철수 예정인바,
당관은 당지로 철수해온 교민들을 일단 적절한 호텔을 물색, 체류토록 협조할 예정임.

3. 한편, 금 1.13 이스라엘 한인회측은 사우디및 요르단에서의 KAL 편에 의한
아국교민 본국 수송계획 소식에 따라 재이스라엘 교민들의 서울수송 가능성에관심이
집중되고 있다고 전해왔는바, 당관은 1.12 자 KPS 보도에 의거 동계획을 설명한후,
현재로서는 추가계획에대해 통보받은바 없으나 당관으로서는 아국교민의 안전을 위해
최선을 다하고 있다고 통보하였음.

4. 당관은 재이스라엘 교민관련 진전사항 추보위계임.끝.

(총영사 박동순-국장)

예고:91.6.30. 까지

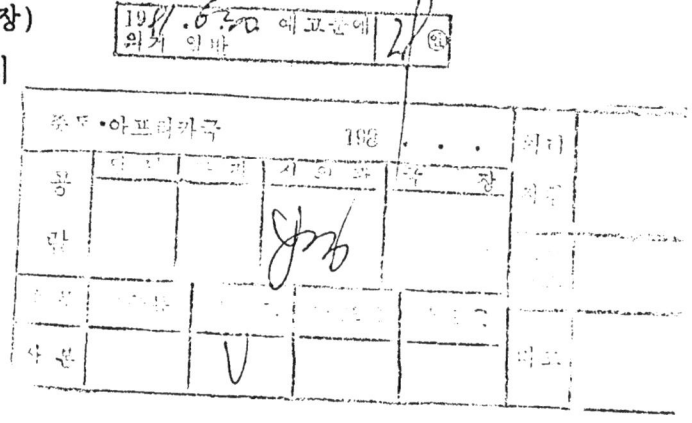

중아국	장관	차관	1차보	2차보	중아국	청와대	안기부

관리
번호 91-
102

발 신 전 보

분류번호	보존기간

번 호 : WCA-0046 910114 1922 CG종별 : 대외비

수 신 : 주 카이로 ~~대사~~ 총영사

발 신 : 장 관 (마그)

제 목 : 페만사태 관련 교민안전

대 : CAW-0044

1. 특별기 운항계획은 하기와 같으니 참고바람.

o 서울출발 1.14(월) 12:00 - 방콕(도착 15:40/출발 18:40) - 리야드

(22:40/00:10) - 암만(01:20/02:50) - 바레인(05:30/07:00) -

방콕(17:30/18:30) - 서울도착(1:40)

o 서울→암만간 편명은 KE8011 , 암만→서울간 편명은 KE8010

2. 또한 사태추이를 보아가며 필요시에는 추가운항할 예정이나 현재로써는

확정된 계획은 없으며 항공운임은 자담임을 양지바람. 끝.

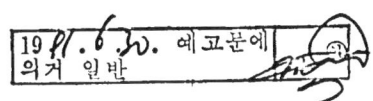
(1인당 약 $1000)

(중동아국장 이 해 순)

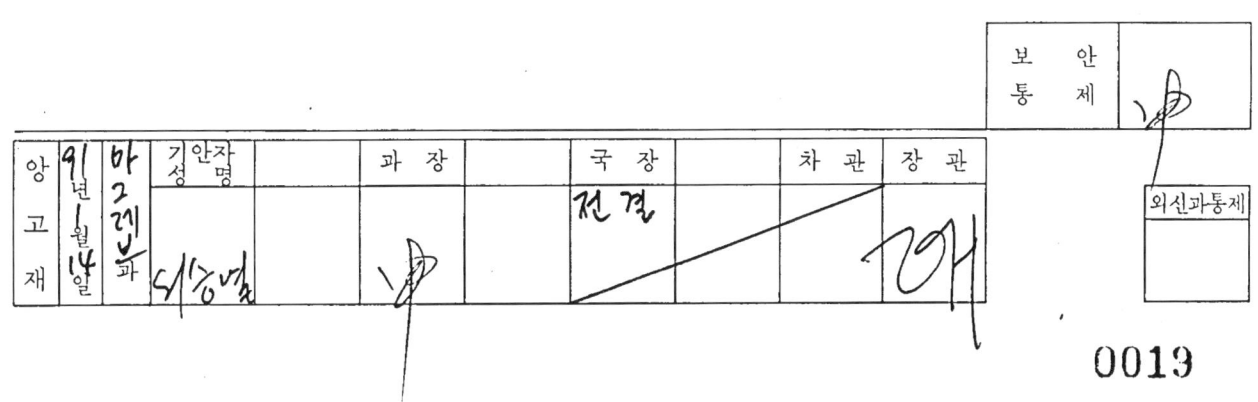

보 안 통 제	
외신과통제	

앙 고 재	91년 1월 14일 마그레브과	기안자 성명 하승엽	과 장	국 장 전결	차 관	장 관

0019

영지

관리 번호	91 - 33

외 무 부

종   별 : 초긴급

번   호 : BHW-0018

일   시 : 91 0114 2310

수   신 : 장관(중근동)

발   신 : 주 바레인 대사

제   목 : 특별기 운항

대:WBH-0023

연:BHW-0016

1. 대호, 특별기에 탑승가능 여분좌석 발생 관련, 당지에서는 아래 4 인만이 추가로 탑승예정임을 보고함.

　가. 가족 2 명(부녀자 1, 아동 1)

　나. 자진 철수 희망 근로자:2 명

　다. 합계:4 명

2. 상기관련, 주재국에서는 자국민 보호의 목적으로 모든 외국인들의 경우, 출국시 주재국 당국의 사전 허가를 득하여야 하는바, 대호 지시 접수시간이 당지 현지시간 1.14 일 20:00 로서 동 허가를 득할 시간적 여유가 없어 자진 철수 희망 근로자의 추가 탑승이 물리적으로 어려운 실정이었음을 보고함(당지 출입국관리당국 근무시간은 13:00 시까지임)

3. 따라서 대호 특별기에 의한 당지 자진 철수 아국민 총수는 45 명임.끝.

(대사 우문기-국장)

예고:91.6.30 일반

> 1991.6.30. 예고문에
> 의거 일반문서로 재 분류됨

영 사 교 민 국	년 인 인	담 당				관 리 관	국 장

중아국　　장관　　차관　　1차보　　2차보　　영교국　　청와대　　안기부

91.01.15   06:47

외신 2과 통제관 CH

0020

영재 유

관리
번호 91-
35

외 무 부

종 별 : 지급

번 호 : AEW-0022

일 시 : 91 0114 2100

수 신 : 장관(중근동,기정)

발 신 : 주 UAE 대사

제 목 : 교민 비상철수계획 보고

영사교민국	인인인	담 당	계 장	과 장	관리관	국 장

당관의 교민비상철수계획을 아래 요약보고함.

1. 비상철수방안

가. 항공철수(제1 방안): 당지내 FUJAIRAH 국제공항을 교민 집결장소로 선정, 대한항공 특별기를 이용하여 철수

나. 육로철수(제 2 방안)

1)주오만 아국대사관과 협조, 인접국인 오만으로 육로철수

2)철수로:AL AIN(주재국내 집결장소)-AL MAHADA(입국수속 대기장소)-WADI JIZZI(오만입국장 사무소)

다. 해상철수(제 3 방안): 당지내 KHOR FAKKAN 항을 교민 집결장소로 선정,현지 원양업체인 한국해외수산의 선박(총 9 척,1 척당 150 명 승선가능)을 동원하여 선박을 이용철수

2. 방안별 본부지원 요망사항

가. 항공철수시

-특별기가 운항될수 있도록 대한항공측에 협조요청

-특별기 착륙허가를 위한 주한 UAE 대사관과 협조

나. 육로철수시

-오만당국에서는 철수교민의 오만입국후 즉시 오만으로부터 출국할수 있는 수단이 사전준비된 경우에 한하여 입국을 허가할 계획인바, 오만으로부터 교민철수를 위한 특별기 지원요망

다. 해상철수시

-한국해외수산 본사측에 오만해역및 인도양에서 조업중인 동사소속 선박을 동원할수 있도록 협조요청.끝.

중아국   장관   차관   1차보   2차보   영교국   안기부   안기부

(대사 박종기-국장)
91.6.30 일반

1991.6.30 에 여고문 에
의거 일반문서로 재 분류됨

0022

관리 번호	91/1108

외 무 부

종 별 : 긴 급

번 호 : BHW-0019

일 시 : 91 0115 1230

수 신 : 장관(중근동)

발 신 : 주 바레인 대사

제 목 : 특별기 운항

연:BHW-0016,0017

대:WBH-0019

1. 대호 특별기는 당초 예정시간보다 4 시간 30 분이 지연되어 1.15(화)11:30 당지를 출발함.

2. 한편, 당지 탑승자에는 본국 자진철수 근로자 1 명, 어린이 2 명이 추가되었음. 따라서 당지의 최종 탑승자 총수는 48 명임.

3. 대호 3 항관련, 항공료 지불능력이 없다고 판단되는 자는 없음. 끝.

1991. 6. 30. 에 예규준에
의거 일반문서로 재 분류됨.

중아국	장관	차관	1차보	2차보	정와대	총리실	안기부	

DATA TRANSMISSION

KOREAN AIR, HEAD OFFICE

K.P.O BOX 864, SEOUL, KOREA
TEL/FAX : (82) 751-7522 OR
TELEX : KALHO K27526 (SELXLKE) 755-5220
CABLE ADDRESS : KOREANAIR

DATE : 1991. 1. 15.

TO : DEPT : 외무부, 페르시아만 대책반
NAME : 박 서기관

FROM : DEPT : KAL. 영업 계획부
NAME : 김 홍식 부장

SUBJ : 중동 전세기 운항 계획

FULL PAGES : 5 SHEETS (INCLUDED COVER)

0024

中東 特別機 運航 計劃

1. 投入目的

    中東駐在 公館員, 家族, 僑胞 緊急 撤收

2. 投入日字

    ○ 서울 出發 : 1月 14日 (月) 12:00 時

    ○ 서울 到着 : 1月 16日 (水) 06:20 時

3. 投入機種

    B747/HL7447 (418 席)

4. 運航路線 및 소재 別 計劃 (現地時間)

    ○ 서울 ― (방콕) ― 리야드 ― 암만
    (12:00)   (22:40/02:18)   (03:28)

    ○ 암만 ― 바레인 ― (방콕) ― 서울
    (05:00)   (07:40/09:10)   (06:20)

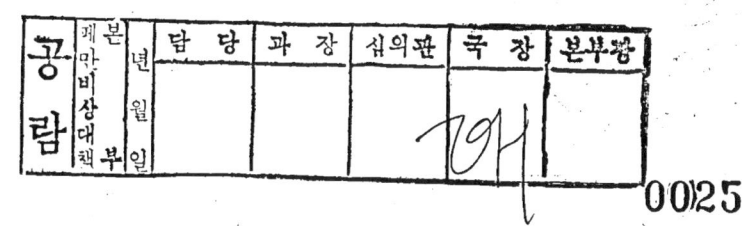

0025

5 . 搭乘客 및 貨物

　○ 서울 - 리야드 區間

　　· 搭乘客 : 총 29 名 (의료진 25, 공군 2, 외무부 1)

　　· 防毒面 : 2,000 個 (8 TON)

　○ 리야드 / 암만 / 바레인 - 서울 區間

　　· 撤收 乘客 約 350 名 예상

　　리야드 : 200 명/BAG 233 PIECES

　　암만　 : 50 명 예상

　　바레인 : 100 명 예상

6 . 傭 機 價 格

　○ 基本價格 　 : 427,500 S (飛行時間當 14,250 S) PLUS

　○ 保險料　　 : 278,630 S (推定)

　　　　　　　* 細部內譯 別添

　○ 總 合 計　　 : 706,130 S

0026

保險料 細部 內譯

1. 機體保險料

   3,000 만불 X 0.5406% = 162,180S

2. 乘客保險料

   ○ 리야드 到着   29 名 X   50$ = 1,450S
   ○ 리야드 出發 200 名 X   50$ = 10,000S
   ○ 암만   到着 200 名 X 100$ = 20,000S
   ○ 암만   出發 250 名 X 100$ = 25,000S
   ○ 바레인 到着 250 名 X 100$ = 25,000S
   ○ 바레인 出發 350 名 X 100$ = 35,000S
   ─────────────────────────────────────
   小計 :   116,450S

   " 但, 암만 및 바레인 搭乘客 數에 따라 同 保險料 差額 發生 豫想

3. 保險料 總計 : 278,630S

0027

SPECIAL FLIGHT SCHEDULE

	LOCAL TIME	K.S.T.
SEL	1200	1200
BKK	1540/1840	1740/2040
RUH	2240/0218	0440/0818
AMM	0328/0500	1028/1200
BAH	0740/0910	1340/1510
BKK	1940/2210	2140/0010
SEL	0620	0620

0028

TOTAL P.05

영주

관리 번호	91 - 51

외 무 부

종 별 : 긴 급

번 호 : QTW-0012   일 시 : 91 0115 1850

수 신 : 장관(중근동, 사본:주UAE,오만 대사-중계필)

발 신 : 주 카타르 대사

제 목 : 교민 비상 철수계획

대:WQT-0019

연:QTW-0008(1), QTW-0011(2)

1. 당관의 교민 비상철수계획과 관련한 동향 및 철수방안을 아래요약보고함.

가. 일반항공기편 철수(제 1 방안)

1.15 13:00 현재 당지발 각항공편은 만석, 취소 또는 연기되었으며 항공운임도 보험료 4 배 인상등을 이유로 DOHA-서울간 편도가 미화 1,923.29 불로 대폭인상되었을 뿐만 아니라 사실상 탑승 불가능한 실정임. 한편 연호(1)로 보고한바와같이 1.14 GULF AIR 이용 철수예정이던 김행정관 겸 부영사 가족 1 명은 항공편 운항 취소로 현재 당지 체류중임.

나. 추가 특별기편 철수

1)DOHA 공항 탑승 철수(제 2 방안)

2)DOHA 공항 착륙 불가능시 UAE 까지 육로철수, FUJAIRAH 공항에서 탑승(제 3 방안)

3)제 2,3 방안 불가능시 오만까지 육로철수, SEEB 공항에서 탑승(제 4 방안)

2. 체류교민 현황(공관원 및 가족 14 명포함)

총 체류자수 :71 명

세대주(남):31 명

가족(녀):18 명

자녀:22 명(2 세 미만 4 명포함)

영 사 교 민 국	년 간 인	담 당	제 장	과 장	관리관	국 장

제 2 방안에 의하여 DOHA 공항으로 부터 출발이 가능할경우 추가특별기편 철수희망자는 약 50 명으로 증가예상됨.

3. 본부 지원 요망사항

중아국	장관	차관	1차보	2차보	영교국	청와대	총리실	안기부

가. 추가특별기 운항 및 DOHA 공항 기착조치

나.FUJAIRAH 또는 SEEB 공항 기착의 경우, 카타르 철수교민 육로 이동시간 고려 운항시간 조정 및 신속통보

다.UAE 또는 오만 입출국 절차협조

4. 참고사항

최종잔류 예상자는 본직과 외신담당자등 공관원 2 명을 비롯, 주재국 군관계종사자 및 사업관계 잔류희망자등 20 명 정도임.

끝

(대사 유내형-국장)

예고:91.6.30 일반

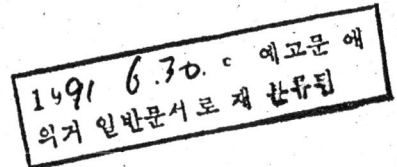

1991 6.30. 예고문에 의거 일반문서로 재분류됨

PAGE 2

원 본

관리 번호	91- 99

외 무 부

종 별 :

번 호 : CAW-0052　　　　　　　　　　일　시 : 91 0115 1800

수 신 : 장관(중근동,마그)

발 신 : 주 카이로 총영사

제 목 : 교민철수및 안전대책

(수기) 인접국 교민
연락에 포함요

대:WCA-0046,0047,0049

연:CAW-003(348),0044

1. 대호, 교민철수를 위한 특별기 추가 운행관련, 이스라엘 한인회측과 접촉, 파악한바에 의하면 연호 재이스라엘 아국교민 대부분이 경제적 여유가 없는유학생인 관계로 항공운임(1000 불)자담인 경우 비록 철수 의향이 있다 할지라도 경제적인 이유로 거취를 쉽게 결정할수 없는 처지이며 현재로서는 상기 특별기편에 의한 철수희망 인원이 거의없는 상황임.

2. 연이나, 당관은 현 걸프사태 진전사항을 설명하고 아국교민 전원의 조기철수 또는 안전지역 대피를 재차 촉구하였음.

3. 한편, 재이스라엘 아국 교민수는 8 명이 추가대피, (1.15 현재 잔류인원은90 명임.끝.)

(총영사 박동순-국장)

예고:91.12.31. 까지

(도장) 1991.12.31. 에 예고문에 의거 일반문서로 재 분류됨.

중아국　　장관　　차관　　1차보　　2차보　　중아국　　청와대　　총리실　　안기부

관리	98-
번호	98

분류번호	보존기간

발 신 전 보

번   호 : WCA-0053   910116 0319 FC   종별 : 긴급

수   신 : 주   카이로   ~~대사.~~총영사

발   신 : 장   관   (중근동, 마그)

제   목 : 이스라엘 교민 현황

　　　　KBS 제보에 의하면 이스라엘 거주 아국교민 100 여명중 50여명은 이미
국외대피하였으나 잔류인원은 철수를 희망함에도 불구하고 여비 지불불능으로
발이묶여 있다하는바, 잔류자중 철수희망 교민수, 여비지불 불능자수등
이스라엘 거주 아국교민 현황 및 특별기 운항 필요성에 대한 귀관 의견을 지급
보고바람. 끝.

　　　　　　　　　　　　　　　　　　　　　(중동아국장 이 해 순)

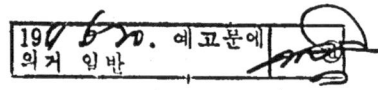

보 안 통 제	2L

앙 고 재	91년 1월 1일	기안자 성명		과 장	국 장	차 관	장 관

외신과통제

0032

영래

관리 번호	91 -67

외 무 부

종   별 : 초긴급

번   호 : QTW-0016   일   시 : 91 0117 1030

수   신 : 장관(비상대책반,중근동)

발   신 : 주 카타르 대사

제   목 : 교민 비상철수

연:QTW-0014

1. 특별기 착륙허가에 관하여 외무성교섭결과 신속히 처리해 주기로 긍정적인 반응을 받음. 다만 현재 도하공항은 공식적으로 폐쇄되지는 않았으나 군작전관계로 어떠한 영향을 받을지는 판단하기 어렵다고함.

2. 따라서 당지 체류교민에 대한 신변안전 대책은 다음과 같이 실시 만전을기하고 있음.

- 1 단계:외출억제, 자택또는 5 가구단위 조별 집결대기(현재)
- 2 단계(국내치안악화시): 대사관 대피
- 3 단계(사태긴박시)UAE 또는 오만방향 육로철수 특별기 탑승

3. 체류교민의 비상철수는 전쟁초기단계 전황 및 국내치안상황의 추이에 따라 특별기 파견시기를 조정함이 가하다고 사료됨.

끝

(대사 유내형-국장)

예고:91.6.30 일반

| 1+91 630 예고군 에 |
| 외거 일반군 . 로 재 눈류됨 |

영 사 교 민 국	년 인 인	담 당	계 장	과 장	관리관	국 장

중아국   장관   차관   1차보   2차보   청와대   총리실   안기부   영 교국

영재

관리 번호	91 -66

외 무 부

종 별 : 긴 급

번 호 : AEW-0034   일 시 : 91 0117 1300

수 신 : 장관(중근동)

발 신 : 주 UAE 대사

제 목 : 교민 비상철수

연:AEW-0022(91.1.14)

1. 특별기 운항에 따른 당관 긴급철수 희망교민은 132 명으로 파악됨.

2. 주재국은 출국시 별도 사증은 불필요하며, 공항폐쇄시 철수계획은 연호 당관 교민 비상철수계획에 의거 철수 위계임.끝.

(대사 박종기-국장)

예고:91.6.30 일반

1991.6.30. 에 예고문에 의거 일반문 ?로 재 분류됨

영 사 교 민 국	년 인 인	담 당	계 장	과 장	관리관	국 장

중아국   장관   차관   1차보   2차보   영교국   청와대   종리실   안기부

PAGE 1   91.01.17   19:14

원　본

관리
번호 91/527

외　무　부

종　별 : 지　급

번　호 : OMW-0015

일　시 : 90 0117 1450

수　신 : 장관(중근동)

발　신 : 주 오만 대사

제　목 : 특별기 추가 운항

대:WOM-0023

　　대호 특별기 주재국 영공통과 허가 취득을 위해서는 KAL 본사측이 주재국 MINISTRY OF COMMUNICATIONS 에 지급허가 신청을 요청토록하고 당관에도 동신청내용 지급 통보조치 바람. 끝

　　(대사 강종원-국장)

　　예고:91.6.30. 일반

1991. 6.30. 에 예고문에
의거 일반문서로 재 분류됨.

중아국

PAGE 1

원 본

관리
번호 91/287

외 무 부

종 별 : 긴 급

번 호 : JDW-0019

수 신 : 장관(중근동)

발 신 : 주 젯 다총영사

제 목 : 교민 비상철수

일 시 : 91 0119 1720

대:WJD-0028

교민의 수송기 탑승 허가문제로 젯다공항당국을 접촉하는 한편, 탑승희망 당지교민수를 파악중임.동 허가문제와 관련해서는 회답을 받지못하고 1.20 재접촉키로 했으며, 현재 파악된 탑승희망교민수는 8 명에 불과함. 본건 추보하겠음. 끝.

(총영사 김문경-국장)

예고:91.6.30 일반

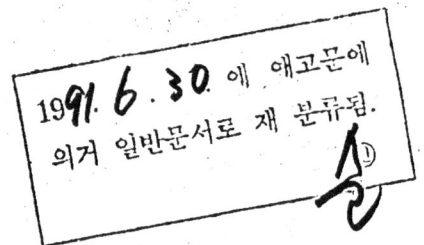

1991. 6. 30. 에 예고문에
의거 일반문서로 재 분류됨.

중아국   장관   차관   1차보   2차보   청와대   안기부

PAGE 1

91.01.19   23:49

외신 2과 통제관 CW

0036

관리번호 91/281

외 무 부

종 별 : 지 급

번 호 : CAW-0085

일 시 : 91 0119 1635

수 신 : 장관(중근동)

발 신 : 주 카이로 총영사

제 목 : 교민긴급 대피

대:WCA-0067

연:CAW-0047

대호, 당관은 금 1.19 주재국 EL-HAWARY 외무부 아주국 한국담당공사 및 내무부 입국비자 담당 책임자인 GEN.HASSAN AMIN EL-ARADI 를 접촉, 유사시 아국교민의 외국비자 발급등 편의를 요청한바, 동인들은 최대한 협조를 약속하였음. 끝.

(총영사 박동순-국장)

예고:91.6.30. 까지

1991.6.30. 에 예고문에 의거 일반문서로 재 분류됨.

중아국

원 본

외 무 부

종 별 : 긴 급

번 호 : SBW-0177   일 시 : 91 0119 1830

수 신 : 장관(중근동,대책반,국방부,기정)

발 신 : 주 사우디 대사

제 목 : 특별기운항

연:SBW-149

연호, 주재국 관계당국에 확인한바, 금 1.19 오후부터 리야드-제다간 국내선이 1
일 3 회 제한적으로 운항되고, 제다 국제선 공항경우 폐쇄조치가 해제되어 SAUDIA
항공기가 파리, 뉴욕, 카이로등 노선에 1.20-26 까지 잠정적으로 운항될 예정이하며,
그후의 운항여부는 추후 결정될 예정이라함, 리야드 국제공항은 상금 폐쇄되어
있으며, 동공항폐쇄해제 시기는 아직 확인되지않고 있음. 국경에서는 평상시와같이
출국허가를 득한 경우 통행을 허가하고 있다함

(대사 주병국-국장)

예고:91.6.30 일반

1991. 6.30 에 예고문에
의거 일반문서로 재 분류됨.

중아국   장관   차관   1차보   2차보   정와대   안기부   국방부

KAL 특별기 젯다 탑승 희망자

(1.20. 14:30 윤현섭 영사와 통화)

o 수송기 탑승시는 희망자가 8명에 불과하나, KAL 기 이용시는 70명 정도가
  탑승을 희망하고 있음.

0039

GULF 사태관련 운항정보
<20JAN 17:00L 현재 >

1. 관련 국가별 현황

   가. 사우디 아라비아

      1) 공항 : 전 공항 폐쇄

      2) 공역 : 전 공역 폐쇄

      3) 당사 운항 상황

         - 전쟁 발발 후 18JAN 까지 국내선 및 국제선 전편 운항중지

         - SV항공사 한시적으로 제다 착/발 국내선/국제선 일부 구간 운상 재개

            · 기간 : 20JAN - 26JAN

            · 운항재개편

            국내선 - 제다/리야드 왕복 (일 3회)

            국제선 - 제다/파리/런던 왕복 (주 1회)
                    제다/카이로 (일 1회)
                    제다/뉴욕 왕복 (주 2회)

         - 기타 항공사는 현재까지 운항 중지

      4) 급유

         사우디 PCA 의 허가를 받은 부정기편에 대해서는 급유 가능.

      5) 기타 운항관련 정보

         - 전쟁 발발과 동시 SCATANA RULE 적용

         - 사우디 아라비아 남단을 우회하는 임시항로 (제다 아부다비) 전면 폐쇄

         - 항공보안시설 정상 작동 (전황에 따라 SHUT-DOWN)

0040

1991-01-20 19:43 FROM   TO   7300286 P.00

2. 주변국 상황

가. 터키

- 이라크/터키간 연결하는 항로 및 이란/터키 연결 항로중 이라크 국경 인접항로 폐쇄.
- 사용가능한 항로중 이란으로 연결되는 항로 운항시에는 터키항공기관의 사전 승인허가를 득하여 함.

나. 예맨

- 예맨 공역 운항시는 최소한 24시간전 요청해야 함.

다. 소련

- 아시아/유럽을 연결하는 잠정 항로 (소련 남부) 이용시 운항 5일전 허가 신청

라. 기타국

가. 미국 19JAN (한국시간) 부 민항공기 동원령 선포
- 20개 항공사 181 대

나. 미측 이스라엘항공사 파산 (20JAN-한국시간)

다. 바레인 (20JAN)
- 항구 개방 발표
- 공항 및 학교를 제외한 정부기관/은행/회사/상점 업무개시

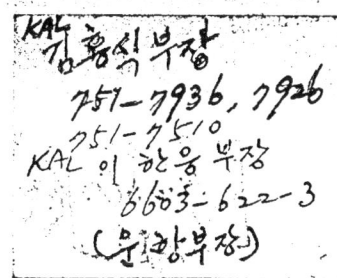

KAL 김홍식 부장
751-7936, 7926
251-7510
KAL 이한웅 부장
8603-622-3
(운항부장)

0041

나. 바레인

   1) 공항 : 폐쇄

   2) 공역 : 폐쇄

   3) 타사 운항상황

     - 전쟁 발발후 8편의 특별기 운항 (고위층 특별 허가)

      . MS항공사 : MS4678/18JAN BAH/CAI A300

      . GF항공사 : GFG152/18JAN MCT/BAH MCT TRISTAR

   4) 급유

     어떠한 경우에도 민항기 급유 불가 (정부당국 지시)

   5) 기타 운항관련 정보

     - 공항 : 보안 강화 (출입 제한 엄격)
            모든 항공사 (GF 포함) 및 조업사 사무실 폐쇄
            군항공기 활동 증대

     - 항공보안시설 정상 작동 (전황에 따라 SHUT-DOWN)

다. 카타르, U.A.E., 오만

   1) 공항 : 도하공항, 아부다비/두바이공항 - 특별허가 필요

              꾸스카르공항 - 운항가능

   2) 공역 : 카타르/U.A.E - 폐쇄

           오만 - 운항가능

   3) 타사 운항상황

     - GF항공사 무스카트/봄배이 구간 CASE별 운항

     - 기타항공사는 높은 보험료 및 안전상 운항 억재.

   4) 급유

     - 전 공항 급유 가능

   5) 기타 운항관련 정보

     - 항공보안시설 정상 작동

0042

TOTAL P.04

관리
번호 91/586
원 본

외 무 부

종 별 : 지 급

번 호 : JDW-0020

일 시 : 91 0120 1100

수 신 : 장관(중근동, 대책본부)

발 신 : 주 젯 다총영사

제 목 : 젯다공항 민항기 운항재개

1. 당지 민항국(CIVIL AVIATION AUTHORITY)은 1.19 국영 SAUDIA 사 항공기가 젯다를 기점으로하여 1.20 부터 아래와 같이 운항한다고 발표했음.

　　가. 국내선

　　젯다-리야드-젯다(매일 3 회)

　　나. 국제선

　　-젯다-카이로-젯다(매일 1 회)

　　-젯다-파리-런던-젯다(매주 2 회)

　　-젯다-뉴욕-젯다(매주 3 회)

　　-젯다-뉴델리-카라치-젯다(매주 1 회)

　　-젯다-카사블랑카-젯다(매주 1 회)

2. 상기 발표와 같이 젯다공항의 민항기 운항이 부분적이나마 재개됨으로 인해 출국을 희망하는 교민중 일부는 근일내 인접국 또는 국내대피를 위해 당지를 떠날 것으로 전망됨.

3. 상기 민항국에 의하면 당분간 외국민항기의 정기운항은 불가능하며 사전에 당지 민항당국 및 공군의 허가를 득할 경우 특별기 운항이 가능하다함. 끝.

　　(총영사 김문경-대책본부장)

　　예고:91.6.30 일반

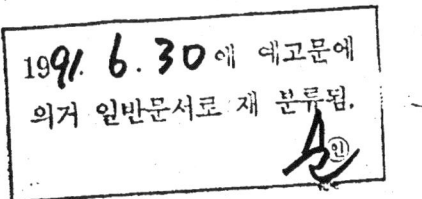

1991. 6.30에 대고문에 의거 일반문서로 재 분류됨.

중아국　　　장관　　　차관　　　1차보　　　2차보　　　청와대　　　총리실

PAGE 1

91.01.20　　17:33

외신 2과　통제관 CA

0043

원 본

관리번호 91/288

외 무 부

종 별 : 지 급

번 호 : JDW-0021

수 신 : 장관(중근동)

발 신 : 주 젯 다총영사

제 목 : 특별기 운항

일 시 : 91 0120 1140

대:WJD-0031

당관이 현재까지 파악한 바에 의하면 대피차 귀국을 희망하는 당지 교민수는 약 70명임. 대호 특별기가 젯다에도 기착토록 조치해 주시기를 건의함. 끝.

(총영사 김문경-국장)

예고:91.6.30 일반

1991 6.30. 에 예고문에 의거 일반문서로 재 분류됨.

중아국	장관	차관	1차보	2차보	청와대	안기부

PAGE 1

91.01.20 18:23

외신 2과 통제관 CH

0044

원 본

관리 91/
번호 289

외 무 부

종 별 : 초긴급
번 호 : SBW-0188   일 시 : 91 0120 1200
수 신 : 장 관(중근동)
발 신 : 주 사우디 대사
제 목 : 특별기추가운항

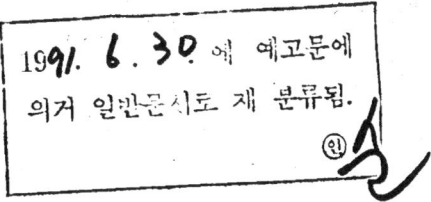

대:WSB-155
연:SBW-149,177

1. 대호 최근 걸프전 추세에 따라 특별기 탑승 희망인원이 증가되고 있어 현재 300여명에 이르고 있는바, 특별기 추가운항 조치 건의함

2. 현재 리야드공항은 리야드-젯다간 국내선만 1 일 3 회씩 운항하고 있고, 국제선은 폐쇄되어 있는바, 동 특별기의 리야드 운항이 어려울경우 리야드-젯다간 이동에 따른 시간을 감안시 희망인원에 변동이 예상되며, 특별기 운항일정을 사전 충분한 시일을 두고 탑승 희망자에게 통보할수있도록 배려바람

(대사 주병국-국장)
예고:91.6.30 일반

1991. 6. 30에 예고문에 의거 일반문서로 재 분류됨. (인)

중아국   장관   차관   1차보   2차보   청와대   안기부

PAGE 1   91.01.20   18:26
                                                         외신 2과 통제관 CH
                                                              0045

관리
번호 91/299

원 본

외 무 부

종 별 : 지 급

번 호 : AEW-0047   일 시 : 91 0120 1400

수 신 : 장관(중근동)

발 신 : 주 UAE 대사

제 목 : 특별기 추가운항계획

대:WAE-0057

연:AEW-0044

1. 연호 1.20. 현재 <u>철수희망 교민은 37 명으로 보고한바</u> 있으나, 당지는 전쟁발발이후에도 EMIRATES AIRLINE, AIR INDIA 등이 계속 취항하고 있어 교민들은 별다른 어려움없이 전술한 항공기들을 이용하여 철수가 가능함으로 현시점에서의 <u>특별기 운항은 불필요한 것으로 사료됨.</u>

2. 일부 교민들은 특별기 취항일정의 빈번한 변경과 현지 항공사와 비교, 항공운임의 고가등으로 특별기 취항에 별로 관심이 없음을 참고 첨언함. 끝.

(대사 박종기-국장)

91.6.30 일반

1991. 6.30 에 예고문에 의거 일반문서로 재 분류됨.

중아국   장관   차관   1차보   2차보

91.01.20   19:42

외신 2과   통제관 DO

0046

관리			분류번호	보존기간
번호				

발 신 전 보

WOM-0045   910121 1251   FK   종별: 초긴급

번 호 :

수 신 : 주 수신처 참조   대사// 총영사//   WBM -0023   WND -0076
                                            WSB -0166   WJD -0034

발 신 : 장 관 (중근동)

제 목 : 특별기 추가운항

　　　　걸프전쟁 발발에 따라 전쟁 위험지역 체류 아국 교민의 긴급 철수를 위해
KAL 특별기를 아래 일정으로 추가운항, 귀 주재국 영공을 통과 예정인바,
귀 주재국 당국과 교섭, 동 특별기 귀 주재국 영공 통과 허가를 득하고, 결과
지급 보고 바람. (허가에 필요한 상세 추보예정)

　　　　1.　특별기 기종 : B-747(수용인원 400명)

　　　　2.　항공기 등록번호 : HL7447

　　　　3.　운항일정

　　　　　　1.24(목)　21:30　서울 발 (KE8051)

　　　　　　1.25(금)　07:00　리야드 착

　　　　　　　　　　　09:00　리야드 발 (KE8061)

　　　　　　　　　　　10:40　젯다 착

　　　　　　　　　　　12:40　젯다 발

　　　　　　1.26(토)　09:20　서울 착

　　　　　　　　　　　　(중동아국장 이 해 순)

수신처 : 주 오만, 미얀마, 인도 대사

사 본 : 주 사우디 대사, 주 젯다 총영사

예 고 : 1991.6.30. 일반

1991. 6. 30에 예고문에
의거 일반문서로 재 분류됨.

앙고재	81년 1월 21일 중근동과	기안자 성명		과 장	심의관	국 장		차 관	장 관	보안통제	과
		이해순		가					예	외신과통제	

0047

<table>
<tr><td>관리
번호</td><td>91/309</td><td></td></tr>
</table>

원 본

외 무 부

종 별 : 지 급
번 호 : OMW-0023   일 시 : 90 0121 1430
수 신 : 장관(중근동)
발 신 : 주 오만 대사
제 목 : KAL 전세기운항

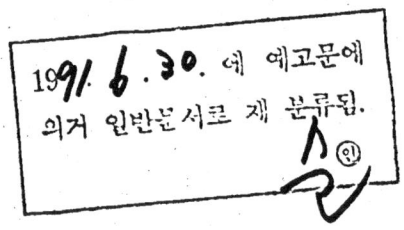

대:WOM-0045

　주재국은 외국 민항기 기착 또는 영공통과시 교통부 항공국(DIRECTOR GENERAL OF CIVIL AVIATION, MINISTRY OF COMMUNICATION)이 해당 항공사로부터 직접허가 신청을 받아 처리하고 있는바, 우선 KAL 측으로 하여금 직접 주재국 교통부항공국에 지급 허가 신청토록 조치하고, 당관에 결과를 회보바람. 끝

　(대사 강종원-국장)

　예고:91,6,30. 일반

> 1991. 6. 30. 에 예고문에
> 의거 일반문서로 재 분류됨.

중아국   차관   1차보   2차보

PAGE 1   91.01.21   21:06
                                         외신 2과 통제관 CE
                                                    0048

KE 직원 박〇〇과장

GULF 사태 관련 일일 보고

(91. 1. 22 영업본부)

1 . 현지 동향

ㅇ 사우디 각공항 : 민간 항공기의 이착륙 불허 (APO/AIRSPACE CLOSE NOTAM 계속 발효중)

   - PCA 확인 현재 :

     RUH : 현재 운항 불가

     JED : 관계당국(국방성/미공군) 협의하에 허가 가능 예상되나, 군용기 우선
        ATC/APO 혼잡 등으로 민항기 안전 보장 불가 의견

        현재까지 MS (EGYPT AIR) 만 승인하였으나 비운항,

        SV의 경우는 사우디 정부의 OWN RISK (보험)하에 제한 운항

        SAUDI 단독 우회 노선(제다-아부다비) 전면 폐쇄

ㅇ BAH 동향 : 완전 CLOSE, BAH 관제 고립 상태

ㅇ MCT AUH DXB : EAST 행 ONLY 제한적 OPEN (금유 특별 허가 필요)

ㅇ DOH : AIRSPACE CLOSE

ㅇ RUH 〇〇 : KE 숙소 근처 1 KM 지점 폭격으로 사상자 다수 발생 (보도자제) 능

ㅇ RUH 지역 위험 증대

    〇〇〇 교민 JED 지역으로 이동중

    RUH KE OFC 직원 현지 공관과 협의 결과 JED 로 이동을 요청하여
    대책반에서 승인 조치

공 람	폐만비상대책부 본부	9 연/월/일	담 당	과 장	심의판	국 장	본부장
			박〇순		〇〇		〇〇

페만 사태 관련 건의사항

<91.1.22 10:11>

- 현지 (리야드 및 바레인) 주재 금융기관 직원 및 가족의 본국 수송을 위한 항공기편 마련 요망

(* 관련 금융기관의 건의사항 : 확전에 따라 직원 및 가족의 안전대피 시급하여 특별항공기편 운항 요망)

o 페만사태 특별대책 본부에서 한국인 직원 및 가족 수송용 특별항공기편 운항 도록 배려 요망

o 동 특별기 운항시 리야드 및 바레인 경유 강력 요망

※ 페만 주변국 잔류 은행직원 및 가족 현황

('91.1.21 현재)

	총 원			귀 국			잔류 인원			비 고
	직원	가족	계	직원	가족	계	직원	가족	계	
- 사우디										잔류가족 :
o 리야드	11	22	33	-	13	13	11	9	20	
(한은 사무소, 시중은행 자금 관리 주재원)										외환은 2가족 조흥은 1가족
o 담 만	1	-	1	-	-	-	1	-	1	사우디 서부지역 으로 이동
- 바 레 인	12	33	45	-	33	33	12	-	12	
(외환은, 한일은 지점)										
	24	55	79	-	46	46	24	9	33	

0050

원 본

관리
번호 91/~~~

외 무 부

종   별 : 긴 급

번   호 : SBW-0213   일   시 : 91 0121 1800

수   신 : 장관(중근동,대책반,기정)

발   신 : 주 사우디 대사

제   목 : 특별기 운항

대:WSB-166

대호 금 1.21 특별기 운항관련 외무성에 착륙허가 신청 공한을 직접 수교하면서 허가가능 여부를 문의한바, 허가관계는 제다에 소재하는 민간항공청 소관이라하면서 , 동신청내용을 민간 항공청에 봉보하겠다고 하였음

민간 항공청은 제다 총영사관에 접촉중인바, 동건 계속 파악, 추보위계임

(대사 주병국-국장)

예고:91.6.30 일반

1991. 6. 30. 예 예고문에
의거 일반문서로 재 분류됨.

중아국 ✓   장관   차관   1차보   2차보   안기부

관리
번호 91/883

분류번호	보존기간

발 신 전 보

번 호 : WSB-0179   910121 2358   DN   종별 : 초긴급

수 신 : 주 사우디   대사.총영사////

발 신 : 장 관   (중근동)

제 목 : KAL 특별기 운항

1. 국방부는 외국 민항기에 대한 리야드 공항 이.착륙 불허 방침으로
의료단 본대 수송을 위해 KAL 특별기(DC-10) 1대(250석 내외)를 서울-카라치간을
운항 시키고, 카라치-다란간은 아국 군수송기로 의료지원단 본대를 수송할 계획
이었음.

2. 상기 관련, 본부는 국방부와 협의, 의료단 본대 수송을 위해
KAL 특별기를 서울-리야드 간에 운항 시키고, 귀로에 귀지 체류교민들을 철수하는
방안을 검토 중인바, 의료단을 수송 한다고하면 리야드 이.착륙허가가 가능할 수도
있을 것으로 봄. 만일 리야드가 전혀 안되면 같은 목적으로 젯다는 가능한지
긴급 보고바람.

3. 상기 운항이 가능한 경우, 당초계획했던 B747기의
추가 운항 필요여부에 대한 기견도 함께 보고바람. 끝

(중동아프리카국장 이 해 순)

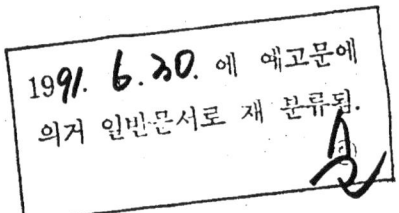

예 고 : 1991. 6. 30. 일반   1991. 6.30. 에 예고문에
의거 일반문서로 재 분류됨.

보 안	
통 제	

앙고재	91년1월결	중근동	기안자성명	과장	국장	차관	장관
			박정순	가	전결		

외신과통제

0052

관리번호 91 /70

분류기호 문서번호	중근동 720- 145	기안용지			시 행 상 특별취급	
보존기간	영구.준영구 10. 5. 3. 1		장	관		
수 신 처 보존기간		대책본부장				
시행일자	1991.1.21.					
보조 기관	국 장		협 조 기 관			문 서 통 제
	심의관					건열 1991. 1. 21
	과 장					
기안책임자	박 종 순					발송 1991. 1. 21 외무부
경 유 수 신	걸프사태특별대책실무 위원회 위원장	발신명의				
제 목	교민 철수 특별기 추가 운항					

　

1. 당부 걸프사태 비상 대책본부는 걸프전쟁 발발에 따라

전쟁 위험지역에 체류하고 있는 아국 교민의 철수를 위해 KAL 특별기

추가 운항을 아래와 같이 추진 중임을 보고 드립니다.

- 아　　　　　　래 -

가. 운항예정일자 : 1.24.

나. 특별기 기종 : B-747 (수용인원 : 400명)

다. 운항경로(잠정) : 서울-리야드-젯다-두바이(또는 바레인)-서울

라. 특별기 탑승 희망인원 : 약 400명 (사우디, 리야드 300명,

젯다 70명등)　　／ 계속 . . . 0053

마. 항 공 료 : 수익자 부담 원칙이나, 항공료 지불 능력이 없다고

현지 공관장이 판단하는 자는 정부 부담

바. 비   고 : 동 특별기의 사우디, UAE 공항 이.착륙 허가를 위해

사우디, UAE 당국과 사전 교섭중

2. 이와관련, 지난 1.14. KAL 특별기(1차)를 투입, 동 지역

체류교민중 301명을 철수시킨바 있음을 참고로 보고 드립니다.   끝.

1991 6.30. 재 분고준에
의거 일반문서로 재 분류됨.

0054

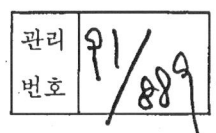
	분류번호	보존기간

발 신 전 보

번 호 : WSB-0167   910121 1252 DZ   종별 : 초긴급

수 신 : 주 수신처 참조   대사// 총영사//

발 신 : 장 관 (중근동)

제 목 : 특별기 운항 추가

WAE -0061	WJD -0035
WBH -0050	WOM -0046
WYM -0037	WJO -0108
WIR -0068	

연 : WSB-0165, WAE-0060, WJD-0033

1. 연호관련, KAL특별기를 아래와같은 일정으로 추가 운항 예정인바, 귀지 체류 교민의 동 특별기 탑승과관련 필요 조치 바라고, 동 특별기의 귀지 공항 이.착륙 및 리야드-젯다 공항 항로 허가를 득한후 결과 지급 보고바람.

　　　가. 특별기 기종 : B-747(수용인원 400명)

　　　나. 항공기 등록번호 : HL7447

　　　다. 운항일정

　　　　　1.24(목)　21:30　서울 발 (KE8051)

　　　　　1.25(금)　07:00　리야드 착

　　　　　　　　　　09:00　리야드 발 (KE8061)

　　　　　　　　　　10:40　젯다 착

　　　　　　　　　　12:40　젯다 발

　　　　　1.26(토)　09:20　서울 착

2. 동 특별기의 최대 탑승인원은 리야드 300여명, 젯다 100여명,으로 잠정 확정 예정이니, 동 정원에 맞추어 탑승자를 귀관 책임아래 선정, 과다 탑승으로인해 운항지연등 혼란이 발생되지 않도록 사전 조치하고, 탑승 방법등 관련 사항은 연호 WSB-0079, WJD-0012 전문과 ~~동일~~ 동일 방식으로 추진 바람.

		보 안 통 제	74.

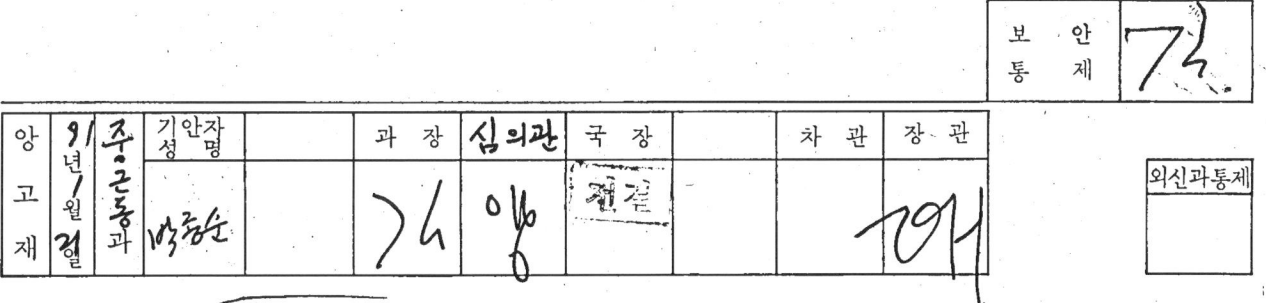

0055

3. 리야드 및 젯다 탑승 항공임은 산출 중인바 조속 추보 예정임. 끝.

(1,100-1,200불 사이)

(중동아국장 이 해 순)

수신처 : 주 사우디, UAE, 대사, 주 젯다 총영사
사 본 : 주 바레인, 오만, 예멘, 요르단, 이란 대사
예 고 : 1991.6.30. 일반

1991. 6.30 에 예고문에
의거 일반문서로 재 분류됨.

0056

페灣 非常對策 本部

1991. 770-0059
정보과 이민재 대리
김 29.일 비서관

題 目:

< OMAN > ~~: 영공통과 허가 신청 (현지시간)~~

KE8035 ENTRY/ALPOR AT 0825(L) ON 25JAN 91
EXIT/GOLNI AT 0905(L) ON 25JAN 91.

KE8045 ENTRY/GOLNI AT 1720(L) ON 25JAN91
EXIT/ALPOR AT 1750(L) ON 25JAN91

< U.A.E > ~~: 영공통과 허가 신청 (현지시간)~~

KE8035 ENTRY/GOLNI AT 0910(L) ON 25JAN 91
EXIT/ALPEK AT 0935(L) ON 25JAN 91

KE8045 ENTRY/ALPEK AT 1700(L) ON 25JAN 91
EXIT/GOLNI AT 1720(L) ON 25JAN 91.

0057

페灣 非常對策 本部

題 目 :   1991.

3) ≪파키스탄≫ 착륙 허가 신청 (현지시간)

KE 8035 KARACHI AIRPORT (OPKC) DEP/0920 (L) ON 25 JAN 91

KE 8045   〃   〃   (OPKC) ARR/2030 (L) ON 25 JAN 91
                                    DEP/2230 (L) ON 25 JAN 91.

─────────────────────────

≪ 운항 계획안 ≫

○ 기 종 : DC 10-30/ 등록번호 HL 7317.

○ 좌석수 : 260 석.

○ 운항 시간 (현지시간)

KE 8035 서울발 1700/23JAN 2045 (BKK) 2200   카라치착 0920/24JAN
                                                        (32시간 대기)
         카라치발 0920/25 JAN   제다 박/발 1200/25JAN.

KE 8045 제다발 1500/   카라치착/발 2030/2230   서울착 1005/26JAN
              /25JAN

0058

KE8051 / 81 運航日程表

1991. 1.

區間		KE8051 현재운항	KE8051 변경운항	KE8081 변경운항
서울	탑승	1月 24日 13:30 出發	1月 24日 22:30 出發	1月 24日 22:30 出發 ✓
방콕	도착	19:10 到着	1月 25日 02:10 到着	1月 25日 02:10 到着
		21:40 出發	04:40 出發	05:40 出發
제다	도착	1月 25日 06:50 到着	09:50 到着 ✓	15:50 到着
		08:50 出發	11:50 出發 ✓	17:50 出發
방콕	도착	17:00 到着	1月 26日 00:01 到着	1月 26日 02:00 到着
		19:00 出發	02:00 出發	04:00 出發
서울	도착	06:16 到着	09:16 到着	09:16 到着 ✓

KE8051 : 서울/방콕/제다,   KE8081 : 제다/방콕/서울

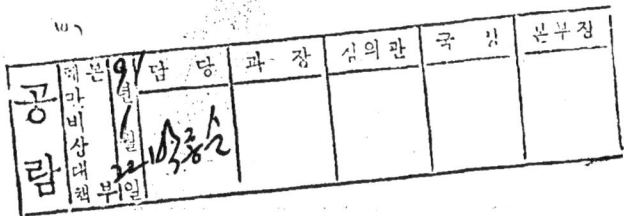

To :

RE : YEMEN O/F RESTRICTION
   YEMEN 항공당국으로부터 아래 내용의 NOTAM을 접수한바
참고 바랍니다.
1. SAUDI 공역으로 JOIN 되는 ALL AIRWAY 사용할수 없음
2. YEMEN O/F 신청은 최소한 72시간전 FILE 해야 함

0060

外務部 걸프灣事態 非常對策 本部

政府綜合廳舍 810號　　電話：730-8283/5, 730-2941. 6. 7. 9, (구내)2331/4, 2337/8　Fax：730-8286

FYI: KE 8051/61 편이 상기 1 조건 만족하기 위해서는
DJIBOUTI 및 ETHIOPIA O/F PMSN을 추가
득해야 함.

0061

TO MOFA /박 종은 사무관

FROM KOREAN AIR

제목: 제 2 차 교민철수 CHARTER(KE9951/KE9061 ON 24/25JAN) 운항 관련 예상 현지 차질 보고서

교민 사태관련하여 현 전쟁상태하에서의 하기와 같은 사항에 대해 우려 예상되는 바,
이에 요망 소선 및 동 사항 MOFA와도 협의 본사 지침 통보 바랍니다.

1. 이미 각 항공사가 L/D 허가 요청하였으나 운항 여부 CHECK 불가(보안상) 및
   전쟁 발생 이후 운항 항공사가 전무하다는 점(SV FLIGHT 제외)

   * EGYPT AIR : 운항 CANCEL, BA 항공사도 허가 받은 것으로 아나 운항여부 미정

2. 기내 안전에 대한 FULL RESPONSIBILITY는 항공사에 있다는 PCA의 거듭되는 주장

3. 군사 작전 FLIGHT PRIORITY 우선에 따라 최종 이/착륙시 민간항공기에 대해 등여가
   되어서 DELAY 가능성

4. SPECIAL HANDLING 및 GENERAL AIRPORT PROCEDURE 협조 문제
   현지는 공항 당국 및 G/HANDLING사와 협의 진행중이나 현재 공항 CIQ 등이 제한적으로
   운영되고 있으며, G/H 지원이 MILITARY CONTROL하에 있는 상황임

0062

걸프地域 滯留僑民 撤收 特別機 追加運航

1991. 1

外 務 部

0063

當部 걸프事態 非常對策本部는 戰爭危險地域에
滯留하고 있는 我國 僑民의 撤收를 위한 特別機
追加運航 計劃을 다음과 같이 報告드립니다.

1. 特別機 追加運航計劃

가. 運航日程

   - 91.1.24. 22:30   서울 出發
   - 91.1.25. 09:50   젯다 到着
             11:50   젯다 出發
   - 91.1.26. 09:10   서울 到着

나. 特別機 機種 : B-747(受容人員: 400名)

다. 搭乘 希望人員 : 約 400名(사우디 王國 리야드
                300名, 젯다 100名 豫想)

라. 航空料

   - 1人當 航空料는 1,180美弗(젯다/서울) 로
     搭乘者 負擔原則이며, 航空料 支拂能力이 없다고
     現地 公舘長이 判斷하는 者에 대해서는 政府負擔

0064

約43萬美弗을 政府負擔가 됨.

- 戰爭地域 運航 航空機에 대한 保險料 ~~上昇~~
  (~~64~~萬 美弗)으로 1人當 航空料는 2,700美弗 程度가 됨
  정도이나, 可能한 多數人員 撤收를 위해 通常
  ~~料金을 搭乘者가 負擔하고 差額은 政府負擔~~
  保險料과 包含되어 을 算定하면

마. 備考 : 1.22 사우디 政府로부터 젯다 空港
라 ← 離着陸 許可를 ~~//得함~~

駐 사우디 大使館의 努力으로 民航棧에 청원해 서의
피해상태에 있는 젯다공항의 이착륙허가를 受함.

2. 軍 醫療支援團 輸送 特別機 活用 僑民撤收問題 檢討

- 同 特別機 追加運航計劃과 別途로 國防部 醫療
  支援團 輸送을 위해 1.23 서울-카라치를 運航
  하는 KAL 特別機를 連繫 活用, 카라치-젯다-
  서울 運航 僑民撤收計劃도 講究中임.

3. 지난 1.14 KAL 特別機(1次)를 投入, 同
   地域 滯留 僑民中 301名을 撤收시킨 바 있음을
   參考로 報告드림.

끝.

걸프地域 滯留 僑民 撤收 特別機 追加 運航

1990. 1

外　務　部

0066

當部 걸프事態 非常對策本部는 걸프戰爭 勃發에
따라 戰爭危險地域에 滯留하고 있는 我國 僑民의
撤收를 위한 特別機 追加運航 計劃을 다음과 같이
報告드립니다.

1. 特別機 追加運航計劃

가. 運航日程

- 91.1.24. 22:30 　　서울 出發
- 91.1.25. 09:50 　　젯다 到着
　　　　　　　　 11:50 　　젯다 出發
- 91.1.26. 09:10 　　서울 到着

나. 特別機 機種 : B-747(受容人員: 400名)

다. 搭乘 希望人員 : 約 400名(사우디, 리야드
　　　　　　　　　　　 300名, 젯다 100名等)

라. 航空料 : 收益者 負擔 原則이나, 航空料 支拂
　　　　　　 能力이 없다고 現地 公舘長이 判斷하는
　　　　　　 者는 政府 負擔

0067

- 戰爭地域 運航 航空機에 대한 保險料 約43萬
  美弗은 政府가 負擔함

(保險料 包含하여 1人當 航空料를 算定하면
  2,700美弗 程度가 됨. 되어 너무 過多하므로
  保險擔分은 政府負擔)

마. 離着陸 許可

- 駐사우디 大使舘의 努力으로 民航機에 대해
  거의 폐쇄 狀態에 있는 젯다 空港의 離着陸
  許可를 득함

2. 軍 醫療支援團 輸送 特別機 活用 僑民撤收問題 檢討

- 前項 特別機 追加運航計劃과 別途로 國防部 醫療
  支援團 輸送을 위해 1.23 서울-카라치를 運航
  하는 KAL 特別機를 連繫 活用, 카라치-젯다-
  서울 運航 僑民撤收計劃도 講究中임. 이나, 保險料 追加
  負擔. 着陸許可를 問題가 있어 政軍 外律 狀況는

3. 지난 1.14 KAL 特別機(1次)를 投入, 同   古今
  地域 滯留 僑民中 301名을 撤收시킨 바 있음을 不確定한.
  參考로 報告드림.

끝.

0068

KE8051／61 運航時間表

====================================

運航區間	國際標準時	現地時間	韓國時間
서 울	1月 24日 13:30 出發	1月 24日 22:30 出發	1月 24日 22:30 出發
방 콕	19:10 到着 21:40 出發	1月 25日 02:10 到着 04:40 出發	1月 25日 04:10 到着 06:40 出發
제 다	1月 25日 06:50 到着 08:50 出發	09:50 到着 11:50 出發	15:50 到着 17:50 出發
방 콕	17:00 到着 19:00 出發	1月 26日 00:01 到着 02:00 出發	1月 26日 02:00 到着 04:00 出發
서 울	00:10 到着	09:10 到着	09:10 到着

* KE8051 : 서울/(방콕)/제다,   KE8061 : 제다/(방콕)/서울

* 총 비행시간 : 28 시간 10분

* 운항 항로 : 사우디 남단 우회 항로 이용

(봄베이 - 인도양 - 예멘 - 사우디/제다)

- 오만 영공 통과시 위험 지역인 리야드 상공 통과 불가피

JED L/P RQST CARR : BA. EK. SD. PK. AI. DG. UL. GF
(未許可)

SUDAN AIRWAYS → SD
AIR INDIA → AI
GULF → GF
EMIRATE ← EK
PAKISTAN ← PK
BIMAN ← DG
AIRLANKA ← UL

0069

第 2 次 僑民輸送 暫定追加保險 料率

項目	第 1 次	第 2 次		備 考
		JED만 運航時	RUH/JED 運航時	
運航路線	KE8011/14JAN SEL/BKK/RUH/AMM KE8021/15JAN AMM/BAH/BKK/SEL	KE8051/24JAN SEL/BKK/JED KE8061/25JAN JED/BKK/SEL	KE8051/24JAN SEL/BKK/RUH KE8061/25JAN RUH/JED/BKK/SEL	
投入機種	B747/HL7447(418席)	B747/HL7447(418席)	B747/HL7447(418席)	
機體保險	3,000萬弗 X 0.5406% (162,180弗)	3,000萬弗 X 1.0811% (324,330弗)	3,000萬弗 X 2.7027% (810,810弗)	
賠償責任	102,150弗(確定)	500弗 X 400名 = 200,000弗	RUH: 100名,JED:300名(推定) 350,000弗	
乘務員傷害	-	350弗/人當 X 30名 10,500弗	500弗/人當 X 30名 15,000弗	
計	264,330 弗	534,830弗	1,175,810弗	

其他條件	- G/T : 5 HRS 以內	* 乘務員傷害 制限條件
		  - G/T : 12HRS 以內
		  - OVERNITE STOP 無 430,000 ?
		
		* 賠償責任
		  乘客에 TKT 발부 및 空港使用 許可 得		

但, 確定保險率은 確定스케쥴 24 時間前에 再調整될 수 있음(戰況에 따라 變更)

AMM/SEL
1320

JED/SEL $ 1.180.⁰⁰
RUH/SEL $ 1.110.⁰⁰

0070

YEMEN ARAB REPUBLIC 영공통과 허가 신청

FF OYSNYAYX RKSSKALO
-DTC- RKSSKALO

TOP URGENT

CHAIRMAN,
CIVIL AVIATION AUTHORITY

WE CORDIALLY REQUEST YOUR PERMISSION FOR OUR SPECIAL CHARTER FLIGHTS TO
OVERFLY YOUR AIRSPACE AS FOLLOWS

1. NAME AND ADDRESS OF OPERATOR
   C.K.CHO, KOREAN AIR
   41-3, SEOSOMUN-DONG, CHUNG-GU, SEOUL, KOREA

2. FLIGHT NUMBER, TYPE OF AIRCRAFT AND REGISTRATION MARKS
   -KAL8051/KAL8061, B747-200, HL7447

3. FLIGHT SCHEDULE (TIME IN UTC)
   -KAL8051 ON 24JAN 1991
    RKSS DEP 1330 VTBD ARR/DEP 1910/2140 OEJN ARR 0650 PLUS1

   -KAL8061 ON 25JAN 1991
    OEJN DEP 0650 VTBD ARR/DEP 1700/1900 RKSS ARR 0010 PLUS1

4. DATE AND TIME OF ENTRY AND EXIT OF YOUR AIRSPACE (TIME IN UTC)
   -KAL8051 ENTRY/ANGAL AT 0225 ON 25JAN 1991
             EXIT AT 0510 ON 25JAN 1991
   -KAL8061 ENTRY AT 1020 ON 25JAN 1991
             EXIT/ANGAL AT 1200 ON 25JAN 1991

5. PURPOSE OF FLIGHT :
   SPECIAL CHARTER FLIGHTS FOR EMERGENCY EVACUATION OF KOREAN RESIDENTS IN
   MIDDLE-EAST DUE TO GULF WAR.

6. ROUTE TO BE FLOWN WITHIN YOUR AIRSPACE :
   -KAL8051 : ANGAL A451F ODAKA DCT RI DCT N1432E04649 W4D N1447E04543
   -KAL8061 : N1447E04543 W4D N1432E04649 DCT RI DCT ODAKA A451F ANGAL

YOUR KIND APPROVAL WOULD BE MOST APPRECIATED

BEST REGARDS

C.K.CHO
PRESIDENT, KOREAN AIR

0071

분류번호	보존기간

발 신 전 보

번   호 : WYM-0043   910122 1700 DY   종별 : 초긴급

수   신 : 주 예멘   대사. 총영사

발   신 : 장 관 (중근동)

제   목 : 특별기 주재국 영공 통과 허가 요청

연 : WYM-0037

    걸프전쟁에 따른 전쟁 위험지역 체류교민 철수를 위해 KAL 특별기를
아래 일정으로 동허가요록 추가 운항, 귀 주재국 영공을 통과 예정인바, 주재국
당국과 긴급 교섭하고 결과 보고 바람.

가. 특별기 기종 : B-747 (수용인원 400명)

나. 항공기 등록번호 : HL 7447

다. 운항일정 : 1.24. (목) 22:30 서울 발 (KE 8051)

              1.25. (금) 09:50 젯다 도착

                          11:50 " 발

              1.26. (토) 09:10 서울 착

라. 귀 주재국 통과지점 및 시각 .

    (1) KE 8051 : Entry point - ANGAL at 0325 on 25 JAN

                    Exit " - N 1447 E04543 at 0510 on 25 Jan

    (2) KE 8061 : Entry point - N 1147 E04543 at 1020 on 25 Jan

                    Exit " - ANGAL at 1200 on 25 Jan

                                끝

(중동아국장   이 해 순)

19<u>9</u> 6.30 에 예고문에
의거 일반문서로 재 분류됨.

예 고 : 1991.6.30. 일반

보 안 통 제	

앙 고 재	91 년 월 일	중 근 동 과	기안자 성 명		과 장	심의관	국 장		차 관	장 관
	22						전결			

외신과통제

0072

| 관리
번호 | 91/885 |

	분류번호	보존기간

발 신 전 보

WOM-0048   910122 1224 DF   종별 : 긴급   WBM-24
WND-81

번   호 : _____

수   신 : 주 오만   대사. 총영사/

발   신 : 장 관   (중근동)

제   목 : KAL 특별기 운항 (교민 철수)

대 : OMW-0023

연 : WOM-0045

　　　　대호 특별기 귀주재국 영공 통과 허가 신청 관련, KAL 측은 관례대로
직접 귀 주재국 항공당국에 별도 구체적 허가 신청서를 제출했어야 하나, 상금
리야드 공항 이.착륙 허가 획득 미지수로 제출치 않았으며, 금 동 허가 신청
예정이라 함.　끝.

（중동아국장   이 해 순）

수신처 : 주 미얀마, 인도 대사

예 고 : 1991.6.30. 일반

1991 6. 20 에 예고문에
의거 일반문서로 재 분류됨.

		보 안		
		통 제		

| 앙
고
재 | 91
년
월
22
일 | 중
근
동 | 기안자
성 명 | | 과 장 | 심의관 | 국 장
전결 | | 차 관 | 장 관 | | 외신과통제 |

0073

원 본

외 무 부

관리 번호	91/310

종 별 : 초긴급

번 호 : YMW-0063

수 신 : 장 관(중근동,기정)

발 신 : 주 예멘 대사

제 목 : 특별기 주재국 영공통과 허가 요청

일 시 : 91 0122 1300

대:WYM-0043

1. 본직은 1.22 12:30(당지 시간) 대호 영공통과 허가 요청에 대한 주재국 정부의 방침을 외무성 의전장 GAZEM 에게 구두로 타진하였던바 동 의전장은 주재국 정부로서는 아국 항공기의 예멘 영공 통과 요청에 대해서 전혀 이의가 없으나 이에앞서 사우디 정부로부터 예멘 영공을 통과한 아국 항공기에 대한 이착륙 허가가 필요하다고 하오니 사우디로부터 동 허가 취득할수 있는지 여부를 긴급 회시 바람.

2. 중국도 최근 주재국 정부에게 유사한 주재국 영공통과 허가를 요청하였었으나 사우디 당국으로부터 예멘 영공 통과 예정 항공기에 대한 허가를 취득치 못하여 주재국 영공통과 신청이 허가되지 못하였다고함을 참고 바람. 끝.

(대사 류 지호-국장)

예고:91.6.30. 일반

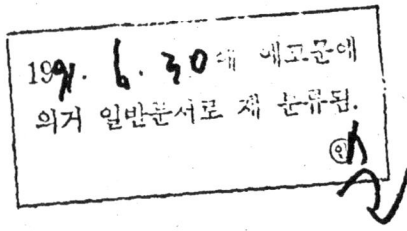

1991. 6. 30에 예고문에
의거 일반문서로 재 분류됨.

중아국   안기부

91.01.22   19:34

외신 2과   통제관 DO

0074

원 본

관리 번호	91/315

외 무 부

종 별 : 긴 급

번 호 : BMW-0038

일 시 : 91 0122 1730

수 신 : 장관(중근동,아서)

발 신 : 주 미얀마 대사

제 목 : KAL 특별기 운항

대:WBM-0023,0024

대호 1.22 주재국 ACC 측과 접촉 특별기 추가 운항관련 제반 사항을 설명 일단 구두허가를 득하였음. 허가번호는 FIR 통과시간 접수후 알려주겠다고 하는바, 동 FIR 시간 회시바람.

(대사-국장)

예고:91.6.30 일반

1991 6.30 에 예고문에 의거 일반문서로 재 분류됨.

중아국   2차보   아주국

관리 번호	91 311

원　본

외　무　부

종　별 : 초긴급

번　호 : YMW-0065

일　시 : 91 0122 1430

수　신 : 장 관(중근동,기정)

발　신 : 주 예멘 대사

제　목 : 특별기 주재국 영공봉과 허가건

대:WYM-0043

대호, 젯다 도착 시각과 주재국 영공 봉과 시각을 비교재확인하여 봉과지점과함께 재봉보하여 주시기 바람. 끝.

(대사 류 지호-국장)

예고:91.6.30. 까지

1991 6.30. 에 예고문에
의거 일반문서로 재 분류됨.

중아국　　2차보　　안기부

관리 번호	91/8?2

	분류번호	보존기간

발 신 전 보

WYM-0048   910122 2305 DQ

번 호 :		종별 : **초긴급**

수 신 : 주 예 멘   대사 //총영사

발 신 : 장 관 (중근동)

제 목 : 특별기 주재국 영공 통과 허가건

연 : WYM-0043

대 : YMW-0065

KAL 특별기를 연호 일정대로 운항 예정이며, 귀주재국 통과 지점 및
시각은 KAL 측에서 귀주재국 항공 당국에 직접 통보할 것임.

(중동아국장 이 해 순)

예 고 : 91.6.30 일반

1991. 6.30. 에 예고문에
의거 일반문서로 재 분류됨.

앙 고 재	91년 중근 월 동 일 과	기안자 성명 박종순	과 장 심의관	국 장 전결 후결	차 관	장 관	보 안 통 제	
							외신과통제	

0077

외 무 부

관리
번호 91/325

종   별 : 초긴급
번   호 : YMW-0068   일   시 : 91 0122 2000
수   신 : 장 관(중근동)
발   신 : 주 예멘 대사
제   목 : 특별기 주재국 영공 봉과건

대:WYM-0048
연:YMW-0063

1. 당관은 연호 문의 사항에 대한 본부 회시에 앞서 주재국 외무성을 통해 대호 영공 봉과 허가를 서면으로 신청하였던바 주재국 외무성 당국은 주재국 공군 및 민간 항공당국으로부터 사우디 당국의 아국 항공기에 대한 예멘 영공 봉과를 허용한다는 통보가 있지않는한 허용할수 없다는 주재국 정부 방침을 알려왔음.

2. 사우디.예멘 양국은 걸프 전쟁발발이래 국경이 봉쇄되어 있는 상태로서 일체의 항공기에 대해 상대방 영공 봉과를 상호 금지하고 있다고 하며 그 일전 중국 민항기에 대해서도 사우디 당국이 예멘 영공 봉과후 운항을 허용하지 않은점으로 미루어 사우디 당국이 허용하지 않을것으로 당지에서는 판단하고 있음.

3. 따라서 주재국 외무성 당국은 수단 영공 홍해 경유 젯다 항로 또는 기타 국제 항로로 변경하는 방안을 제시하였음을 참고 바람. 끝.

(대사 류지호-국장)

예고:91.6.30. 까지

1991. 6.30. 에 예고문에
의거 일반문서로 재 분류됨.

중아국   장관   차관   1차보   2차보   청와대   안기부

관리 번호	91/기ㅏ		원 본

외 무 부

종   별 : 초긴급

번   호 : YMW-0063   일   시 : 91 0122 1300

수   신 : 장 관(중근동,기정)

발   신 : 주 예멘 대사

제   목 : 특별기 주재국 영공봉과 허가 요청

✓ 대:WYM-0043

　　1. 본직은 1.22 12:30(당지 시간) 대호 영공봉과 허가 요청에 대한 주재국정부의
방침을 외무성 의전장 GAZEM 에게 구두로 타진하였던바 동 의전장은 주재국
정부로서는 아국 항공기의 예멘 영공 봉과 요청에 대해서 전혀 이의가 없으나 이에앞서
사우디 정부로부터 예멘 영공을 통과한 아국 항공기에 대한 이착륙 허가가 필요하다고
하오니 사우디로부터 동 허가 취득할수 있는지 여부를 긴급 회시 바람.

　　2. 중국도 최근 주재국 정부에게 유사한 주재국 영공봉과 허가를 요청하였었으나
사우디 당국으로부터 예멘 영공 봉과 예정 항공기에 대한 허가를 취득치 못하여 주재국
영공봉과 신청이 허가되지 못하였다고함을 참고 바람. 끝.

　　(대사 류 지호-국장)

　　예고:91.6.30. 일반

> 1991 6.30에 예고문에
> 의거 일반문서로 재 분류됨.

중아국	장관	차관	1차보	2차보	청와대	안기부

| 관리
번호 | 91
/327 | | 원　　본 |

외　무　부

종　별 : 지급

번　호 : JDW-0023　　　　　　　　　　일　시 : 91 0122 1450

수　신 : 장관(중근동)

발　신 : 주 젯다총영사

제　목 : 특별기 추가운항

대:WJD-0035

1. 금 1.22 12:30 당지소재 민간항공청(CIVIL AVIATION OFFICE 국방성산하)청장 MR. NASER AL-ASSAF 는 대호 특별기 이.착륙허가(리야드공항제외)를 발급함을 소직에게 봉보하여 왔는바, 동허가내용 아래와 같이 보고함.

　가. 허가번호:2775EA(91.1.22)

　나.FLIGHT SCHEDULE(LOCAL TIME)

　-LV SEL 2230/0210 BKK 0440 PL1/JED 0950 PL1(KE8051/24JAN:ARRIVAL ON 25JAN)

　-LV JED 1150/0001 BKK 0200 PL1/SEL 0910 PL1(KE8061/25JAN)

　다. 항로:SUGGESTED ROUTE WITHIN K.S.A(SAUDI ARABIA)

　AWY UT-112:CORAL-SUL-BSH-BAH-MALIK-JED

2. 상기 민항청장은 소직에게 현재의 전쟁상황하에서 사우디 중부에 위치한리야드공항에의 이.착륙허가는 발급할 수 없음을 양해하여 줄 것을 요청한 바 있음. 끝.

(주 젯다총영사-걸프전비상대책본부장)

예고:91.6.30 일반

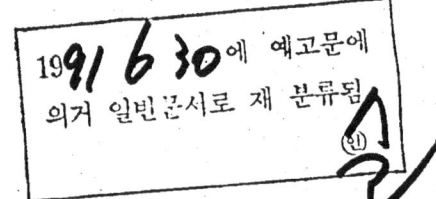

1991.6.30에 예고문에 의거 일반문서로 재 분류됨

전문사본
교통부에추가배포 1/23
(A:N)

중아국　　　2차보　　　국방부

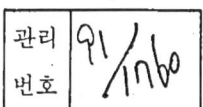

발 신 전 보

분류번호	보존기간

WSB-0193   910123 0002 DA   종별: 초긴급

번 호 :

수 신 : 사우디 대사, 주젯다 총영사//총영사

WJD =0041   WYM -0049
WBH -0054   WAE -0068
WOM -0051

발 신 : 장 관 (중근동)

제 목 : KAL 특별기 운항

연 : WSB-0165, 0179, 0192 WJD-0033, 0040

1. 외국 민항기에 대한 리야드 공항이 착륙 불허방침으로 국방부는 의료지원단 본대 수송을 위해 KAL 특별기 DC-10/HL7371(250 내외석)를 서울-카라치간을 운항시키고, 카라치-다란간은 아국 군수송기로 의료 지원단 본대를 수송할 계획으로 있음.

2. 본부는 연호 교민철수 특별기 추가 운항과는 별도로, 상기 국방부 계획과 연계시켜, 동 의료지원단 본대 수송용 KAL 특별기 DC-10을 귀로에 카라치-젯다 -서울 운항 경로(1.25경 젯다 출발)로하여 귀지 교민을 추가 철수시킬 계획인바, 주젯다 총영사는 동 특별기 D-C 10의 귀지 공항 이·착륙허가를 득하도록 귀 주재국 당국과 긴급 고섭하고, 결과 보고 하고, 동 DC-10 특별기를 운항할 경우의 탑승가능 인원수도 함께 지급 보고 바람.

사 본 : 주 예멘, 바레인, U.A.E, 오만 대사

(중동아국장 이 해 순)

예 고 : 91.6.30 일반

1991. 6.30. 여 예고문에
의거 일반문서도 재 분류됨

		기안자 성명	과 장	국 장	차 관	장 관	보 안 통 제
앙고재	91년 1월 22일 중근동화	박종순		전결 국기			

외신과통제

0081

분류번호	보존기간

발 신 전 보

번   호 : WBM-0027   910123 0003   DA   종별 : 초긴급

수   신 : 주미얀마   대사 . 총영사

발   신 : 장   관 (중근동)

제   목 : KAL 특별기 운항

　　　　　　　대 : BMW-0038

　　　　　　　연 : WBM-0023, 0024

　　　대호관련, KAL 측이 특별기의 귀주재국 영공 통과 지점 및 시각을 귀주재국
항공 당국에 직접 통보하였음을 양지바람.　　　끝.

　　　　　　　　　　　　　　　　　　　(중동아국장 이 해 순)

예 고 : 91.6.30. 일반

```
1991. 6. 30 이 예고문에
의거 일반문서로 재 분류됨.
```

	보 안 통 제	24

앙고재	91년 6월 2일	중근동과	기안자성명 박흥순	과 장	국 장 전결후결	차 관	장 관	외신과통제

0082

	분류번호	보존기간

발 신 전 보

WYM-0051   910123 1551 DP   종별 : 초긴급

번 호 :

수 신 : 주 예 멘   대사. 송영사

발 신 : 장 관 (중근동)

제 목 : 특별기 주재국 영공 통과 허가 요청

대 : YMW-0063, 0065

연 : WYM-0043, 0046, 0048

연호 특별기 추가 운항과 관련, 동 특별기가 당초 귀 주재국 영공을
통과할 예정이었으나, KAL측의 동 특별기 운항로 조정으로 귀 주재국 영공을
통과치 않게 되어, 동 영공 통과 허가 교섭 필요성이 없으니 동건 방념 바람. 끝.

(중동아국장   이 해 순)

예 고 : 1991.6.30. 일반

1991 6.30 예고문에
의거 일반문서로 재 분류됨.

	보 안 통 제	74

앙 고 재	91 년 1 월 23 일	중 근 동	기안자 성명 박정산	과 장 74	심의관 전결 추경	국 장	차 관	장 관	외신과통제

0083

관리 번호	91/888

	분류번호	보존기간

발 신 전 보

WOM-0052   910123 1754 DP   종별 : **초긴급**

번   호 :

수   신 : 주 수신처 참조 //대사//총영사//

발   신 : 장   관 (중근동)

제   목 : 군의료진 수송 특별기 활용 교민 철수

WAE -0070   WPA -0064
WKA -0018   WSB -0201
WBH -0057   WYM -0053
WJD -0044

연 : WSB-0167, 0193
　　 WAE-0061,
　　 WJD-0041
　　 WOM-0046, 0048, 0050

대 : KAW-0019

1991 6.30에 예고문에
의거 일반문서로 재 분류됨.

　　　1. 외국 민항기에 대한 리야드 공항 이.착륙 불허방침으로 국방부는
의료지원단 본대 수송을 위해 KAL 특별기 DC-10/HL7371(250 내외석)을 서울-
카라치간을 운항시키고, 카라치-다란간은 아국 군수송기로 의료지원단 본대를
수송할 예정임.

　　　2. 본부는 연호 교민철수 특별기 추가운항과는 별도로, 귀지 교민을
추가 철수키 위해 상기 국방부 계획과 연계시켜, 동 의료지원단 본대 수송용
KAL특별기 DC-10을 귀로에 카라치-젯다-서울 운항경로, 아래 일정으로 운항,
귀 주재국 영공을 통과 예정인바, 귀 주재국 당국과 긴급 교섭, 동 영공 통과
허가를 득하고 결과 보고바람.

가. 특별기 기종 : KAL DC-10-30 (좌석수 260석)

나. 특별기 등록번호 : HL 7317

/ 계속 ...

		기안자 성 명		과 장	심의관	국 장		차 관	장 관	
앙 고 재	91년 월 일 중근동 과					전결 후결				외신과통제

보 안
통 제

0084

다. 운항 예정 일정

    1.23.   17:00   서울 발 (KE 8035)

           20:45(L) 방콕 착

    WOM-0052   910123 1754   DP

           22:45(L) 방콕 발

    1.24.   01:20(L) 카라치 착 (32시간 대기)

    1.25.   09:20(L) 카라치 발

           12:00(L) 젯다 착 (KE 8045)

           15:00(L)   " 발

           20:30(L) 카라치 착

           22:30(L)   " 발

    1.26.   10:05   서울 착

WAE -0070	WPA -0064
WKA -0018	WSB -0201
WBH -0057	WYM -0053
WJD -0044	

라. 귀 주재국 영공 통과 및 착륙 지점 및 시각

    1) 오 만 : KE 8035-ENTRY/ALPOR AT 0825(L) ON 25 JAN 91

                      EXIT/GOLNI   AT 0905(L) ON 25 JAN 91

             KE 8045-ENTRY/GOLNI AT 1720(L) ON 25 JAN 91

                      EXIT/ALPOR   AT 1750(L) ON 25 JAN 91

    2) U. A. E. : KE 8035-ENTRY/GOLNI AT 0910(L) ON 25 JAN 91

                      EXIT/ALPEK   AT 0935(L) ON 25 JAN 91

             KE 8045 ENTRY/ALPEK AT 1700(L) ON 25 JAN 91

                      EXIT/GOLNI   AT 1720(L) ON 25 JAN 91

    3) 파키스탄 : KE 8035 KARACHI AIRPORT(OPKC) DEP/0920(L)ON25JAN91

                KE 8045 KARACHI AIRPORT(OPKC) ARR/2030(L)ON25JAN91

                      "   DEP/2230(L)ON25JAN91

    3. 주 파키스탄 대사(주카라치 총영사 포함)는 상기와 관련, 동 특별기 (DC-10)의 귀 주재국 이.착륙 허가를 득하고 결과 지급 보고바람.

(중동아국장 이 해 순)

수신처 : 주 오만, UAE, 파키스탄 대사, 주 카라치 총영사

사 본 : 주 사우디, 바레인, 예멘 대사, 주 젯다 총영사

예 고 : 91.6.30. 일반

0085

軍 醫療陣 特別機 運航 計劃 (案)

1 . 運航目的

軍 醫療支援團 派遣

2 . 運航日字 및 時間

○ 서울 出發 : 1月 23日 (水) 17:00 時
(성남空港)

           * 金浦 ──> 성남空港間 FERRY 運航(12:20 /13:00)

○ 서울 到着 : 1月 24日 (木) 17:55 時

3 . 投入機種

DC10/HL7317 (272 席)

4 . 運航路線 및 스케줄 計劃 (現地時間)

○ 서울 － (방콕) － 카라치
(17:00)   (20:45/22:00)   (01:20)

○ 카라치   －   서울 (非搭載)
(06:20)   (17:55)

0086

第 2 次 中東 撤收 特別機 運航 計劃

1 . 運航目的

　　사우디 駐在 僑民 緊急撤收

2 . 運航日字 및 時間

　　○ 서울 出發 : 1月 24日 (木) 22:30 時

　　○ 서울 到着 : 1月 26日 (土) 09:10 時

3 . 投入機種

　　B747/HL7447 (400 席)

4 . 運航路線 및 스케쥴 計劃 (現地時間)

　　○ 서울　　 － 　(방콕)　　 － 　제다
　　　(22:30)　　　(02:10/04:40)　　　(09:50)

　　○ 제다　　 － 　(방콕)　　 － 　서울
　　　(11:50)　　　(00:01/02:00)　　　(09:10)

　　* 항로 (AIRWAY)

　　　봄베이 － 인도양 － 오만 － 아랍에미레이트 － 바레인

　　　ㅡ UT112 (臨時設定路線) － 리야드 南端 120 마일 － 제다

0087

5. 豫想 搭乘人員

○ 서울 ― 제다 : 非搭載 運航
○ 제다 ― 서울 : 400 名 目標

제다 約 100 名 및 隣近地域 僑民(RUH 300 名 需要) 제다 集結

措置 豫定 (現地公館)

6. 傳貰價格

○ 基本 價格 : 401,280$ (飛行時間當 14,250$)
○ 追加保險料 : 533,430$ (1月 21日 料率 基準)

* 細部內譯

· 機體保險 : 3,000 万弗 X 1.0811 % = 324,330 $

* 1次 CHTR 運航時 適用料率 : 0.5406 % (162,180 $)

· 賠償責任 : 500 弗 / 人當 X 400 名 = 200,000 $

· 乘務員傷害 : 350 弗 X 26 名 = 9,100 $

───────────────────────────────

○ 總 計 : 934,710 $

* 傳貰條件 : 收益者 負擔原則에 依據, 乘客 1人當 1,180$ 徵收하며

傳貰價格에서 控除함

7. 運航支援 計劃

○ 整備 : 2 名   ○ 運航乘務員 : 6 名 (2 팀)
○ 運航管理士 : 1 名   ○ 客室乘務員 : 17 名 (男 14, 女 3)

* 看護士 資格 女乘務員 包含

───────────────────────────────

○ 總 計 : 26 名

0088

8. 機內食 支援 計劃

○ 방콕에서 往復 CATERING 支援

○ 非常食糧 및 物品 搭載 豫定

9. 運航時 豫想 問題点

○ 戰爭 勃發 以後 運航 航空社 SV 以外 全無

   - 10 余 航空社 運航許可 申請하였으나 許可與否 確認不可 (保安上 理由)

○ 飛行 安全에 대한 모든 責任은 運航 航空社가 全的으로 負擔 (SAUDI PCA 主張)

○ 離着陸時 軍事用 航空機에 優先權 --> KE FLT 長時間 遲延 憂慮

○ 地上操業 및 空港 PROCEDURE 協調 問題

   - 現在 關聯當局과 協議 中이나 空港/CIQ 制限 運營 및 地上操業은 軍에서 統制

0089

KAL 특별기 (DC-10) 추가운항

1. 운항일정 :

    - 1.25. 09:20 카라치 출발 (KE 8035)

              12:00 젯다 도착

              15:00 젯다 출발(KE 8045)

              20:30 카라치 도착

              22:30 카라치 출발

    - 1.26. 10:05 서울 도착

2. 탑승예상인원 :

사우디 서부지역 탑승인원은 80명, 중부 및 동부지역 탑승교민은 170명임.

앙 고 체	폐 만 상 대 책 부	본 년 월 일	담 당	과 장	심의관	국 장	본부장

0090

원 본

외 무 부

관리
번호 91613

종   별 : 초긴급

번   호 : BMW-0040

일   시 : 91 0123 1130

수   신 : 장관(중근동,아서)

발   신 : 주 미얀마 대사

제   목 : KAL 특별기 추가운항

대:WBM-0026

연:BMW-0038

대호 금 1.23 주재국 ACC 측과 접촉, 아래 영공봉과 허가번호를 받음.

-아래-

ATS(I) 94/3-55/JAN 91/22.

(대사-국장)

예고:91.6.30. 일반

1991. 6. 30. 에 예고문에
의거 일반문서로 재 분류됨.

중아국   아주국

PAGE 1

91.01.23   15:01

외신 2과 봉제관 BN

0091

원 본

외 무 부

종 별 : 긴 급

번 호 : OMW-0025

일 시 : 90 0123 0915

수 신 : 장관(중근동)

발 신 : 주 오만 대사

제 목 : 특별기 오만영공통과 허가

대:WOM-0048
0045

대호 KAL 특별기의 주재국 영공통과건, 주재국 교통부 항공국으로 부터 1,22자로 허가를 득한바, 동허가 번호는 "DGCAM-114"임.끝

(대사 강종원-국장)

예고:91,6,30. 일반

1991 6.30. 애 예고문에 의거 일반문서로 재 분류됨.

중아국

91.01.23   16:06
외신 2과 통제관 BN
0092

원 본

외 무 부

종 별 : 긴 급

번 호 : NDW-0139
일 시 : 91 0123 1200

수 신 : 장관(중근동)

발 신 : 주 인도 대사

제 목 : 특별기 추가운항

대:WND-0085

1. 대호, 영공봉과 허가번호는 YA369/01/221125 임.

2. 상기번호는 당지 KAL 사무실을 통해 본사에도 통보조치되었음.

(대사 김태지-국장)

예고:91.6.30. 일반

1991. 6.30 애 예고문에
의거 일반문시로 재 분류됨.

중아국

PAGE 1

원 본

관리 번호	91/68

외 무 부

종 별 : 긴 급

번 호 : PAW-0111

일 시 : 91 0123 1900

수 신 : 장관(중근동)

발 신 : 주 파 대사

제 목 : KAL특별기 착륙허가

대 WPA-64

1. 민간 항공기 이착륙 허가는 카라치 소재 민간 항공국(CIVIL AVIATION AUTHORITY)에 직접 신청 해야 하는바, 주 카라치 총영사관으로 하여금 지급 조치토록 하였음.

2. 사안의 긴급성을 감안, 대호 전문 접수 즉지 주재국 외무성 관계관(자택)에게 봉보하고 조속 발급 되도록 주재국 정부의 협조를 요청 하였으며, 명 1.24(목)공관을 전달 키로 하였음.

3. 명 1.24(목)결과 보고 위계임.끝.

(대사 전순규-국장)

예고 91.12.31 일반

91.6.30. 검토필 송

중아국

KAL 특별기 ~~젯다~~ *DC-10* 운항 관계

(1.24. 03:20 주 젯다 총영사 및 운영사와 통화)

3호기

ㅇ 주재국으로 부터 KAL 특별기(DC-10)의 착륙허가를 득하였으니 예정대로
1.25. 운항바람.

ㅇ 동 특별기의 탑승희망 인원은 젯다지역이 120명이며 리야드 지역은 사우디
대사관에서 탑승인원을 파악중에 있음.

2호기

ㅇ 한편, 1.24.밤 서울을 출발하는 KAL 특별기(B-747)의 탑승인원은 리야드
300명, 젯다 100명 으로 확정되었으며, 현재 KAL 지사에서 탑승객에 대한
Ticketing 을 하고 있음.

앙 포 재	패본 만 상대 책부	/ 월 23 일	담 당	과 장	심의관	국 장	본부장

0095

원 본

관리
번호 91/626

외 무 부

종 별 : 지급

번 호 : SBW-0252

일 시 : 91 0123 2220

수 신 : 장관(중근동,노동부,건설부,기정)

발 신 : 주 사우디 대사

제 목 : 교민철수계획

1.1.25 특별기에 탑승할 동부 및 중부지역 인원은 300 명이며, 그내용은 다음과 같음

-공관직원및가족 29, 교원가족 14, 은행주재원및가족 18 명, 상사주재원및가족 10, 동부지역교민 83, 진출업체 104 명 임

2. 업체별 신화 25, 현대 23, 한양 11, 현대산업 10, 유원 10, 한국강관 5,미륭 3, 신성 3, 삼성 3, 삼호 3, 경남 8 명임

3. 구체적인 상황은 추보위계임

(대사 주병국-국장)

예고:91.6.30 일반

1991. 6. 30 에 예고문에 의거 일반문서로 재 분류됨. (인)

중아국   2차보   안기부   건설부   노동부

관리
번호 71/623

원 본

외 무 부

종 별 : 긴 급

번 호 : JDW-0027

일 시 : 91 0123 2150

수 신 : 장관(중근동)

발 신 : 주 젯 다총영사

제 목 : KAL특별기운항

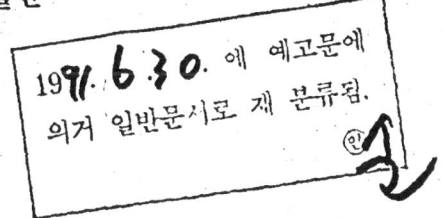

대:WJD-0041

연:JDW-0023

1. 금 1.23 21:15 대호 특별기 이.착륙허가가 발급되었음. 동 허가내용을 아래와 같이 보고함.

　가. 허가번호:2778EA/ABNC 80356026

　나.FLIGHT SCHEDULE(LOCAL TIME)

　LV SEL 1220/1300 SSN 1700/2045 BKK 2200/0120 PL1 KHI(KE8035/23JAN)

　LV KHI 0920/1200 JED 1500/2030 KHI 2230/1005 PL1 SEL(KE8045/25JAN)

　다. 항로:연호 ROUTE 와 동일.

2. 상기 특별기(DC-10)당관 관할내 탑승 예상교민은 대략 120 여명으로 잠정 파악됨. 끝.

　(총영사 김문경-국장)

　예고:91.6.30 일반

1991.6.30. 에 예고문에
의거 일반문서로 재 분류됨. ㉑

사본
교통부 추가
배포함
1/24 07:20
기교회

중아국

PAGE 1

91.01.24　04:52

외신 2과 : 통제관 FE

0097

333-9815

걸프지역 체류교민 철수특별기 추가 운항

1991. 1.

1.24
재방
외

외 무 부

앙 고 재	개 만 : 상 대 책 부	91 년 1 월 일	담 당	과 장	심의관	국 장	본부장
			박종순				

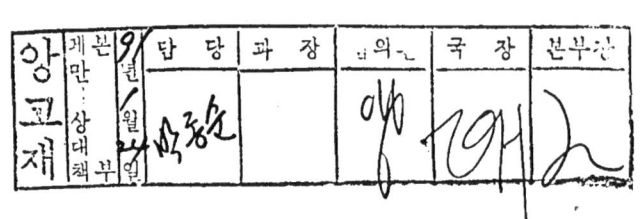

0098

전쟁 위험 지역에 체류하고 있는 아국 교민의 철수를 위한 특별기 추가 운항 관련사항을 다음과 같이 보고 드립니다.

1. 2차 특별기 운항 계획

　가. 운항 일정

　　- 1.24.(목) 22:30 　서울출발

　　- 1.25.(금) 09:50 　젯다 도착

　　　　　　　 11:50 　젯다 출발

　　- 1.26.(토) 09:10 　서울 도착

　나. 특별기 기종 : B-747 (수용인원 : 400명)

　다. 탑승 희망인원 : 약400명 (사우디왕국 리야드 300명, 젯다 100명 예상)

2. 3차 특별기 운항 계획

　가. 운항 일정

　　- 1.25.(금) 09:20 　카라치 출발

　　　　　　　 12:20 　젯다 도착

　　　　　　　 15:00 　젯다 출발

　　- 1.26.(토) 10:05 　서울 도착

　나. 특별기 기종 : DC-10 (수용 인원 : 250명)

　다. 탑승 희망인원 : 약250명 (사우디왕국 리야드 80명, 젯다 170명 예상)

　라. 비　　고 : 국방부 의료지원단의 사우디 수송을 위한 KAL 특별기 운항과
　　　　　　　 연계, 추진

0099

3. 향후 추진 계획

- 걸프사태 추이 및 본국 철수 희망 교민수등을 보아 가며, 추후 특별기 추가 운항 여부 검토

4. 항공 요금 부담 문제

- 탑승 항공 요금은 탑승자 부담 원칙이나, 항공료 지불 능력이 없다고 판단 되는자는 정부 부담 *(평상시의 항공료는 800미불 정도)*

- KOL전세기의 1인당 항공료는 젯다/서울간 1,180미불이며, 전쟁지역 운항 항공기에 대한 보험료 (약43만 미불 추정) 등은 정부 부담 *(~~전쟁가격은 800미불 정도~~)*

- 보험료를 포함한 1인당 항공료를 산정하면 실제로는 2,700미불 정도가 됨.

5. 건   의

- 특별기 운항 소요경비 관련, 탑승자 부담 항공료를 제외한 제비용은 예비비로 별도 예산 조치토록 함.

0100

김재섭 비서관님
(.24 21:00
(천다애 의外드면)
에 fax 송부 ᄄᆞ).

걸프지역 체류교민 철수특별기 추가 운항

1991. 1.

외 무 부

0101

전쟁 위험 지역에 체류하고 있는 아국 교민의 철수를 위한 특별기 추가 운항 관련사항을 다음과 같이 보고 드립니다.

1. 2차 특별기 운항 계획
   가. 운항 일정
      - 1.24.(목) 22:30   서울출발
      - 1.25.(금) 09:50   젯다 도착
                   11:50   젯다 출발
      - 1.26.(토) 09:10   서울 도착
   나. 특별기 기종 : B-747 (수용인원 : 400명)
   다. 탑승 희망인원 : 약400명 (사우디왕국 리야드 300명, 젯다 100명 예상)

2. 3차 특별기 운항 계획
   가. 운항 일정
      - 1.25.(금) 09:20   카라치 출발
                   12:20   젯다 도착
                   15:00   젯다 출발
      - 1.26.(토) 10:05   서울 도착
   나. 특별기 기종 : DC-10 (수용 인원 : 250명)
   다. 탑승 희망인원 : 약250명 (사우디왕국 리야드 80명, 젯다 170명 예상)
   라. 비   고 : 국방부 의료지원단의 사우디 수송을 위한 KAL 특별기 운항과
                  연계, 추진

0102

3. 향후 추진 계획

   - 걸프사태 추이 및 본국 철수 희망 교민수등을 보아 가며, 추후 특별기 추가
     운항 여부 검토

4. 항공 요금 부담 문제

   - 탑승 항공 요금은 탑승자 부담 원칙이나, 항공료 지불 능력이 없다고 판단
     되는자는 정부 부담
   - 1인당 항공료는 젯다/서울간 1,180미불이며, 전쟁지역 운항 항공기에 대한
     보험료 (약43만 미불 추정) 등은 정부 부담 (시장가격은 800미불 정도임)
   - 보험료를 포함한 1인당 항공료를 산정하면 실제로는 2,700미불 정도가 됨.

5. 건   의

   - 특별기 운항 소요경비 관련, 탑승자 부담 항공료를 제외한 제비용은 예비비로
     별도 예산 조치토록 함.

0103

원 본

외 무 부

종 별 : 긴 급

번 호 : PAW-0114   일 시 : 91 0124 1530

수 신 : 장관(중근동),사본:주 카라치 총영사

발 신 : 주 파 대사

제 목 : KAL 특별기 착륙

연 PAW-111

대 WPA-64

대호관련, 금 1.24(금)주재국 외무성과 접촉하였는바, 주재국 민간항공국으로부터
KAL 특별기의 대호일정에 따른 카라치 공항 이, 착륙 허가가 발급되었음을
확인하였음. 끝.

(대사 전순규-국장)

예고 91.12.31 일반

91. 6. 30.

중아국

원 본

외 무 부

종 별 :

번 호 : BMW-0045   일 시 : 91 0124 1650

수 신 : 장관(중근동,아서,국방부,교통부)

발 신 : 주 미얀마 대사

제 목 :

연:BMW-0040

1. 주재국 외무부는 외국 항공기의 주재국 영공통과 또는 이착륙 허가신청시 당지주재 외국공관들이 충분한 시간적 여유를 주지않고 허가를 요청해옴으로서 효과적인 안전조치를 취하는데 큰 어려움이 있음을 지적하면서 금후 여사한 신청은 통상의 경우 적어도 일주일전(SEVEN WORKING DAYS), 부득이한 경우 동사유를 명기 48시간전에 해줄것을 요청하는 1.22 자 공한을 당지주재 전 외교공관에 보내왔음을 보고함.

2. 따라서 앞으로 우리 항공기의 주재국 영공통과 계획이 있을경우 일정 확정 이전이라도 가능한한 신속히 우선 당관이 통과허가 신청에 관한 필요조치를 취할수 있도록 사전통보 요망함.

(대사-국장)

예고:91.6.30 일반

1991. 6.30. 에 예고문에
의거 일반문서로 재 분류됨.

중아국   아주국   국방부   교통부

PAGE 1   91.01.24   20:59
                                   외신 2과 통제관 DO

| 판리
번호 | P/633 |

외 무 부

종   별 : 지 급
번   호 : SBW-0264   일   시 : 91 0124 1630
수   신 : 장관(중근동,노동부,건설부,기정)
발   신 : 주 사우디 대사
제   목 : 전세기(DC-10) 탑승인원

    1. 1. 25 1500 제다출발 전세기 탑승할 동부및 리야드 인원은 170 명임

    2. 이중 동부지역 교민 15 명(유아 1 명제외), 리야드 23 명, 업체 132, 신화30,
현대 22, 유원 17, 극동 23, 삼성종 15, 국제종 7, 경남 9, 동부 5, 한양 4. 끝

    (대사 주병국-국장)

    예고:91. 6. 30 일반

> 1991. 6. 30. 에 예고문에
> 외거 일반문서로 재 분류됨.

| 중아국 | 장관 | 차관 | 1차보 | 2차보 | 청와대 | 안기부 | 건설부 | 노동부 |

91.01.24   23:17
외신 2과 통제관 CW

0106

원 본

관리 번호 PI/675

외 무 부

종 별 : 초긴급
번 호 : OMW-0026
수 신 : 장관(중근동)
발 신 : 주오만대사
제 목 :

일 시 : 90 0123 1800

ICAL

대:WOM-0051

대호 특별기 운항건 주재국 항공국에 확인한바, 1.25 및 26일 양일간 운항예정인 KE8035/8045(DC10/HL7317)편의 영공봉과를 허가함. 동허가번호는 "DGCAM-120"이라함.끝
　(대사 강종원-국장)
　예고:91,6,30. 일반

1991. 6 .30. 에 예고문에 의거 일반문서로 재 분류됨.

751-7936

중아국　국방부

PAGE 1

91.01.25　00:22
외신 2과　통제관 CW
0107

원 본

관리
번호 91/676

외 무 부

종 별 : 초긴급

번 호 : OMW-0025

일   시 : 90 0123 0915

수 신 : 장관(중근동)

발 신 : 주 오만 대사

제 목 : KAL 특별기 오만영공통과 허가

대:WOM-0048,0045

대호 KAL 특별기의 주재국 영공통과건 주재국 교통부 항공국으로부터 1,22 자로 허가를 득한바, 동허가번호는 "DGCAM-114"임.끝

(대사 강종원-국장)

예고:91,6,30. 일반

1991. 6.30. 에 예고문에 의거 일반문서로 재 분류됨. ㉑

중아국

91.01.25   05:21

외신 2과 통제관 DO

0108

분류기호 문서번호	중근동 720- 178	기안용지		시행상 특별취급	
보존기간	영구·준영구 10. 5. 3. 1	장 관			
수신처 보존기간		대책본부장			
시행일자	1991.1.24.				
보조기관	국장 심의관 과장	협조기관		문서통제 1991. 1. 25	
기안책임자	박종순			발송 7안 반송 1991. 1. 25 의무부	
경유 수신	걸프사태특별대책실무 위원회 위원장	발신명의			
제목	교민 철수 특별기 추가 운항 계획 실시				

연 : 중근동 720-145(91.1.21)

1. 당부 걸프사태 비상 대책본부는 걸프전쟁 위험지역에 체류

하고 있는 아국 교민의 긴급 철수를 위해 연호 2차특별기 및 군 의료

지원단 수송 KAL특별기 운항과 연계한 3차 특별기 운항계획을 아래와

같이 수립·실시함을 보고 드립니다.

1991. 6. 30. 에 예고문에
의거 일반문서로 재 분류됨.

가. 2차 특별기 운항 계획

  1) 운항 예정 일자 : 1.24. (서울 출발)

  2) 특별기 기종 : B-747 (400명 수용)

0109

/ 계속 . . .

3) 운항 일정 : 1.24 (목) 22:30 서울 발 (KE-8051)

1.25. (금) 09:50 젯다 착

11:50 " 발 (KE-8061)

1.26. (토) 09:10 서울 착

4) 특별기 탑승 예정 인원 : 400명 (사우디 왕국 리야드 300명,

젯다 100명)

나. 3차 특별기 운항 계획

1) 운항 예정 일자 : 1.25. (카라치 출발)

2) 특별기 기종 : DC-10 (250명 수용)

3) 운항 일정 : 1.25. (금) 09:20 카라치 발 (KE-8035)

12:00 젯다 착

15:00 젯다 발 (KE-8045)

1.26. (토) 10:05 서울 착

4) 특별기 탑승 예정 인원 : 약 250명 (리야드 170명, 젯다 80명)

5) 비 고 : 국방부 의료지원단의 사우디 수송을 위한 KAL특별기를

운항과 연계, 추진

카라치에서 연장운항

/계 속 . . .

0110

다. 특별기 탑승 항공료

    1) 탑승 항공요금은 탑승자 부담 원칙이나, 항공료 지불 능력이

없다고 판단되는 자는 정부 부담

    2) 1인당 항공료는 젯다/서울 1,180미불이며, 전쟁지역 운항

항공기에 대한 보험료(약43만 미불 추정)는 정부가 부담함

    - 보험료를 포함하여 1인당 항공료를 산정하면 2,700미불

정도가 됨. (젯다/서울간 ~~통상요금은~~ 시장가격 요즘은

800불 정도면)

    2. 지난 1.14 KAL특별기 1차를 투입, 동 지역 체류교민

총 301명을 철수 시킨바 있음을 첨언 합니다

    3. 상기와 관련, 교민 긴급 철수를 위한 동 특별기 운항에 따른

소요 경비중 정부 부담분에 대한 예산 조치가 시급히 이루어~~져야 할~~ 지도록

~~것임을 참고~~해 주시기 바랍니다. 끝.

대 한 민 국

중근동 720-*178*　　　　　　(370-8283)　　　　　　1991. 1. 25.

수 신 : 걸프사태특별대책실무위원회 위원장

제 목 : 교민 철수 특별기 추가 운항 실시

연 : 중근동 720-145(91.1.21)

1. 당부 걸프사태 비상 대책본부는 걸프전쟁 위험지역에 체류하고 있는
   아국 교민의 긴급 철수를 위해 연호 2차특별기 및 군 의료지원단 수송
   KAL특별기 운항과 연계한 3차 특별기 운항계획을 아래와 같이 수립.
   실시함을 보고 드립니다.

   가. 2차 특별기 운항 계획

   　　1) 운항 예정 일자 : 1.24.(서울 출발)

   　　2) 특별기 기종 : B-747 (400명 수용)

   　　3) 운항 일정 : 1.24 (목) 22:30 서울 발 (KE-8051)

   　　　　　　　　　　　 1.25.(금) 09:50 젯다 착

   　　　　　　　　　　　　　　　11:50 ＂ 발 (KE-8061)

   　　　　　　　　　　　 1.26.(토) 09:10 서울 착

   　　4) 특별기 탑승 예정 인원 : 400명 (사우디 왕국 리야드

   　　　　　　　　　　　　　　　　　 300명, 젯다 100명)

   나. 3차 특별기 운항 계획

   　　1) 운항 예정 일자 : 1.25.(카라치 출발)

   　　2) 특별기 기종 : DC-10 (250명 수용)

／ 계속 . . .

0112

3) 운항 일정 : 1.25. (금) 09:20 카라치 발 (KE-8035)

12:00 젯다 착

15:00 젯다 발 (KE-8045)

1.26. (토) 10:05 서울 착

4) 특별기 탑승 예정 인원 : 약 250명 (리야드 170명, 젯다 80명)

5) 비 고 : 국방부 의료지원단의 사우디 수송을 위한 KAL특별기를 카라치에서 연장 운항

다. 특별기 탑승 항공료

1) 탑승 항공요금은 탑승자 부담 원칙이나, 항공료 지불 능력이 없다고 판단되는 자는 정부 부담

2) 1인당 항공료는 젯다/서울 1,180미불이며, 전쟁지역 운항 항공기에 대한 보험료(약43만 미불 추정)는 정부가 부담함
- 보험료를 포함하여 1인당 항공료를 산정하면 2,700미불 정도가 됨. (젯다/서울간 시장 가격 요금은 800불 정도임)

2. 지난 1.14 KAL특별기 1차를 투입, 동 지역 체류교민 총 301명을 철수 시킨바 있음을 첨언 합니다

3. 상기와 관련, 교민 긴급 철수를 위한 동 특별기 운항에 따른 소요 경비중 정부 부담분에 대한 예산 조치가 시급히 이루어지도록 협조해 주시기 바랍니다. 끝.

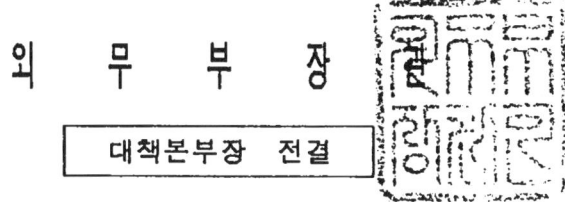

외 무 부 장

대책본부장 전결

0113

3713

분류기호 문서번호	중근동 720-	기안용지 (720-2327)		시 행 상 특별취급	
보존기간	영구:준영구 10. 5. 3. 1	차	관	장	관
수 신 처 보존기간		대책본부장			
시행일자	1991. 1. 24.				
보조 기관	국 장	협 조 기 관			문 서 동 제
	심의관				
	과 장				
기안책임자	박 종 순				
경 유		발신명의			
수 신	(주) 대한항공사장 (사본:경제기획원장관)				
참 조					
제 목	대한항공 특별기 운항				

당부 걸프사태 대책 본부는 걸프전쟁지역에 체류하고 있는

아국교민 철수를 위한 귀사 특별기(1-3차)에 대한 전세요금를 탑승자

자비 부담 원칙에 따라 대한항공이 탑승 승객으로 부터 영수한 탑승

항공료를 제외한 전쟁 보험료 및 제 운항 비용은 정부가 부담할 것이며,

항공기 운항 완료후 귀사와 협의, 보험료 포함 전세요금 정산을 추진 할

예정 입니다. 끝.

0114

外務部 장관실 건설(?) 주 서기관님.

이탈잔류자현황

1. 직 원

NO.	직 위	성 명	나이
1.	이 대	김 종 훈	(49)
2.	사 원	김 효 석	(26)
3.	사 원	백 종 호	(29)
4.	사 원	박 효 중	(35)
5.	대 리	김 한 택	(49)
6.	사 원	양 동 수	(39)
7.	차 장	임 풍 호	(40)
8.	사 원	김 규 문	(36)
9.	대 리	문 동 탁	(43)
10.	부 장	김 무 용	(48)

2. 근 로 자

NO.	직 위	성 명	나이
1.	총무임직	이 집 성	(32)
2.	자재임직	임 진 수	(30)
3.	내선전공	조 성 철	(33)
4.	한식요리	김 명 군	(30)
5.	안전임직	이 영 철	(42)
6.	차량판금	김 봉 길	(49)
7.	크 레 인	이 흥 규	(48)
8.	내장목공	박 현 수	(52)
9.	시문전공	이 만 호	(28)
10.	플랜트전공	이 경 렬	(31)
11.	형틀목공	정 운 봉	(51)
12.	크 레 인	이 영 임	(44)

0115

KAL 특별기 탑승

(1.25 20:45 주젯다 정태수,
21:25 대한항공 비상
대책본부 김진정 차장)

가. 보잉 747

    ○ 10:35 젯다 도착

    ○ 13:00 젯다 출발(서울시간 19:00), *1.26(토)* 09:10 서울도착예정

    ○ 탑승자 409명

       - 성 인 319명

       - 어린이 81명

       - 유 아 9명

나. DC 10기

    ○ 12:30 젯다 도착

    ○ 14:50 젯다 출발 (서울시간 20:50), *1.26(토)10:05 서울도착예정*

       - 18:29 카라치 도착(서울시간 1.26 00:29)

    ○ 탑승자 250명

       - 성 인 244명

       - 어린이 6명

다. 보잉 747기 탑승 인원의 지역별 내역은 추보하겠음.

0116

| 관리
번호 | 19/642 | | | 원 본 |

외 무 부

종 별 : 지 급

번 호 : KAW-0024　　　　　　　　　일 시 : 91 0125 0530

수 신 : 장관(중근동, 국방부, 사본주파, 주사우디, 주제다총영사)

발 신 : 주 카라치 총영사

제 목 : KAL특별기 제다향발보고

대 WKA-0019

대호 KAL 특별기는 금 1.25 0920 예정대로 제다로 향발함.

(총영사 조 규태-국장)

예고 91.6.30 일반

1991. 6. 30. 에 대교문에
의거 일반문서로 재 분류됨.

───────────────────────────────

중아국　　차관　　1차보　　2차보　　국방부

TO : 외무부 걸프사태대책본부
장 석기관 님

FROM : 동부건설
해외 사업부

" 職印省略 "
東 部 建 設 株 式 會 社
(279 - 1671/9)

동건(해사) 91- 호   1991.01.25
수 신 : 외 무 부
참 조 : 걸프 사태 비상대책본부장
제 목 : 중동지역 근로자 철수 현황

1. 귀 대책본부의 노고에 진심으로 감사 드립니다.

2. 91년 1월 25일 현재, 걸프 지역(사우디)에 근무 중인 당사 근로자들의
    철수 현황에 관한 건입니다.

3. 철수 계획은 다음과 같습니다.

철수인원	2차 특별기	3차 특별기	잔 여 인 원	총계
	직원가족 3인 기능직원 3인	기능직원 5인	직원및 가족 27인 기능직원 19인	
계	6	5	46	57

4. 향후 대한항공 특별기가 취항할 시, 가족및 기능사원을 계속 철수시킬
    예정입니다.

5. 전세기 형편이 어려울 경우, 일부 기능사원들은 직원 인솔 하에 제 3국을
    경유한 철수 계획도 고려하고 있음을 알려 드립니다.   끝.

社   長

0118

원 본

관리 번호 9/644

외 무 부

종 별 : 지 급

번 호 : JDW-0031

일 시 : 91 0125 1715

수 신 : 장관(중근동)

발 신 : 주 젯 다총영사

제 목 : 특별기 추가운항

대:WJD-35,40,41

1. 대호 특별기 B747 은 10:35 도착 13:00 출발, DC-10 은 12:30 도착 15:00출발, 각각 서울 향발했는 바, 탑승자 총수는 아래와 같음.

　가.B747:409 명

　나.DC10:250 명

2. 상기 탑승자 총수 659 명중 185 명(유아 5 명 포함)은 젯다지역 교민이며 그 내역은 다음과 같음.

　가.B747 기

　-당관고용원및 고용원가족:2 명

　-코트라 직원가족:6 명

　-상사직원 및 가족:21 명

　-개인취업자 및 가족:37 명

　-건설회사 직원가족 및 근로자:37 명

　나.DC10 기

　-개인취업자 및 가족:24 명

　-건설회사 근로자:58 명

3. 젯다지역 교민탑승자 185 명중 공관고용원및 가족 2 인을 제외한 전원이탑승권을 자비 구매함. 끝.

　(총영사 김문경-국장)

　예고:91.6.30 일반

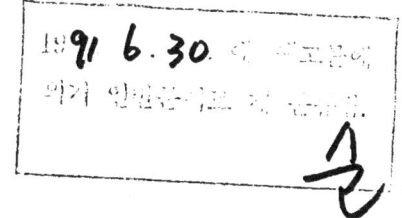

중아국　　차관　　2차보　　안기부　　건설부　　노동부

원 본

관리 번호 91/645

외 무 부

종 별 : 지 급

번 호 : SBW-0278

일 시 : 91 0125 2020

수 신 : 장관(중근동,노동부,건설부)

발 신 : 주 사우디 대사

제 목 : 특별기운항

연:SBW-252,264

대:WSB-167,193

대호 특별기 2 대에 당지 중부및 동북북지역 교민 총 474 명(4 명유아)이 탑승하였으며, 구체적 내역은 연호 보고 참조바람

(대사 주병국-국장)

예고:91.6.30 일반

1991. 6. 30 에 예고문에 의거 일반문서로 재 분류됨.

중아국   장관   차관   1차보   2차보   청와대   안기부   건설부   노동부

PAGE 1

91.01.26   05:49

외신 2과   통제관 CE

0120

<table>
<tr><td>관리
번호</td><td>81/808</td></tr>
</table>

	분류번호	보존기간

발 신 전 보

WSB-0238   910126 1749 AO

번   호 :

종별 :

수   신 : 주   수신처참조 대사 . 총영사

발   신 : 장   관   ~~XXXX~~ (중근동)

제   목 : KAL 특별기 도착

WJD -0055	WBH -0065
WAE -0080	WBM -0036
WOM -0056	WND -0098

연 : WSB-0192, 0201, WJD-0040, 0044

1. 연호 KAL 2,3차 특별기(B-747 및 DC-10)는 예정대로 1.26. 09:00 (한국시간)동시에 무사히 도착함.

2. 향후 특별기 추가운항 검토에 참고코자 하니, 추가 특별기 탑승희망 인원수를 파악, 보고바람.

수신처 : 주 사우디 대사, 주 젯다 총영사.

사 본 : 주 바레인, U.A.E. 미얀마, 오만, 인도대사.   끝.

예 고 : 1991.6.30.일반.

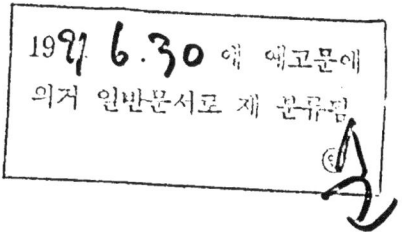

1991 6.30 에 예고문에
의거 일반문서로 재 분류됨

(중 동 아 국 장 이 해 순)

			보 안 통 제	74

앙 고 재	91 년 1 월 일 종군효	기안자 성 명	과 장	국 장	차 관	장 관	외신과통제
			74				

0121

외 무 부

종   별 : 긴 급

번   호 : SBW-0289   일   시 : 91 0126 1500

수   신 : 장관(중근동,노동부,건설부,기정)

발   신 : 주 사우디 대사

제   목 : 특별기 추가운항

1. 3 차에 걸친 특별기 부입으로 당지교민 및 근로자 약 860 여명이 본국으로 기귀국 한바 있으나, 최근 걸프전쟁 추이에 따라 금 1.25 현재 약 360 여명이추가로 특별기편 이용, 귀국을 희망하고 있으며, 특별기 탑승희망인원은 앞으로도 계속 증가될 추세에 있는바, 제 4 차 특별기의 운항을 건의함

2. 현재 공항 사정으로보아 향후에도 특별기는 제대로 운항되어야 할것으로보이는바, 1000KM 가 넘는 이동거리 및 검문, 검색 강화로 리야드-제다간의 육로이동에는 약 24 시간이 소요된다하니, 특별기 도착 일시등 운항일정이 이동에필요한 충분한 시간을 앞둔시점에 탑승희망자들에게 통보될수있도록 배려바람, 촉박한 일정통보로 무리한 육로이동에는 사고의 위험이 있는것으로 사료됨, 현재 리야드-제다간 항공편이 1 일 3 회 운항되고 있어 항공편 이동가능 인원은 극히 제한적임을 참고바람

(대사 주병국-국장)

예고:91.6.30 일반

1991. 6. 30. 에 예고문에 의거 일반문서로 재 분류함

중아국   장관   차관   1차보   2차보   청와대   총리실   안기부   건설부
노동부

관리 번호	

외 무 부

종 별 :

번 호 : JDW-0033

일 시 : 91 0127 1030

수 신 : 장관(중근동)

발 신 : 주 젯 다총영사

제 목 : 특별기 추가운항

대:WJD-0055

대호 2 항관련 추가 특별기 탑승희망 인원은 대략 110 여명(아국 건설업체 종사자 90 명, 교민 20 명)으로 파악되고 있음. 끝.

(총영사 김문경-국장)

예고:91.6.30 일반

1991 6.30 에 예고문에
의거 일반문서로 재 분류됨.

중아국

PAGE 1

분류번호	보존기간

발 신 전 보

번 호 : WSB-0240   910127 1646 DP 종별 :

주 수신처 참조 대사///총영사///   WJD -0056 WBH -0066
수 신 :   WAE -0082 WJO -0127

발 신 : 장 관 (중근동)

제 목 : 특별기 추가 운항

대 : SBW-0289

1. 교민 수송 특별기 추가 운항은 특별기 전세료와 전쟁 보험료를 합하여
점보의경우 1인당 항공임이 약 2,700미불이 되는바, 진출업체 직원의 경우,
(상사, 은행, 건설업체등)앞으로도 계속 정부예산으로 전쟁 보험료를 지불하는데
문제가 있을 것이며 예산 당국에서도 문제를 제기할 것으로 보임. 따라서,
금후에는 특별기 취항 자체는 정부(대책본부)에서 주선하되 항공임은
전액 수익자 부담 원칙을 적용할 ~~것임~~ 것을 검토중임.

2. 다만 소속기관이 없는 순수교민은 종래와 같이 통상요금~~으로~~ (1,200불정도)
으로할 것임. 이경우 영리소속직원 보다 적은 항공임을 낸다고 하여 순수교민이 탑승
우선순위에서 뒤지는 일이 없도록 해나가 편료함. 참고로 일부 건설업체 본사는 현재 민항기의 운항이 전면 중지된

상태이므로 보험료를 포함한 항공임(약2,700불)을 부담할 용의가 있음을

표명 한바 있음~~음~~.

4 이상에 따른 제4차 특별기 운항 시기에 대한 의견과 탑승
희망인원 보고바람. 끝   (중동아프리카국장 이 해 순)

수신처 : 주 사우디 대사, 주 젯다 총영사

사 본 : 주 바레인, UAE, 요르단 대사

예 고 : 1991. 6. 30. 일반

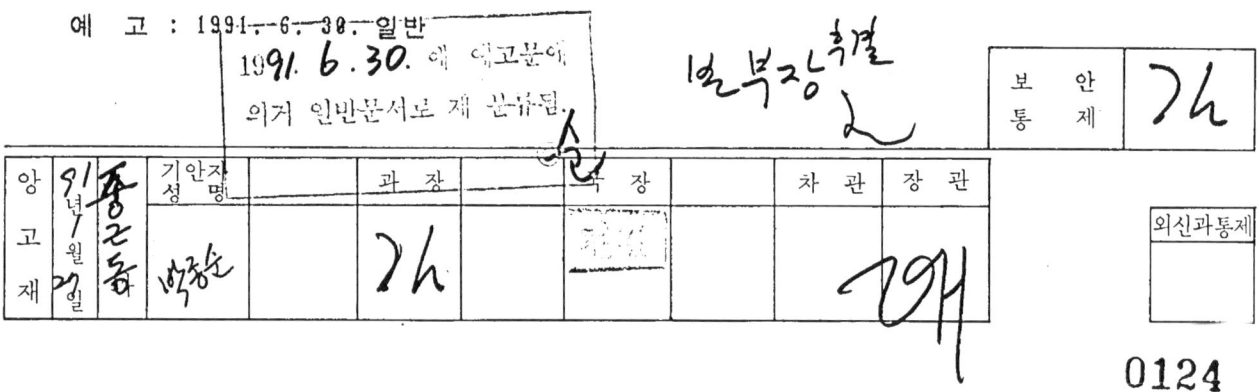

1991. 6. 30. 에 예고문에
의거 일반문서로 재 분류됨.

		보 안 통 제	건

앙 고 재	91 년 1 월 2 일	중 근 동	기안자 성명		과 장	국 장	차 관	장 관
			이해순		건			

외신과통제

0124

원 본

| 관리
번호 | 91/
1007 |

외 무 부

종 별 :

번 호 : JDW-0036

수 신 : 장관(중근동)

발 신 : 주 젯 다총영사

제 목 : 특별기 추가운항

일 시 : 91 0128 1510

대:WJD-0056

연:JDW-0033

1. 대호 내용에 따른 특별기 탑승희망인원을 재확인한 바, 약80 명(건설업체종사자 45 명, 교민 35 명 수준임);

2. 제 4 차 특별기 운항은 이.착륙허가수속등 준비기간을 감안 2 월초순(2 월 둘째주 중반)경이 좋을 것으로 사료됨. 끝.

(총영사 김문경-국장)

예고:91.6.30 일반

1991. 6.30. 에 대고문에 의거 일반문서로 재 분류함.

중아국   장관   차관   1차보   2차보   청와대   안기부

91.01.28   23:41

외신 2과   통제관·FE

관리번호 91/844

원 본

외 무 부

종 별 : 긴 급

번 호 : SBW-0311

일 시 : 91 0128 1400

수 신 : 장관(중근동,노동부,건설부,기정)

발 신 : 주 사우디 대사

제 목 : 특별기 추가운항

대:WSB-240

대:SBW-289

1. 당지 진출 업체에 대호 항공임 봉보하고, 희망인원을 재조사한 결과,1.27현재 총 541 이 탑승희망하고 있음(진출업체 375, 개인 166 명)

2. 제 4 차 운항시기는 연호사유와 착륙허가 획득등에 필요한 기간 감안,2월초(5-6 일)가 좋을것으로사료됨

(대사 주병국-국장)

예고:91.6.30 일반

1991. 6. 30. 대 외교문서 의거 일반문서로 재 분류됨.

중아국	장관	차관	1차보	2차보	청와대	안기부	건설부	노동부

91.01.28   20:57

외신 2과 통제관 FE

0126

KE8071 / 81 運航時間表

(4TH SPCL CHTR)

1991. 1. 29(火) 現在

運航時間	國際標準時		現地時間		韓國時間	
서 울	2月 5日 13:30 出發		2月 5日 22:30 出發		2月 5日 22:30 出發	
방 콕		19:10 到着	2月 6日 02:10 到着		2月 6日 04:10 到着	
		21:40 出發		04:40 出發		06:40 出發
제 다	2月 6日 06:50 到着		09:50 到着		15:50 到着	
		08:50 出發		11:50 出發		17:50 出發
방 콕		17:00 到着	2月 7日 00:01 到着		2月 7日 02:00 到着	
		19:00 出發		02:00 出發		04:00 出發
서 울	2月 7日 00:10 到着		09:10 到着		09:10 到着	

* 便名 및 區間

KE8071 : 서울/방콕/제다

KE8081 : 제다/방콕/서울

* 機種 및 機番 : B747-400 7447 (400석)

* 總 飛行時間 : 28時間 10分

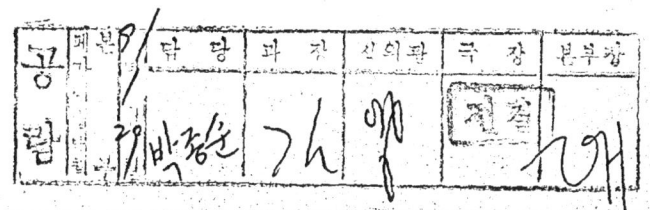

0127

TO : 외 무 부 GULF 사 태 대 책 본 부

FRM : 대 한 항 공 대 책 본 부

제 목 : 사 치 전 세 기 운 항 관 련 보 고

1 . 운 항 S K D (KE 8071/8081)

운항 시간	국제 표준시	현지 시간	한국 시간
서울 발	05FEB 13:30	05FEB 22:30	05FEB 22:30
방콕 착 / 발	05FEB 19:10 / 21:40	06FEB 02:10 / 04:40	06FEB 04:10 / 06:40
제다 착 / 발	06FEB 06:50 / 08:50	06FEB 09:50 / 11:50	06FEB 15:50 / 17:50
방콕 착 / 발	06FEB 17:00 / 19:00	07FEB 00:01 / 02:00	07FEB 02:00 / 04:00
서울 착 / 발	07FEB 00.10	07FEB 09:10	07FEB 09:10

2 . 전 세 항 공 료

가) 기본 전세료 : USD 426,000

나) 추가 보험료 (추정) : T T L USD 424,000

    1) 기체 보험료 : USD 32,020,000 * 0.010011 = USD 324,000

    2) PAX 보험료 : USD 250 * 400명   = USD 100,000

    (단, 추가보험료는 운항 당일의 보험요율 변동에 따라 변경 가능성 있음)

다) 전세항공료 합계 : USD 850,000

* 따라서, B747 400석 만석 기준 시 1 인당 예상 항공료는 USD 2,125 임

0128

業 務 連 絡

삼건 (해사) 제 91 — 010 호　　　　　　　　　　　　91. 1. 29

발　　신: 삼성종합건설 해외사업본부

수　　신: 외무부 사상대책반

제　　목: 사우디 잔류인원 현황 및 대책보고

1. 폐사 사우디 殘留人員 現況

地 域	人 員	備 考
리야드	1	
담 맘	7	
젯 다	14	
계	22	

2. 폐사의 사우디 담맘 K/A 現場의 殘留人員 7名은 撤收키로 決定,
　　29日 09:00 中 1名 6名은 젯다로 移動할 撥定이며,
　　(1 명은　　　COMPUTER 고장에 의해 VISA 發給지연 : 금일中 처리)

3. 그외 殘餘人員중 14名은 모두 젯다로 移動完了후 歸國대기중이며,
　　리야드에서 VISA 發給業務를 遂行중인 1名과 K/A 현장 1名은 출국
　　VISA 接受후 今日중으로 젯다로 移動함 撥定이오니,

4. 동 중 殘留人員 22名의 歸國이 거의 준비 完了된 狀態인바, 금번
　　전세기 4호기 편에 모두 탑승 歸國할 수 있도록 配慮하여
　　주시기 바랍니다.

三 星 綜 合 建 設 株 式 會 社

海外事業本部　　副社長　　吳 成 煥

| 관리
번호 | 91/843 |

	분류번호	보존기간

발 신 전 보

		WSB-0251 910129 0839 FK	종별 :	**긴급**		
번	호 :				WBM -0038	WOM -0057
수	신 :	주 수신처 참조 //대사//총영사//			WND -0102	WJD -0059
발	신 :	장 관 (중근동)			WBH -0069	WAE -0085
					WYM -0060	WJO -0133
제	목 :	4차 특별기 운항			WIR -0116	

연 : WSB-0238, WJD-0055

대 : SBW-0289, 0311

    1. 사우디 체류 교민철수를 위한 4차 특별기(B-747)를 2.5. 서울 출발-젯다-서울 경로로 운항예정(세부일정 추보)인바, 주사우디 대사, 젯다 총영사는 귀 주재국 당국과 교섭, 동 특별기의 귀지공항 이.착륙에 대한 원칙적 허가를 사전 득하고, 결과 지급 보고 바람.

    2. 상기 관련, 동 4차 특별기가 미얀마, 인도, 오만 영공을 통과 예정(통과지점 및 시각등 허가 필요 상세 추보)인바, 주인도, 미얀마, 오만 대사는 귀 주재국 당국과 교섭, 동 영공 통과에 대한 원칙적 허가를 사전 득하고, 결과 보고 바람. 끝.

(중동아국장 이 해 순)

수신처 : 주 사우디, 미얀마, 오만, 인도 대사, 주 젯다 총영사

사 본 : 주 바레인, UAE, 예멘, 요르단, 이란 대사

예 고 : 91.6.30. 일반

'91 6.30. 에 예고문에 의거 일반문서로 재 분류됨.

	보 안 통 제	74

앙고재	91년 월경 중근동 화	기안자 성 명 백창일		과장 74		국장 전결		차관	장관		외신과통제

0130

원 본

외 무 부

종 별 : 긴 급

번 호 : BMW-0055   일 시 : 91 0129 1640

수 신 : 장관(중근동,아서)

발 신 : 주 미얀마 대사

제 목 : 4차 특별기 운항

대:WBM-0038

대호 본직이 1.29(화) 주재국 교통부 민항국장과 접촉, 영공통과 관련 일단 구두허가를 득함. 허가번호는 세부 항공일정 접수후 득하기로 하였는바, 상세일정 조속 회시바라며, KAL 측도 직접 주재국 ACC 측에 항공일정 통보토록 조치바람

(대사 김항경-국장)

예고:91.6.30 일반

> 1991. 6. 30. 에 예고문에 의거 일반문서로 재 분류됨.

중아국   아주국

원 본

관리 번호 91/842

외 무 부

종 별 : 긴급

번 호 : SBW-0329

일 시 : 91 0129 1700

수 신 : 장관(중근동,노동부,건설부,기정)

발 신 : 주 사우디 대사

제 목 : 4차특별기 운항

대:WSB-251,288
연:SBW-311

1. 대호, 금 1.29 4 차특별기 착륙허가 신청공한을 직접 외무성 관계관에게 수교하고, 상세사항은 직접 민간항공청에 통보하겠으니, 즉시조치 해주도록 요청하였으나, 항공기 등록번호, CALL NO, 이착륙일시등 상세사항없이는 민간항공청에 통보할수 없다면서 동사항을 빠른시일내에 알려줄것을 요청하고 있으니, 지급통보바람

2. 항공요금관련 일부업체는 직원가족이 항공임을 개인부담으로 하고있어, 회사소속 인원으로 간주하기 어려운 경우가 있고, 본국에 본사가 있더라도 당지에 인력공급을 주로하고있는 회사가 있는등(예:삼호건영) 항공임 적용에 문제가 발생되고있는바, 동관련 세부지침을 본부에서 결정, 통보해 주시기바람

3. 당지 일부 건설업체 지사는 서울본사와 칼간에 1.31 당지에 특별기 운항을 결정하였으며, 동특별기경우 칼 본사에서 1 인당 항공임을 미불 2,065 로 하였다는 통보를 접수하였다함, 동 항공임은 대호로 통보된 항공임 미불 2,700 과는 큰차이가 있어, 혼란이 발생되고있으니 확인회보바람

(대사 주병국-국장)

91.6.30 일반

1991. 6.30. 에 예고문에 의거 인반문서로 재 분류됨.

중아국 노동부　　장관　　차관　　1차보　　2차보　　청와대　　총리실　　안기부　　건설부

PAGE 1

91.01.29　23:21
외신 2과 통제관 CW

0132

원 본

외 무 부

종 별 :

번 호 : BHW-0081

일 시 : 91 0129 1320

수 신 : 장관(중근동)

발 신 : 주바레인대사

제 목 : 걸프사태

1. 걸프사태 관련, 1.17개전 이후 금 1.29 당지 출발 항공편에 의한 출발자 포함, 당지 기관 및 업체별 인원 감소 상황은 아래와 같음.

공관 : 7명(전원가족)

금융기관 및 상사 : 43명 (직원및 가족) (외환은 : 22명, 한일은 : 17명, 대한항공 : 4명)

건설및 용역업체 : 22명 (현대 : 11명, 영진 : 11명)

개인 : 40명 (대부분 가족)

합계 : 112명

2. 상기에 따라, 금일 현재 당지 잔류 아국민 총수는 233명임. 끝.

(대사 우문기-국장)

중아국 안기부	장관	차관	1차보	2차보	중아국	정문국	청와대	총리실

외 무 부

관리번호 91/846

종 별 :

번 호 : AEW-0076

일 시 : 91 0129 1200

수 신 : 장관(중근동)

발 신 : 주 UAE 대사

제 목 : 특별기 추가운항

대:WAE-0082

1. 대호, 당지는 걸프전쟁 이후에도 EMIRATES AIRLINE 등 민항기가 계속 운항되고 있어, 철수를 희망하는 교민들은 커다란 어려움없이 이를 이용, 철수하였고 또한 현재도 가능하므로 현시점에서의 대호 특별기 당지운항은 불요한 것으로 사료됨.

2. 차후 비상사태 발발로 당지의 민항기 취항이 중지되는 경우 특별기 운항을 요청위계임.끝.

(대사 박종기-국장)

91.6.30 일반

1991. 6. 30. 에 대공문에 의거 일반문서로 재 분류됨.

중아국   장관   차관   1차보   2차보   청와대   총리실   안기부

PAGE 1

91.01.30   05:51

외신 2과 통제관 CW

0134

원 본

외 무 부

관리
번호 91/840

종 별 : 지 급
번 호 : OMW-0032
수 신 : 장관(중근동)
발 신 : 주 오만 대사
제 목 : 4차특별기 운항 영공통과

일 시 : 90 0129 1420

대:WOM-0057

대호 특별기 운항건 주재국 교통부 항공국과 (담당관 MR.GOBAL)교섭한바, KAL 측으로부터 영공통과허가신청 접수즉시 허가조치를 취할것이라함. 끝

(대사 강종원-국장)

예고:91,6,30, 일반

1991. 6. 30. 애 예고문에
의거 일반문서로 재 분류됨.

중아국

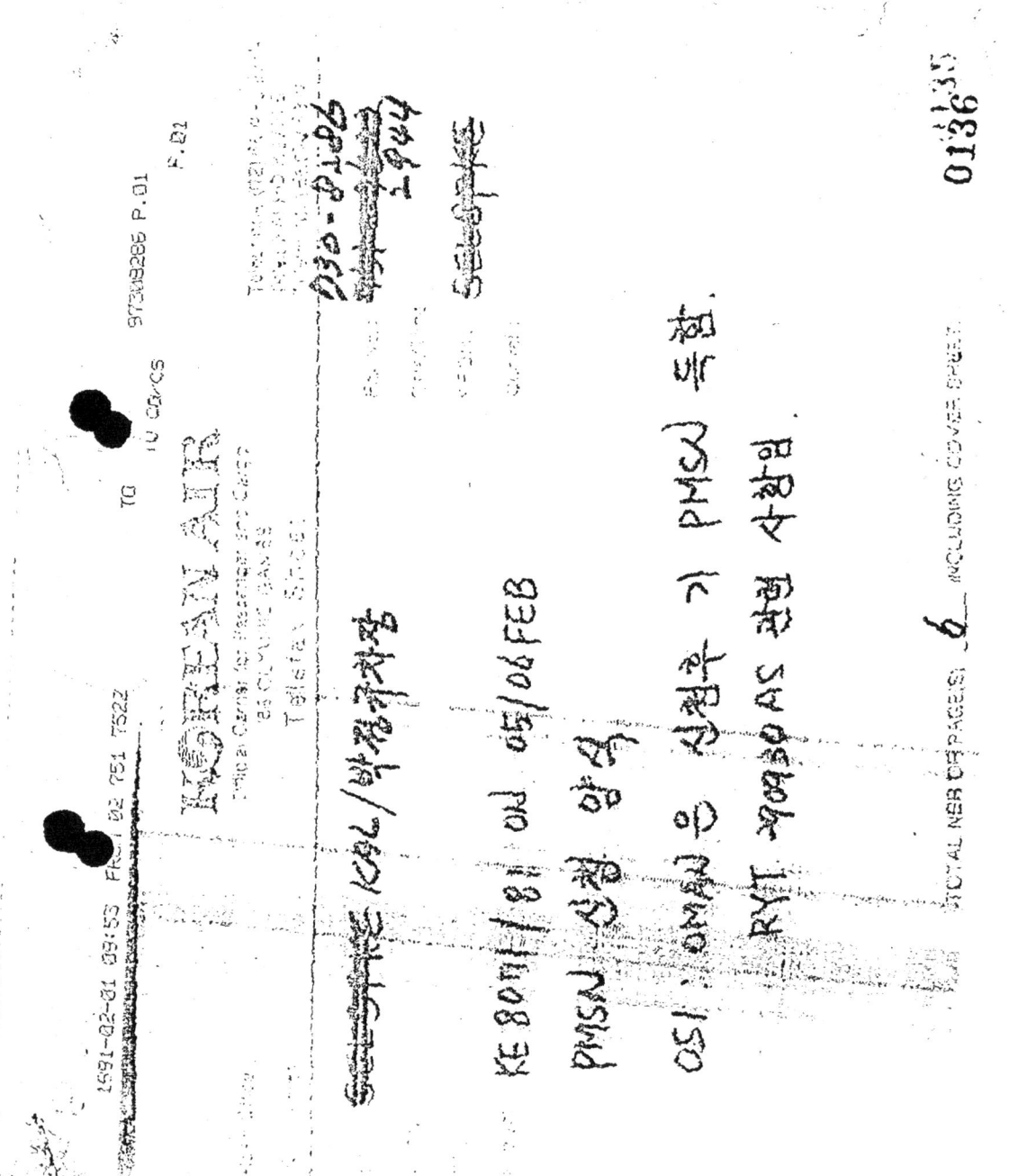

VIETNAM 영공통과 허가 신청

FF VVVVZDZX VVT9ZFZX RKSSKALO
DTG- RKSSKALO

TOP URGENT

DIRECTOR GENERAL,
GENERAL CIVIL AVIATION ADMINISTRATION

WE CORDIALLY REQUEST YOUR PERMISSION FOR OUR SPECIAL CHARTER FLIGHT TO
OVERFLY YOUR AIRSPACE AS FOLLOWS

1. NAME AND ADDRESS OF OPERATOR
   C.K.CHO, KOREAN AIR
   41-3, SEOSOMUN-DONG, CHUNG-GU, SEOUL, KOREA

2. FLIGHT NUMBER, TYPE OF AIRCRAFT AND REGISTRATION MARKS
   -KAL8071/KAL8081, B747-200, HL7447

3. FLIGHT SCHEDULE (TIME IN UTC)
   -KAL8071 ON 05FEB 1991
    RKSS DEP 1330 VTBD ARR/DEP 1910/2140 OEJN ARR 0650 PLUS1

   -KAL8081 ON 06FEB 1991
    OEJN DEP 1050 VTBD ARR/DEP 1700/1900 RKSS ARR 0010 PLUS1

4. DATE AND TIME OF ENTRY AND EXIT OF YOUR AIRSPACE (TIME IN UTC)
   -KAL8071 ENTRY DAN   AT 1900 ON 05FEB 1991
            EXIT PAPRA AT 1810 ON 05FEB 1991

   -KAL8081 ENTRY PAPRA AT 2000 ON 06FEB 1991
            EXIT DAN   AT 2010 ON 06FEB 1991

5. PURPOSE OF FLIGHT
   SPECIAL CHARTER FLIGHT FOR EMERGENCY EVACUATION OF KOREAN RESIDENTS IN
   MIDDLE-EAST DUE TO GULF

YOUR KIND APPROVAL WOULD BE APPRECIATED

BEST REGARDS

C.K.CHO
PRESIDENT, KOREAN AIR

0137

MYANMAR 영공통과 허가 신청

FF VBRRYAYX VBRRZGLR VBRRZRZX
-UTC- RKSSKLO

TOP URGENT

DIRECTOR GENERAL,
DEPARTMENT OF CIVIL AVIATION

WE CORDIALLY REQUEST YOUR PERMISSION FOR OUR SPECIAL CHARTER FLIGHT TO
OVERFLY YOUR AIRSPACE AS FOLLOWS

1. NAME AND ADDRESS OF OPERATOR
   C.K.CHO, KOREAN AIR
   41-3, SEOSOMUN-DONG, CHUNG-GU, SEOUL, KOREA

2. FLIGHT NUMBER, TYPE OF AIRCRAFT AND REGISTRATION MARKS
   -KAL8071/KAL8081, B747-200, HL7447

3. FLIGHT SCHEDULE (TIME IN UTC)
   -KAL8071 ON 05FEB 1991
    RKSS DEP 1330 VTBD ARR/DEP 1910/2140   OEJN ARR 0650 PLUS1

   -KAL8081 ON 06FEB 1991
    OEJN DEP 0950 VTBD ARR/DEP 1700/1800   RKSS ARR 0010 PLUS1

4. DATE AND TIME OF ENTRY AND EXIT OF YOUR AIRSPACE (TIME IN UTC)
   -KAL8071 ENTRY TANEK AT 2250   ON 05FEB 1991
             EXIT TUNKO AT 2300   ON 05FEB 1991

   -KAL8081 ENTRY TUNKO AT 1550   ON 06FEB 1991
             EXIT TANEK AT 1610   ON 06FEB 1991

5. PURPOSE OF FLIGHT
   SPECIAL CHARTER FLIGHTS FOR EMERGENCY EVACUATION OF KOREAN RESIDENTS IN
   MIDDLE EAST DUE TO GULF WAR

YOUR KIND APPROVAL WOULD BE MOST APPRECIATED

BEST REGARDS

C.K.CHO
PRESIDENT, KOREAN AIR

0138

INDIA 영공통과 허가 신청

QU DELTOKE DELOPKE
.SELOPKE HTC-

FF VIDDYAYA VIRKYAYC VIRKYAYT
-DTC- RKSSKALO

TOP URGENT

DIRECTOR GENERAL OF CIVIL AVIATION

WE CORDIALLY REQUEST YOUR PERMISSION FOR OUR SPECIAL CHARTER FLIGHT TO
OVERFLY YOUR AIRSPACE AS FOLLOWS

1.NAME AND ADDRESS OF OPERATOR
  C.K.CHO, KOREAN AIR
  41-3, SEOBONGR-DONG, CHUNG-GU, SEOUL, KOREA

2.FLIGHT NUMBER, TYPE OF AIRCRAFT AND REGISTRATION MARKS
  -KAL8071/KAL8081, B747-200, HL7447

3.FLIGHT SCHEDULE (TIME IN UTC)
  -KAL8071 ON 05FEB 1991
   RKSS DEP 1330 VTBD ARR/DEP 1810/2140 OEJN ARR 0650 PLUS1

  -KAL8081 ON 06FEB 1991
   OEJN DEP 0850 VTBD ARR/DEP 1700/1800 RKSS ARR 0010 PLUS1

4.DATE AND TIME OF ENTRY AND EXIT OF YOUR AIRSPACE (TIME IN UTC)
  -KAL8071 ENTRY TUNKO AT 2300 ON 05FEB 1991
           EXIT MAROB AT 0310 ON 06FEB 1991

  -KAL8081 ENTRY MAROB AT 1240 ON 06FEB 1991
           EXIT TUNKO AT 1550 ON 06FEB 1991

5.PURPOSE OF FLIGHTS
  SPECIAL CHARTER FLIGHT FOR EMERGENCY EVACUATION OF KOREAN RESIDENTS IN
  MIDDLE-EAST DUE TO GULF WAR.

YOUR KIND APPROVAL WOULD BE MOST APPRECIATED

BEST REGARDS

C.K. CHO
PRESIDENT, KOREAN AIR

0139

U.A.E 영공통과 허가 신청

QU SELXLKE SBLXLRH JCUBBXE SELOPKE
SELOPKE BYU

TLX TO 22660 COMSAD EE

ATTN UNDERSECRETARY MINISTRY OF COMMUNICATIONS
OVERFLYING AUTHORITY ABU DHABI U.A.E

WE CORDIALLY REQUEST YOUR PERMISSION FOR OUR SPECIAL FLIGHT FOR
EMERGENCY EVACUATION OF KOREAN RESIDENTS IN MIDDLE-EAST
TO FLY OVERFLY YOUR AIRSPACE AS FOLLOWS

1.NAME AND ADDRESS OF OPERATOR
  C.K.CHO, KOREAN AIR
  41-3, SEOSOMUN-DONG, CHUNG-GU, SEOUL, KOREA

2.FLIGHT NUMBER, TYPE OF AIRCRAFT AND REGISTRATION MARKS
  -KAL8071 KAL8081, B747-200, HL7447

3.FLIGHT SCHEDULE (TIME IN UTC)
  -KAL8071 ON 05FEB 1991
   RKSS DEP 1030 VTBD ARR/DEP 1810/2140 OEJN ARR 0650 PLUS1

  -KAL8081 ON 06FEB 1991
   OEJN DEP 0850 VTBD ARR/DEP 1700/1900 RKSS ARR 0010 PLUS1

4.DATE AND TIME OF ENTRY AND EXIT OF YOUR AIRSPACE (TIME IN UTC)
  -KAL8071 ENTRY OOLNI AT 0410 ON 06JAN 1991
           EXIT ALPEX AT 0605 ON 06JAN 1991

  -KAL8081 ENTRY ALPEX AT 1130 ON 06JAN 1991
           EXIT OOLNI AT 1150 ON 06JAN 1991

5.PURPOSE OF FLIGHT :
  SPECIAL FLIGHT FOR EMERGENCY EVACUATION OF KOREAN RESIDENTS IN
  MIDDLE-EAST DUE TO GULF WAR

6.AIRWAY TO BE FLOWN
  -KAL8071 8081 : OOLNI B55 DISIN UT112 ALPEX AND VICE VERSA

YOUR KIND APPROVAL WOULD BE MOST APPRECIATED
THANKS IN ADVANCE AND BEST REGARDS

C.K.CHO
PRESIDENT, KOREAN AIR

0140

LAOS 영공통과 허가 신청

FF VLAOYAYR VLVTXEZX
-DTG- RXSD?110

TOP URGENT

DIRECTOR,
DEPARTMENT OF CIVIL AVIATION

WE CORDIALLY REQUEST YOUR PERMISSION FOR OUR SPECIAL CHARTER FLIGHT TO
OVERFLY YOUR AIRSPACE AS FOLLOWS

1.NAME AND ADDRESS OF OPERATOR
   C.K.CHO, KOREAN AIR
   41-3, SEOSOMUN-DONG, CHUNG-GU, SEOUL, KOREA

2 FLIGHT NUMBER, TYPE OF AIRCRAFT AND REGISTRATION MARKS
   -KAL8071/KAL8081, B747-200, HL7447

3.FLIGHT SCHEDULE (TIME IN UTC)
   -KAL8071 ON 05FEB 1991
    RKSS DEP 1300 VTDD ARR/DEP 1810/2140 OEJN ARR 0650 PLUS1

   -KAL8081 ON 06FEB 1991
    OEJN DEP 0650 VTBD ARR/DEP 1700/1900 RKSS ARR 0010 PLUS1

4.DATE AND TIME OF ENTRY/EXIT OF YOUR TERRITYOR (TIME IN UTC)
   -KAL8071 ENTRY PAPRA AT 1010 ON 05FEB 1991
             EXIT BUTRA AT 1825 ON 05FEB 1991

   -KAL8081 ENTRY BUTRA AT 1945 ON 06FEB 1991
             EXIT PAPRA AT 2000 ON 06FEB 1991

5.PURPOSE OF FLIGHT
   SPECIAL CHARTER FLIGHTS FOR EMERGENCY EVACUATION OF KOREAN RESIDENTS IN
   MIDDLE-EAST DUE TO GULF WAR.

YOUR KIND APPROVAL WOULD BE MOST APPRECIATED

BEST REGARDS

C.K.CHO
PRESIDENT, KOREAN AIR

0141

	분류번호	보존기간

발 신 전 보

번 호 :	WND-0107	910130 1945 DA	종별 : 긴급

수　신 : 주 수신처 참조　　대사//총영사//

WBM -0040	WOM -0059
WSB -0263	WBH -0071
WAE -0087	WYM -0062
WJO -0135	WIR -0120
WJD -0062	

발　신 : 장　관　(중근동)

제　목 : 4차 특별기 운항

연 : WND-0102, WBM-0038, WOM-0057

1. 연호 4차 KAL특별기는 아래와 같이 운항할 예정임.

　가. 특별기 기종 : KAL B747 (400석)

　나. 특별기 등록번호 : HL7447

　다. 운항일정

　　　2.5.　22:30　　서울 출발 (KE8071편)

　　　2.6.　09:50(L)　젯다 도착

　　　　　　11:50(L)　젯다 출발 (KE8081편)

　　　2.7.　09:10　　서울 도착

　2. 동 특별기의 귀 주재국 통과지점 및 시각등은 KAL측이 귀 주재국 항공 당국에 직접 통보 예정이라 함을 양지 바람.　끝.

(중동아국장　　이 해 순)

수신처 : 주 인도, 미얀마, 오만대사

사　본 : 주 사우디, 바레인, UAE, 예멘, 요르단, 이란 대사, 주 젯다 총영사

예　고 : 1991.6.30. 일반

1991. 6.30. 이 예고문에 의거 일반문서로 재 분류됨.

본부장 :

보안통제

		기안자 성명		과 장	심의관	국 장		차 관	장 관	
앙고재	91 중근동 년월일					전결				외신과통제

| 관리
번호 | 91/820 |

	분류번호	보존기간

발 신 전 보

WSB-0264 ~IUI30 1946 DA

번   호 :   종별 : **진급**

WJD -0063

수   신 : 주 . 수신처 참조   대사 .총영사

발   신 : 장   관   (중근동)

제   목 : 4차 특별기 운항

대 : SBW-0311, 0329, JDW-0036

연 : WSB-0251, 0288, WJD-0056

1. 대호 관련, 아래와 같이 통보함.

가. 항공기 등록번호(CALL NO) : KAL B-747(400석)/HL 7447

나. 운항일정

2.5.   22:30   서울 출발 (KE 8071)

2.6.   09:50(L)   젯다 도착

        11:50(L)   젯다 출발 (KE 8081)

2.7.   09:10   서울 도착

다. 항공임 문제

1) 4차 특별기 전세요금(전쟁지역 운항 보험료 포함)은 1.31. 현재
   총 85만 미불 정도로서, 계산상으로 동 특별기 400좌석 전체에 업체소속
   인원이 탑승시, 1인당 항공임이 2,125 미불 내외(1차 특별기 운항 당초
   총 전세요금 110여만 미불, 1인당 요금 2,700 미불) 정도이며, 보험료
   변동에 따라 추후 다소의 요금 차이가 예상될수 있으나, 수익자 부담으로
   업체별로 직접 KAL측에 사후 정산 예정인바, 귀관에서는 업체소속 직원
   항공임에 대해서는 방념하고, 탑승 주선만 하여주기 바람. (본국에 업체 본사가
   있는 경우에는 본인, 가족 모두 해당없이 부담으로 하기 바람)

/ 계속 . . .

2) 상기관련, 단 무소속 체류교민 탑승 인원에 대한 보험료 부담분등은
정부측에서 부담, KAL과 사후 정산 예정인바, 연호대로 이들에 대해서는
통상요금 $1,180을 적용, 탑승조치하고, 가급적 정부의 재정적 부담을
줄이는 방향으로 탑승 인원을 배분 바람.

2.   KAL측에 의하면, 1.3D. 부터 젯다 공항에서 SV. BA. PK등 국제선이
매일 또는 주2회등 운항된다고 하는바, 젯다에서 동 국제선편에 본국 철수도
가능할 것이며, 이경우 항공임이 특별기보다 더 저렴할 수도 있으므로 국제선
활용에 대한 현지 사정과 귀견 보고 바람.   끝.

(중동아국장   이 해 순)

수신처 : 주 사우디 대사, 주 젯다 총영사
예 고 : 91.6.30. 일반

1991. 6. 30 에 예고문에
의거 일반문서로 재 분류됨.

0144

원 본

관리 번호 91/1023

외 무 부

종 별 : 지 급

번 호 : JDW-0040

일 시 : 91 0131 1140

수 신 : 장관(중근동,사본:주 사우디대사-본부중계필)

발 신 : 주 젯 다총영사

제 목 : 4차 특별기 운항

대:WJD-0059

1.30 대호 특별기 이.착륙허가가 발급되었음. 허가번호는 2811FB 임.끝.

(총영사 김문경-국장)

예고:91.6.30 일반 예고문에 의거 일반문서로 재 분류됨.

KAL 이기룡보 2/1

교통부 추가배포 2/1

중아국   1차보   2차보

91.01.31   17:51

외신 2과   통제관 BA

0145

원 본

관리번호 91/1072

외 무 부

종   별 : 긴 급

번   호 : BMW-0059   일   시 : 91 0131 1600

수   신 : 장관(중근동,아서)

발   신 : 주 미얀마 대사

제   목 : KAL 4차 특별기 운항

대:WBM-0040

대호 금 1.31(목) 주재국 ACC 측과 접촉 아래 영공통과 허가번호를 받음.

-아래-

ATS(I) 131/3-55/JAN 91/31

(대사 김항경-국장)

예고:91.6.30 일반

중아국   1차보   2차보   아주국

PAGE 1   91.01.31   19:22

외신 2과 통제관 BA

0146

수신처 참조
걸프사태비상대책반장

해 외 건 설 협 회

(274 - 1611)

해건협(업무)제 //0 ㄴ호   1991. 2. 1

수 신   외무부장관

참 조   걸프사태 비상대책반장

제 목   걸프사태 특별기 운항에 따른 건의

      1. 걸프사태와 관련하여 중동진출 건설업체는 진출인력의 안전을 최우선
과제로 삼고 정부의 인력 안전 철수시책에 적극 호응하는 취지로 가능한 모든 방법을
동원하여 위험지역 인원을 조속 철수시키고 있는 실정입니다.

      2. 이로 인하여 건설업체는 공사중단에 따른 미수금 발생은 물론 인력
철수에 따른 비용 및 장비, 자재의 손실등 직. 간접적인 피해를 입어 자금압박이
엄청난 실정이며, 사태가 진정되어도 발주처로 부터의 피해보상은 제반여건상 여의치
못할 것으로 예상됩니다.

      3. 이러한 현실에서 그간 교민철수를 위한 특별기 운항시 전쟁위험
보험금에 대한 정부의 지원은 건설업체의 부담을 경감시키고 효율적인 인력철수를
도모하였다고 판단됩니다.

      4. 따라서 금회 예정인 제 4차 특별기 운항시 걸프사태와 관련하여 정부
시책에 적극 호응하여온 건설업체 인력에 대하여도 철수교민과 동등한 보험금
혜택이 있도록 건의하오니 각별 배려하여 주시기 바랍니다.

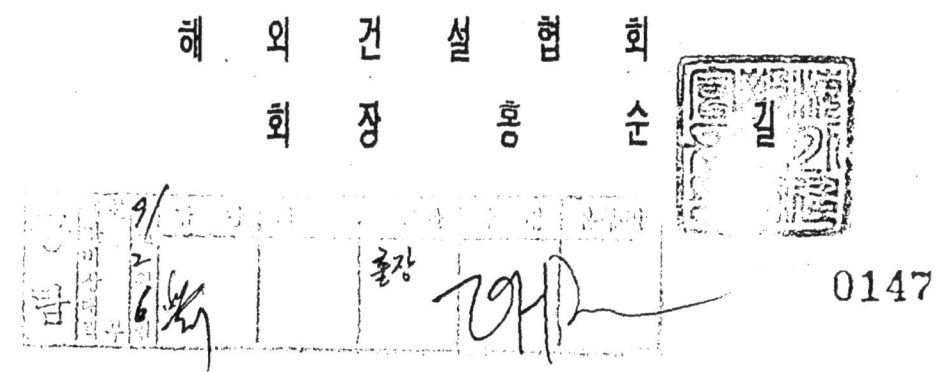

해 외 건 설 협 회
회 장 홍 순 길

0147

외　무　부

원　본

종　별 : 긴 급

번　호 : NDW-0209

일　시 : 91 0201 1100

수　신 : 장관(중근동)

발　신 : 주 인도 대사

제　목 : 4차 특별기 운항

대:WND-0107

1. 대호 특별기에 대한 허가번호는 YA 487/01/301355 임.

2. 동허가번호는 당지 KAL 사무소를 통해 본사에도 통보조치되었음.

(대사 김태지-국장)

예고:91.6.30. 일반

중아국　　2차보　　청와대　　안기부

PAGE 1

걸프지역 체류교민 철수 특별기 운항(1-4차) 관련사항

1. 현 황

o 걸프지역 체류교민 철수를 위해 KAL 전세기를 4차례 운항, 교민 1,360명을
  철수시킨바 있음.
  - 1차 특별기   1.16.   301명
  - 2차   "   1.26.   250명
  - 3차   "   1.26.   409명
  - 4차   "   2.7.   413명

2. 탑승항공임 문제

o 탑승객 수익자 부담 원칙으로 하되, 1-3차 특별기까지는 특별기의 전쟁
  보험료는 정부가 부담함.
  - 1인당 실제 항공료는 2,700미불 정도이나, 통상요금을 적용 탑승조치
    (사우디 젯다 경우 1,180미불)

o 4차 특별기 경우, 정부부담이 커질것을 고려, 업체소속 탑승인원은 전쟁
  보험료등 포함한 실제 항공료(1인당 2,125미불)로하여 수익자 부담토록 함.

o 단, 무소속 체류교민은 종전과 같이 통상요금 적용, 이들의 보험료분만
  정부가 부담.

3. 소요예산(정부부담액) : 총 129만미불 정도 (추정)

  - 1차 특별기 운항 정부부담액 : 약 45만미불 정도
  - 2차 부담액 : 48만미불 정도

0149

걸프지역 체류교민 철수 4차 특별기 운항 계획

1991. 2. 1

외   무   부

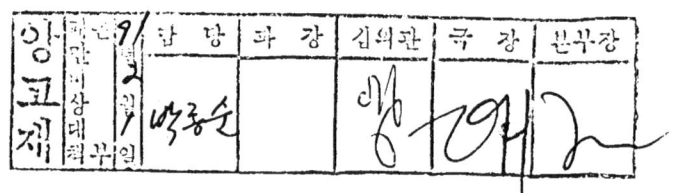

0150

걸프전쟁 위험 지역에 체류하고 있는 아국 교민 철수를 위한 4차 특별기를 아래와 같이 운항할 계획인바, 관련 사항을 다음과 같이 보고 드립니다.

1. 4차 특별기 운항 계획
   가. 운항 일정 (현지시간)
      2.5. (화)   22:30   서울 출발
      2.6. (수)   09:50   젯다 도착
                   11:50   젯다 출발
      2.7. (목)   09:10   서울 도착
   나. 특별기 기종 : KAL B-747 (수용인원 : 약 400명)
   다. 탑승 예정 인원 : 400여명 (사우디 체류 교민)
   라. 비   고 : 1.31. 동 특별기의 젯다공항 이.착륙 허가를 득함.

2. 항공임 문제
   o 4차 특별기 전세요금(전쟁지역 운항 보험료 약 42만불 포함)은 총 85만미불 정도인바, 실제 1인당 요금이 2125미불(보험료분 포함) 내외로, 업체소속 인원에 대한 항공임은 수익자 부담으로 업체별로 직접 KAL측에 사후 정산 예정임.
   o 단 소속이 없는 체류교민에 대해서는 종전대로 통상 요금 $ 1180을 적용, 이들에 대한 보험료 부담분은 정부 부담함.

0151

3. 향후 조치 계획

    o 지금까지 1-3차 특별기편에 걸프지역 체류교민 960명을 철수시킨 바 있으며, 전쟁 보험료는 정부가 부담키로 하였음.

    o 앞으로 교민 철수는 젯다(사우디), 두바이(UAE), 마나마(바레인) 공항등에 정기 민항기의 운항이 재개되고 있는점을 감안하여 가급적 정기 민항편을 이용하도록 권장하는것이 좋겠음.

    o 그러나, 특별기 운항이 불가피할 경우, 정부는 특별기 취항만 주선하고, 특별기 전세요금 전액(보험료등 포함)을 수익자에게 부담시키는 방안을 검토중임.

관리
번호 91/1043

외 무 부

종 별 : 지급

번 호 : OMW-0033   일 시 : 90 0202 1000

수 신 : 장관(중근동)

발 신 : 주 오만 대사

제 목 : 4차 특별기 영공통과 허가

대:WOM-0059, 연:OMW-0032

주재국 항공국은 대호특별기의 주재국 영공통과허가를 허가하고 이를 KAL 측에 회보하였다함.

동허가번호는 "DGCAM-200"임.끝

(대사 강종원-국장)

예고:91.6.30. 일반

중아국   차관   1차보   2차보

			심의관 :			
분류기호	중근동720-	협조문용지	결	담 당	과 장	국 장
문서번호	35	( )	재	⟨서명⟩	⟨서명⟩	
시행일자	1991. 2. 2.				(서명)	
수 신	기획관리실장	발 신	중동아프리카국장			
제 목	KAL 특별기편 파우치 수발					

　

중동지역 교민철수 제 4차 특별기가 아래 일정으로 아부다비와

젯다에 취항 예정이니 중동지역 공관의 외교행낭 수발에 참고하여

주시기 바랍니다.

　　　ㅇ　2.5.(화)　22:30　서울 출발

　　　ㅇ　2.6.(수)　02:10　방콕 도착

　　　　　　"　　　04:40　방콕 출발

　　　　　　"　　　08:20　아부다비 도착

　　　　　　"　　　09:20　아부다비 출발

　　　　　　"　　　11:50　젯다 도착

　　　　　　"　　　13:50　젯다 출발

　　　ㅇ　2.7.(목)　11:20　서울 도착. 끝.

0154

| 관리
번호 | 91/102 |

발 신 전 보

번 호 : WSB-0286　910202 1238 CG　종별 : 초긴급

	WAE -0094	WJD -0069
수 신 : 주 수신처 참조　//대사//총영사/	WOM -0062	WBH -0076
발 신 : 장 관 (중근동)	WYM -0068	WBM -0042
	WND -0114	

제 목 : 4차 특별기 운항

연 : WSB-0264, WAE-0078, WJD-0063

UAE

1. 연호관련, ~~차우터~~ 파견 국방부 군수송 지원단 요원 일부를 〔사련조사반 13명을 시키기 위해〕 교민철수용 4차 KAL특별기편에 탑승시켜, 아부다비(UAE)까지 수송해야 ~~할 불가피한 사정이 있어~~ 하였으니 동 특별기 운항 일정을 아래와 같이 일부 조정됨을 양지바람.

가. 특별기 기종 : KAL B-747 (400석)

나. 특별기등록번호 : HL7447

다. 운항일정 (현지시간)

```
2.5   22:30   서울 출발(KE8071)
2.6   02:10   방콕 도착
 "    04:40   방콕 출발
 "    08:20   아부다비 도착
 "    09:20   아부다비 출발
 "    11:50   젯다 도착
 "    13:50   젯다 출발 (KE8081)
2.7   11:20   서울 도착
```

라. 비고:귀지 운항로(통과 지점 및 시간등)는 KAL측이 귀주재국 공항당국에 직접 통보예정.　/계속 . . .

본부장:

| | 보 안
통 제 | 74 |

| 앙
고
재 | 91년
2월
2일
중근동 | 기안자
성명
박종순 | | 과 장
74 | 심의관
앙 | 국 장
전결 | | 차 관
예 | 장 관 | 외신과통제 |

0155

2. 주 UAE 대사는 ~~과 주재국 당국과 관급교섭, 동~~ 특별기의 아부다비 공항 이.착륙 허가를 득하고, 결과 보고바람.

3. 주 사우디 및 주 젯다 총영사는 상기 조정된 운항 일정을 감안, 교민 탑승 준비에 만전을 기하기 바람.

(중동아국장   이 해 순)

수신처 : 주 사우디, UAE 대사, 주 젯다 총영사
사 본 : 주 오만, 바레인, 예멘, 미얀마, 인도 대사
예 고 : 91.6.30. 일반

0156

아부다비 出發 국제 항공편

2. 4 (주1회)   (월. 수. 목. 일)
    · 아부다비 - 봄베이   주 4회
         - 카라치   아부다비 - 봄베이 ~
         - 무스카트   두바이 CX 방콕
         - 방콕   아부다비 - 방콕
         - 홍콩   두바이   KLM
    · 아부다비 - 런던   (주2회)

    751 - 7936 KAL 대책반   이한웅次長

* 젓다행 4차 특별기 탑승예정자

    - 현대   35名 ┐
    - 한일   11名 │ 53名
    - 대림   6名 │
    - 신화   1名 ┘

    - 15名 - 국방부
       5名 - 기자 ?

* ⓐ 차타 는 정부가 하는것임
  ⓐ 이동 할 사람은 하라는것이고해서 하는
                                것임

분류번호	보존기간

발 신 전 보

번 호 : WSB-0291   910203 1549 FC   종별 : _____

WJD -0072

수 신 : 주 수신처 참조   대사// 총영사//

발 신 : 장 관   (중근동)

제 목 : 4차 특별기 운항

연 : WSB-0264, WJD-0063

대 : SBW-0329, JDW-0036

　　　　4차 특별기 전세 요금과 관련, 전쟁 보험료를 포함한 1인당 실제 탑승
항공요금은 1.30 당시 연호와 같이 2,125미불 이었으나, 그간 보험료 인하로
2.3 현재로 1인당 1,500-1,700미불 정도(2.6 탑승시에는 또 다시 다소의 하향
변동이 예상)가 될것 같다는 KAL측 통보가 있음을 참고 바람.   끝.

(중동아국장   이 해 순)

수신처 : 주 사우디 대사, 주 젯다 총영사

예 고 : 1991.6.30. 일반

보 안 통 제	

앙 고 재	91 년 2 월 3 일 중근동	기안자 성명		과 장	심의관	국 장		차 관	장 관		외신과동재
						전결					

0158

원　본

외　무　부

관리번호 91/051

종　별 :

번　호 : JDW-0046

일　시 : 91 0203 1200

수　신 : 장관(중근동,사본:주 사우디대사-본부중계필)

발　신 : 주 젯 다총영사

제　목 : 특별기 추가운항

대:WJD-0063

1. 대호 2 항관련 2.1 당지 SAUDIA 항공측은 국내 및국제선의 자사 항공기 취항을 대폭 증편할 것이라고 발표함.2.3 오전 당관이 SAUDIA 항공측에 국제선 취항현황을 문의한 바, 젯다-카이로 매일 2 회, 젯다-런던 주 3 회, 젯다-파리 주2 회, 젯다-싱가폴 주 3 회, 젯다-봄베이 주 4 회, 젯다-뉴욕 주3회 등이 주요국제선 운항내용이며, 금주 중반에는 추가증편 조치가 있을 것이라고 밝힘.

2. 상기와 같은 SAUDI 항공측의 증편 조치에따라 당지 철수희망 교민의 제 3국경유 귀국 항공권 구득이 용이하여질 것으로 보이며 젯다-싱가폴-서울 노선의 편도항공권 구매가격은 약$1,500 선임.

3. 이상과 같은 당지 실정을 감안하여 당관 관할 사우디 서부지역교민에 한정하여 볼때 현재로서는 특별기 추가운항의 필요성은 크지않음. 다만, 사태발전에 따른 특별기 추가운항 소요 발생시 추보하겠음.

　　(총영사 김문경-국장)

예고:91.6.30. 일반[   ]고문[ ]
의거 일반문서로 재 분류됨.

중아국　　　장관　　　차관　　　1차보　　　2차보

91.02.03　　18:39
외신 2과 통제관 FF

0159

관리 번호 91/1052

원 본

외 무 부

종 별 : 지급

번 호 : SBW-0383

일 시 : 91 0203 1520

수 신 : 장관(중근동,노동부)

발 신 : 주 사우디 대사

제 목 : 특별기 운항

[handwritten: 중근동 / 예 항공요금 어떻게 되나? / 지급 ...]

대:WSB-264,268

1. 2.6 1350 제다출발예정인 4 차 특별기의 동부및 중부지역 탑승예정 인원은 총 326 명(공관직원 1, 교민 111, 진출업체 214)

2. 2.3 현재 상기 특별기 탑승인원을 제외하고도 약 400 여명이 추가로 특별기 탑승을 희망하고 있어, 추가운항이 필요할 것으로 보이나, 당분간 하기 국제선 운항을 지켜본후, 추가운항여부를 결정하는것이 좋을것으로 봄

3. 2.3 부터 주재국 사우디아 항공이 국제선을 주 16 편에서 45 회로 증편, 일부는 리야드에서 운항하고있음, 동남아 경우는 싱가폴 뿐이며 주 4 회임

제다에서는 BA, EA, GULF 등이 취항하고 있으나, 리야드 취항을 결정한 외국항공사는 아직까지 없는것으로 파악됨

4. 연이나, 3 월중순까지는 다수 인원의 동남아 노선 예약이 불가능한 형편임, 일부 여행사에서는 두바이를 통한 단체예약을 주선하고 있어, 일부 아국 업체에서 이를 이용할 움직임을 보이고 있음

이경우 리야드-두바이간은 육상운송으로 약 20 시간 공항대기 및 예비시간 10 시간등 총 30 여시간이 소요된다고 하며, 소요비용은 항공료포함 미 1200 불정도라고함

5. 다만 현재 400 여명에 이르는 특별기추가탑승 희망인원을 감안하여, 대한항공이 적정항공료 수준으로 자체적을 1 대정도 취항하는방안도 고려될수있을 것으로 봄

(대사 주병국=국장)

예고: 91.6.30. 일반 *[illegible]*

중아국   장관   차관   1차보   2차보   청와대   안기부   노동부

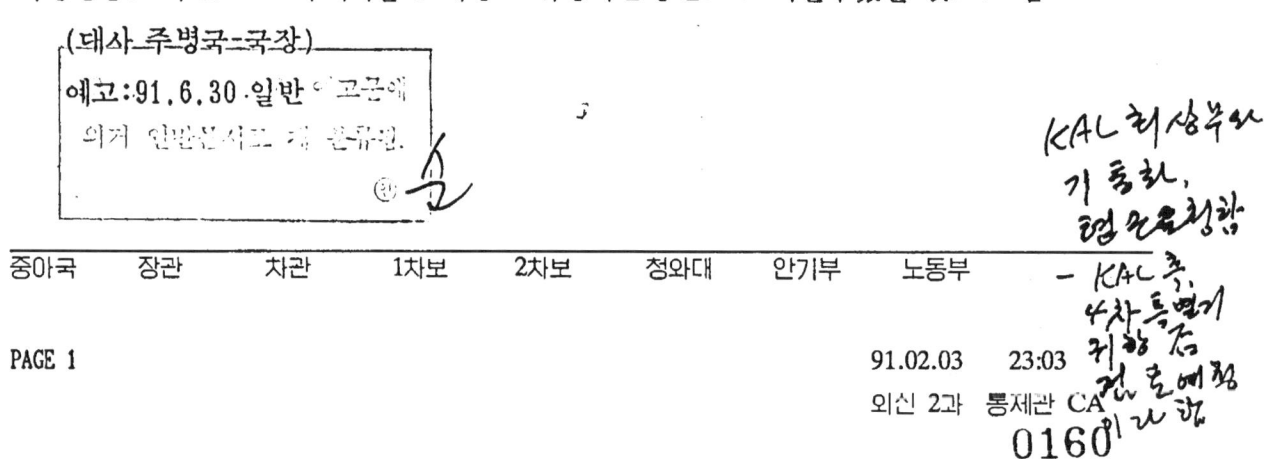

[handwritten: KAL 최상무와 / 기통화, 령공요청함 / - KAL 측 / 4차특별기 / 귀항 후 / 검토예정 / 이라함]

91.02.03   23:03

외신 2과 통제관 CA

0160

관리	91
번호	/1050

외 무 부

종 별 : 지급

번 호 : AEW-0089   일 시 : 91 0203 1300

수 신 : 장관(중근동,기정)

발 신 : 주 UAE 대사

제 목 : 제4차 특별기 착륙

대:WAE-0094

대호, 제 4 차 KAL 특별기의 아부다비 착륙허가가 2.3. 아부다비 항공당국으로부터 당지 KAL 사무소에 허가통보 되었음을 보고함. 끝.

(대사 박종기-국장)

예고:91.12.31 일반

91. 6. 30 면토될 솔

중아국   안기부

現代重工業株式會社
HYUNDAI HEAVY IND. CO., LTD.

서울特別市 鍾路區 桂洞 140-2番地
TEL : 7 4 6 - 1 1 1 4
7 4 6 -
TLX : K28361, K27496 HDYARD

수 신 : 외무부장관 　　　　　　　　　　　　　1991. 2. 4.
참 조 : 중동비상 대책반 박사무관
제 목 : 대한항공 특별기 (사우디행) 탑승 협조의뢰

　　　1.　귀 협조에 감사드립니다.

　　　2.　다름 아니오라 사우디아라비아 제다 교외에서 당사가 수행하고
있는 마카타이프 발전소 공사와 관련하여 하기인늘의 현장복귀를 위하여 91년
2월 5일경 예상되는 대한항공 특별기 탑승을 의뢰하오니 협조바랍니다.

　　　　　　　＊ 인　　적　　사　　항 ＊

소　　　속	직 위	주 민 등 록 번 호	성 명	비 고
1) 현대중공업(주)	이 사	████████	이 정 우	현장소장
2) 현대중공업(주)	차 장	████████	공 재 호	현장복귀
3) 현대중공업(주)	차 장	████████	노 해 균	신규파견
4) 현대중공업(주)	대 리	████████	김 동 열	신규파견
5) 현대중공업(주)	사 원	████████	이 종 영	신규파견

　　　3.　위 관련 탑승의뢰자들에게 발생되는 향후 불이익이나 위험에
대하여 당사에서 모든 책임을 질것을 약속하오니 협조하여 주시기 바랍니다.　끝.

　　　　　　황문기 대내, 최용화 박사님,
　　　　　이상화 사무관, 문광촐 서기관, 김동기 과장
　　　　이학영 과장

　　　　　　　　경남 울산시 동구 전하동 1번지

　　　　　　　　현 대 중 공 업 주 식 회 사

　　　　　　　　대 표 이 사 　 최 　 수

　　　　　　　　　　　　　　0162

韓逸開發株式會社
HANIL DEVELOPMENT CO., LTD.

C. P. O. BOX 2034, SEOUL 133-200, KOREA

TELEX: HANDECO K28573
CABLE: HANDECO
FAX : (02)454-1154

PHONES: 454-2233
454-2255

韓開(人事) 第 91- 25 號   1991 年 2 月 4 日

受 信   외무부 장관

參 照   GULF대책본부(박종순 서기관)

題 目   특별기 탑승 의뢰

      금번 GULF사태에 따른 인원 철수관계 및 현지발주처와 의협의차 당사소속 하기인을 2월 5일 출발하는 특별기편 에 탑승 출국 할수 있도록 의뢰 하오니 조치하여 주시기 바랍니다.

" 기 "

1. 인 적 사 항

직 위	성 명	영문 N A M E	구 간
전무이사	조 남 호	CHO, NAM - HO	SEOUL - JEDDAH
상무이사	김 안 식	KIM, AN - SIK	SEOUL - JEDDAH
건축부장	오 구 철	OH, KOO - CHEOL	SEOUL - JEDDAH

이상 3 명 끝.

韓 逸 開 發 株 式 會 社

代 表 理 事   全 昌

0163

外務部 걸프事態 非常對策 本部

題 目: 특별기 탑승 항공임 일부 ^{해당} 업체 전가 1991. <s>관련</s> 보도

1. 보도내용 (2. 3 MBC)

o 걸프지역 체류교민 철수를 위한 특별기 운항과
관련, 동특별기 <s>의</s> 항공임 일부를 <s>정부가</s>
특별기 탑승 인원 소속 업체에 부담시켜려함.

2. <s>사 실 특별기 항공임</s> 상황
<u>상기와 같은</u>
o 정부가 특별기 탑승 항공임 일부를 업체에
전가시킨다는 보도내용은 사실과 다음.
<u>정부가</u>
o <s>업체</s> 소속 인원에 대한 특별기 탑승항공
일부를 <s>정부가</s> 업체에 <s>부담</s>시키는 것이 아니라,

~ 3차 특별기 경우, 이들 업체소속 인원에
대하여 인당 항공임을 전쟁전의 통상 항공임
<s>전쟁보험료부담</s> <s>실제항공</s> 2,000 미불정도 <s>書</s>) 을 적용 <s>하고</s>
임은

이들의 전쟁 보험료분을 정부가 모두 지원
해 주었던 것임

<s>항공운임</s> 전쟁시에는 항공기 운항에 대한
전쟁위험지역 운항 보험료와 추가료,
그 배 이상 <s>보험</s> 의

0164

ㅇ 따라서, │해당 업체는
          └ 4차 특별기 경우에도 종전처럼

이들 업체 소속 탑승 인원에 대한 전쟁 보험료 부분

까지도 계속 정부가 당연히 지원 해 줄것을

~~보~~ 기대 했는데, 보험료 부담된 실제 항공임은

수익자 부담 원칙으로 하는데 대한 불만에서,

~~통~~사실을 왜곡 시킨것으로 사료됨.

   ┌ 특별기
3. └ 항공임 관련 조치 사항

ㅇ 정부는 지금까지 3 차에 걸쳐 특별기는 운항(1.14
(1.24) 전항 960 명의 교민을 철수시켰으며, ~~동 탑승 인원~~
에게 ~~전항 ~~따같이~~ 특별기

(사우디 젯다 경우 1180 미불) 을 적용. 추가

된 전쟁 보험료 전액을 정부가 지원, 탑승자

부담을 줄여 주었음

ㅇ 그러나, 젯다 행 4차 특별기 경우는 정부의 이는

지정적 부담을 덜고, 현재 사우디 젯다

0165

공항 의 국제 민간 항공개운항 재개 에 따른 국제 민운련

外務部 걸프事態 非常對策 本部

題目: 이용에 가능한 ~~등향~~을 감안, ── 등 특별 _{1991.} _{탑승} 내용

을 위한 ~~방하~~는 업체 소속 인원에 대해서는
업체 자체 비용에 의하는 소속 인원 철수가 이루어짐.
~~따로~~ 타당 ~~하였으로~~, 전쟁 보험료분 등을 한
1인당 실제 항공임 (2.3 현재 1,500 ~
1,700 미불이나, 또는 하향 변동가능) 을 수익자
부담 원칙으로 받게 확인

o 단 소속기 없는 체류 교민에 대해서는
종전과 같이 통상 요금 (1,180 미불)
은 적용, 탑승시킬 방침.

발 신 전 보

번   호 : WJD-0076   910204 1638 FK   종별 : _____

수   신 : 주 젯다   대사//총영사 (사본 : 주사우디대사)   WSB-0297

발   신 : 장 관 (중근동)

제   목 : 4차 특별기 운항

연 : WSB-0264, 0291, WJD-0063, 0072

　　　연호관련, 귀지 체류교민 철수업무 지원차 아프리카1과 김영채 사무관이 4차 특별기에 동승, 귀지출장후 동 특별기편에 귀임예정임을 참고바람.　　끝.

(중동아국장   이 해 순)

예 고 : 1991.6.30. 일반

앙고재	8/1년 2월 4일 중근동과	기안자 성명 박중수		과장	심의관	국장		차관	장관	보안통제	

외신과통제

0167

관리 번호	91 1055		원 본

외 무 부

종 별 :

번 호 : JDW-0054   일 시 : 91 0206 1600

수 신 : 장관(중근동)

발 신 : 주 젯 다총영사

제 목 : 제4차 특별기운항

대:WJD-63,69

연:JDW-36

1. 대호 특별기 KE8071 편은 11:25 당지도착, 승객을 탑승시킨후 13:55 서울향발 하였는 바, 탑승자 총수는 413 명임.

2. 상기 탑승자 413 명(유아 8 명 포함)중은 젯다지역 교민이며 건설업체등종사자 48 명, 일반교민 36 명임. 당지 탑승 84 명 전원이 탑승권을 자비구매함.끝.

(총영사 김문경-국장)

예고:91.6.30 일반 ～고공에

～～의저 인반～～시교 저 ～～～～.

[329 - 리야드지역]
[84 - 젯 다지역]

중아국   2차보   안기부   건설부   노동부

5366

분류기호 문서번호	중근동 720-	기 안 용 지 (720-2327)	시 행 상 특별취급	
보존기간	영구.준영구 10. 5. 3. 1	장 관		
수 신 처 보존기간				
시행일자	1991. 2. 7.	예		
보조기관	국 장	적절	협조기관			문서특제 1991. 2. 8
	심의관					
	과 장					
기안책임자	박 종 순			발 송 인 발송 1991. 2. 8
경 유 수 신 참 조	해외건설 협회장	발신명의		
제 목	걸프사태 특별기 운항			

대 : 해건협(업무) 제 1102호

대호관련 아래와 같이 회보합니다

- 끝 -

1. 지난 1.17 걸프전쟁에 따라 정부는 동 사태의 긴박성을

감안, 걸프지역 체류교민의 안전 철수를 위해 KAL특별전세기를 4차례

운항, 교민 1,373명을 본국으로 철수 시킨바 있음니다

2. 이와관련, 동 특별기 1-3차는 돌발적인 걸프사태로 걸프

지역내 국제공항들이 전면 폐쇄되어, 국제 민항기 운항이 불가능한 상황

아래서 운항(1.14-1.26)되었으며, 따라서 탑승항공임을   / 계속 ...

0169

탑승자 수익자 부담으로 하되, 이들에게 통상요금(사우디, 리야드 경우 1인당 1,110미불임. 보험료 포함된 실제 항공임은 2,700미불정도)을 적용, 보험료분에 대해서는 국제 민항기 운항불가 상황을 감안, 불가피 정부가 부담키로 하였음니다.

　　　　3. 그러나, 최근 전쟁위험 감소판단에 따라 사우디, 젯다등 걸프지역 대다수 공항이 국제 민항기 운항을 재개 하였으며, 이같은 상황 아래서 정부는 4차 특별기를 추가 운항키로하고, 전쟁보험료가 포함된 실제항공료(젯다경우 1.30 당시 1인당 2,125미불이나, 2.5 현재 1,500 미불로 하향)를 수익자 부담 조건으로 동 특별기 이용 희망자에 한하여 이들을 탑승(강제성이 아님),철수 시켰는바, 이에따라 탑승자 전원 (단, 소속없는 교민제외)에게는 실제 항공임을 부담토록 한것임을 양지 바람니다 끝.

0170

外務部 걸프事態 非常對策 本部

題 目: **KAL 특별기편 방독면 및 식품 운송**

1991. **2 . 15 .**

1. 제 1차 특별기(1.14. 무연고 교민용 방독면)

   o 방독면 2,000착 (사우디, UAE, 요르단, 바레인, 카타르, 이라크 등)

   o 운송경비 : $ 83,245.75 (경비 부담 불요)

   o 정산관계 : 대행업체 한국 항공화물 (KAS)에 수수료 5% 지불요

2. 제 2차, 4차 특별기 (1.24, 2.5. 업체용 방독면)

   o 8개 업체 (현대건설, 한일개발, 신성, 동부건설, KOTRA, 효성물산,
     현대상사, 한일합섬)

   o 운송경비 : $ 48,438

   o 정산관계 : - 상기 업체가 KAS 구좌에 입금토록 조치(KAS는 KAL에 납부)

     - KAL전세금 지불시 곤제요

3. 제 3차 특별기 (1.24. 국방부 송부 식품)

   o 식품 3,657 kg

   o 운송경비 : $ 32,913

   o 정산관계 : - 국방부측의 동경비 부담 여부 결정요

     - KAS에 수수료 5%지불요

   ※ 총 운송경비 : $ 164,596.75

0171

政府綜合廳舍 810號   電話 : 730-8283/5, 730-2941. 6. 7. 9, (구내)2331/4. 2337/8   Fax : 730-8286

걸프지역 체류교민 철수 특별기 운항(1-4차) 관련사항

1. 현 황

o 걸프지역 체류교민 철수를 위해 KAL 전세기를 4차례 운항, 교민 1,360명을 철수시킨바 있음.

- 1차 특별기   1.16.   301명
- 2차   "   1.26.   250명
- 3차   "   1.26.   409명
- 4차   "   2.7.   413명

2. 탑승항공임 문제

o 탑승객 수익자 부담 원칙으로 하되, 1-3차 특별기까지는 특별기의 전쟁 보험료는 정부가 부담함.

- 1인당 실제 항공료는 2,700미불 정도이나, 통상요금을 적용 탑승조치 (사우디 젯다 경우 1,180미불)

o 4차 특별기 경우, 정부부담이 커질것을 고려, 업체소속 탑승인원은 전쟁 보험료등 포함한 실제 항공료(1인당 2,125미불)로하여 수익자 부담토록 함.

o 단, 무소속 체류교민은 종전과 같이 통상요금 적용, 이들의 보험료분만 정부가 부담.

3. 소요예산(정부부담액) : 총 129만미불 정도 (추정)

- 1차 특별기 운항 정부부담액 : 약 45만미불 정도
- 2차 부담액 : 48만미불 정도

0172

- 3차 부담액 : 31만미불 정도
- 4차 부담액 : 5만미불 정도

4. 문제점 및 조치사항

o 1-4차 특별기운항 관련 총 129만미불 정도의 막대한 비용 소요로 정부
   부담이 너무 큼.

o 향후 교민철수는 현재 사우디 젯다 국제공항의 민간항공편 재개를 감안,
   가급적 정기 민항편 이용방안 검토 필요

o 그러나, 특별기 운항불가시, 탑승자 수익자 전액부담원칙으로 하되
   전세요금 일부의 정부부담 예상

o 1-4차 특별기 운항 정부부담액은 예비비로 별도 예산조치 예정
   (경기원 협조)

0173

공관 직원 현황

1. 주 쿠웨이트 대사관 (7명)

   o 대　　사　　　　외무이사관　　　　소병용
   o 참　사　관　　　　외무서기관　　　　이준화
   o 2서겸영사　　　　외무사무관　　　　최종석(카타르 부임 예정)
   o 외신관겸부영사　　외신기사보　　　　김영기
   o 참　사　관　　　　외무이사관　　　　정운길(파견관)
   o 건　설　관　　　　토목기정　　　　　최길대
   o 노　무　관　　　　5급　　　　　　　이기권

2. 주 이라크 대사관 (6명)

   o 대　　사　　　　외무관리관　　　　최봉름
   o 공　　사　　　　외무부이사관　　　권찬
   o 1서겸영사　　　　외무서기관　　　　김정기(본부부임예정)
   o 2서겸영사　　　　외무사무관　　　　조태용(일시귀국예정)
   o 외신관겸부영사　　외신기사　　　　　임현식
   o 참　사　관　　　　외무서기관　　　　홍기철(파견관)
   o 건　설　관　　　　4급　　　　　　　김도재
   o 노　무　관　　　　4급　　　　　　　이양정(요르단 출장)

0174

이라크 및 쿠웨이트 아국 교민 철수 현황

90. 8. 19. 현재

구분 국별	교민총수	귀국 및 인접국 대피	요르단 이동중 (이라크 체재포함)	요르단 체재	잔류자	비 고
쿠웨이트	605	35	397	77	96	잔류 희망 교민 : 21 명 공관직원 및 가족 : 40 명 현대건설소속필수요원 : 35 명
이 라 크	712	65	8	27	612	
계	1,317	100	405	104	708	

0175

정리보존문서목록					
기록물종류	일반공문서철	등록번호	2020120201	등록일자	2020-12-28
분류번호	721.1	국가코드	XF	보존기간	영구
명 칭	걸프사태 : 재외동포 철수 및 보호, 1990-91. 전14권				
생 산 과	북미1과/중동1과	생산년도	1990~1991	담당그룹	
권 차 명	V.10 대책 및 현황, 1991				
내용목차	1. 대책 2. 체류 동포 현황 ★ 재외동포 철수 및 비상철수계획 수립 등				

0001

Ⅰ. 대책

0002

분류기호 문서번호	중근동 720- 7	협조문용지 ( )		결 재	담당	과장	국장
시행일자	1991 . 1 . 7 .						(서명)
수 신	영사교민국장		발 신	중동아프리카국장			
제 목	여행 제한 대항국 조치						

아국인의 특정국가 여행 제한과 관련, 최근 페르시아만

사태가 유동적이어서 동 지역에서의 전쟁 발발 가능성이

높아짐에 따라 이 지역 아국 교민에 대해 철수토록 지시

내지 권장하고 있음에 비추어, 전쟁 피해가 예상되는 국가인

이라크, 사우디, 바레인, U.A.E., 오만, 카탈, 요르단, 이스라엘,

시리아등에 대해 일반인의 아국인의 여행을 제한 하는 것이 필요할것으로 이므로

사료되어 알려 드립니다. 끝. 이에 필요한 조치를

취하여 주시기 바랍니다.

0003

1505 - 8 일 (1)   190mm×268mm(인쇄용지 2급 60g / ㎡)
85. 9. 9 승인 "내가아낀 종이 한장 늘어나는 나라살림"   가 40-41 1990. 7. 9.

걸프사태 : 재외동포 철수 및 보호, 1990-91. 전14권 (V.10 대책 및 현황, 1991) 259

보 도 자 료

1991. 1. 7.
중 동 아 국

걸프지역 교민 안전 및 보호 대책

1. 정부는 걸프만 지역에서의 전쟁 발발 가능성에 대비 우선 이라크 잔류교민
   116명(쿠웨이트 교민 9명 포함)에 대해 1.15. 이전 제3국 철수를 지시했다.
   이락과 쿠웨이트는 지난 8.2. 걸프사태가 발생한 당시 모두 1,300여명의
   교민이 있었으나 그동안 1,200여명은 정부의 권유로 이미 철수하였는바
   현재 남아있는 인원은 대부분이 소속 아국 업체의 필요에 의해 잔류시켜온
   필수요원 이었다. 외무부는 현지 대사관을 통한 철수지시 하달과 함께
   최근 4개 진출업체 서울 본사의 간부를 불러 잔류인원을 조속 철수시키도록
   협조를 요청한 바 있다.

2. 한편 주이라크 아국 대사관에 대해서는 바그다드 주재 우방국 대사관의
   동향과 현지 정세판단에 따라 철수 여부를 본국에 건의토록 조치 하였다.

3. 또한 정부는 전쟁 피해 위험이 있는 사우디, 바레인, 요르단, 카타르, UAE
   주재 아국 공관에도 훈령을 내려 이곳에 체류중인 아국인 6,000여명에
   대해서도 자진 철수를 권유하고, 이들의 안전 대책을 강구토록 지시 하였으며,
   전쟁이 발발할 경우에 이들을 긴급 대피시킬 비상 철수 방안도 검토중에 있다.

   한편, 걸프지역 교민 안전및 보호대책협의를위하여 1.6. 사우디 아라비아의 리야드에서
4. 사우디아라비아, 바레인, 카타르, UAE, 오만, 예멘 주재 아국 공관장들은
   ~~1.6. 사우디 아라비아 리야드에서~~ 걸프지역 특별 공관장 회의를 갖고, 걸프사태
   정세 전망 ~~및 교민 안전 및 보호 대책~~을 협의하였다. 있으며

장 중 근 동 과	9 1 년 1 월 7 일 인	담 당	과 장	심 의 관	국 장	차관보	차 관	장 관
		朴	가서	방	전 결			정

0004

발 신 전 보

분류번호	보존기간

번   호 : WAFM-0003   910111 2018   DN 종별 : 암호송신
                                              WMEM-0003
수   신 : 주   전 중동아프리카지역 총영사
발   신 : 장   관
제   목 : 친   전

     긴박한 걸프만사태에 대비 정부는 관계부처로 구성된 걸프만사태 비상대책본부
(본부장 : ~~외정반~~ 이기주 제1차관보)를 가동하고 당부도 자제비상 대책반을 24시간 운영
하고 있는바 당분간 ~~긴급하고 중요한 사항이 아닌~~ 일상적인 업무~~사항이나~~ 보고
및 건의는 가급적 전문을 자제해 ~~주시고 파편을 이용해~~ 주시기 바랍니다. 끝.

                                  (중동아프리카국장 이 해 순)

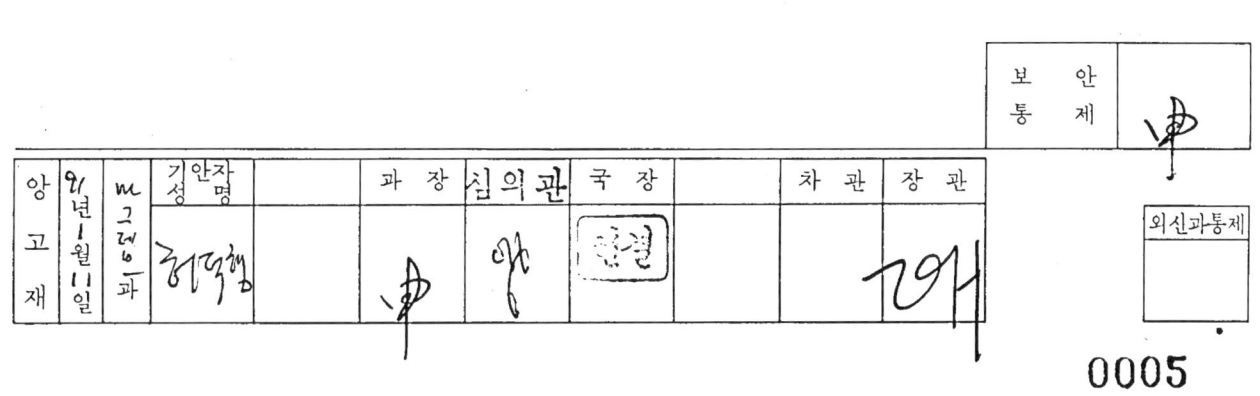

0005

연휴기간에도 전쟁이 계속 될것이고, 전쟁이

생각 보다 길어지면서 전쟁을 평화적으로 끝내

기 위한 여러나라의 개별적 또는 집단적인 외교노력이

진행되고 있어서 저희 ~~외무부~~ 대책 본부는 비상근무를

계속 하기로 했읍니다. 그리고 ~~전쟁~~ 벌써부터

전후 중동 질서 재편 과 경제 복구에 관한 논의가

활발히 전개 되고 있어 아마 중동지역에 ~~저~~ 경제적

정치적 경제적으로 많은 이해가 걸려 있는 우리로서

역시 큰 관심이 아닐 수 없읍니다.

또한 이제 지상전이 언제 시작이 될런지에 대해

여러가지 다른 의견이 있읍니다만 저희로서는

지상전이 개시되면 화생방전 가능성 까지도 배제

할 수 없으므로 여기에 대비 해서 우리 교민들의

안전을 위해서 노력하고 있읍니다. 최근에 저희

해당 공관에 ~~훈령을~~ ~~현지실저~~ 에 훈령을 내려서

공관별로 현지 실정에 맞게 짜자 놓은 화생방전에대한

비상 대피 계획을 우리 교민들에게 사전에 충분히

0006

알려서 일단 내사시 교민들이 동요하지 않도록
안내 하도록 하였읍니다.

공관 별로 준비한 계획 가운데는 예컨대 다섯
세대 중 1 개 조로 편성하여. 비상 연락 망을

유지토록 한다든지 하고, 화학전이 발생하면
이러한 비상 망을 통해 서로 긴급 통보를 한다든지
유사시 방독면을 착용하고   대사관 지하실로 집결

미리 지급한

한다든지 하는등 계획이 있읍니다. 그래서 우리 교민들은
우리 대사관 의 안내을 잘 받도록 부탁을 드리고 싶읍니다.

0007

관리
번호 91 -112

더밝은 마음을, 더밝은 사회를, 더넓은 미래를   심의관: 박

분류기호	중근동720-	협조문용지	결	담 당	과 장	국 장
문서번호	112	(720-2327)	재	박종은	현	(서명)
시행일자	1991. 1. 16.					
수 신	영사교민국장		발 신	중동아프리카국장		
제 목	대 테러 대책					

　　　　페만사태와 관련, 재외 아국 교민 및 공관 보호를 위한

대 테러 대책 시행에 있어 아래 사항을 참고하여 주시기 바랍니다.

　　　　　　　　　　- 아　　　　　래 -

1. 개전 직후 이라크에 의한 서방 내지 다국적군 참여국에 대한 동시

　　다발적 테러 감행 가능성

2. 이라크에 동조하는 일부 아랍국 및 비아랍 회교국의 테러 가담

　　가능성

3. 이라크 테러를 위장한 북한 테러 가능성

4. 이라크에 동조하는 세계 각국 산재 회교단체의 테러 가능성

5. 특히 아랍 유학생이 많이 있는 국가에서 이라크가 이들을 테러

　　활동에 활용할 가능성등.   끝.

1991. 6. 30. 에 넉고문에
외거 일반문서로 재 문규

예고문: 1991. 6. 30 일반　　　　　　　　　　　　　0008

0003

걸프전쟁 위협지역 체류교민 현황 및 안전보호 대책

1. 교민 철수 및 잔류현황

가. 현 황 (91.1.29. 현재)

※ (종인원은 91.1.5. 현재)

국별	공관원 및 가족(고용원포함)			상사, 진출업체 근로자			현지취업자등기타교민			계		
	종인원	철수자	잔류자	종인원	철수자	잔류자	종인원	철수자	잔류자	종인원	철수자	잔류자
사우디	136	80	56	2,934	665	2,269	1,910	244	1,666	4,980	989	3,991
이라크	9	8	1	87	74	13	-	-	-	96	82	14
쿠웨이트	-	-	-	-	-	-	9	-	9	9	-	9
요르단	12	5	7	1	-	1	53	41	12	66	46	20
바레인	14	7	7	264	71	193	57	18	39	335	96	239
카타르	13	-	13	6	-	6	63	16	47	82	16	66
U.A.E.	19	1	18	310	139	171	321	87	234	650	227	423
이스라엘	-	-	-	-	-	-	113	53	60	113	53	60
총 8개국	203	101	102	3,602	949	2,653	2,526	459	2,067	6,331	1,509	4,822

나. 체류 교민 잔류 사유

○ 중동제국은 모든 외국인에 대해 영주권을 부여하지 않으므로, 순수한
  의미의 정착 교민은 없으며 모두 체류자들임.

○ 이스라엘 잔류교민은 총 60명으로, 유학생 및 카톨릭 신부들인 바,
  대피 종용에도 불구 학업 계속 내지 종교적 이유등으로 잔류 희망.

○ 쿠웨이트 잔류교민 9명은 쿠웨이트내에 기반을 둔 개인 사업자들로
  잔류를 희망 하였으나, 이들의 소재파악 및 안전 철수를 위해 ICRC등에
  협조를 요청하고, KBS 국제방송을 통해 이들의 긴급 대피를 권유하는
  메세지 전달.

○ 이라크 잔류 교민 14명중 현대소속 근로자 13명은 현장관리 필수요원
  들로서 부득이 잔류하게 되었으나, 육로를 통해 이.이 국경 경유
  이란으로 철수가 예상되며, 공관 고용원 1명은 개인사정으로 잔류를
  희망, 현재 공관의 재산관리를 위해 남아있음.

○ 사우디등 여타 국가 체류교민 4,739명은 대부분 건설업체 근로자,
  현지 취업 및 개인사업자들로서 그간 자진 철수를 권유해 왔음.

  - 현지 진출업체 소속 근로자들은 공사 관련 발주처와의 관계등으로
    잔류해 왔으나, 사태가 긴박해짐에 따라 자진철수 내지 긴급 대피를
    종용한 결과, 최근 본국 철수 내지 안전지대로의 대피 인원이 증가
    되고 있음.

  - 현지 취업자, 개인사업자등 기타 교민들은 생업 종사등을 이유로
    상당수 잔류를 희망하고 있으며, 사태의 긴박성에 비추어 가족들을
    귀국시키고 있음.

2. 교민철수 추진 현황 및 계획

  가. 걸프전쟁 발발전인 1.14. 부터 현재까지 대한항공 특별기를 3차에 걸쳐
    걸프지역에 투입, 960명의 교민을 본국으로 신속 철수시킴.

    ○ 대한항공 특별기 3차 투입 실적 :
      - 제1차 (1.14)   이라크, 요르단, 사우디, 바레인지역 301명
      - 제2차 (1.24)   사우디, 리야드, 젯다 교민 409명
      - 제3차 (1.24)   "   "   "   205명
                                                    250

0010

나. 제4차 특별기를 2.5. 사우디 젯다에 추가 투입, 약 400명의 사우디 체류
   교민을 수송할 예정.

다. 앞으로도 사태 추이 및 철수 희망교민 수를 보아가며, 신속한 철수를
   위해 KAL 특별기를 추가 투입, 교민들을 수송할 계획임.

   o 사태 추이에 따라 운항시기, 기종, 회수, 경로등은 신축성있게 운영

라. 공항 폐쇄로 인해 항공편 이용이 불가능할 경우에 대비, 해상 및 육로를
   통한 철수 방법을 병행하여 추진.

   o 해상 및 육로 철수 실적

     - 이스라엘 교민 53명, 육로를 통해 카이로등 국외로 긴급 대피

     - 이라크 철수 삼성종합건설 직원 16명, 육로 및 해상을 통해
       카이로로 철수후 항공편 귀국

     - 이라크 잔류, 현대건설 직원 9명, 육로편 이란으로 철수
       (현대 근로자 13명도 이란으로 추가 철수 예상)

마. 전쟁 피해가 가장 클것으로 예상되는 사우디 동북부지역(카심, 호포프,
   다란등) 체류 교민 1,121명에 대해서는 젯다, 타이프등 안전지대로
   대피토록 조치, 이미 856명이 대피 완료 하였으며 잔여 265명도 대피중에
   있음.

3. 교민 신변 안전 대책

   o 공관별로 수립된 비상계획에 의거, 교민의 개인신상 사전 파악 및 공관과의
     비상연락 체제 유지.

   o 방공호등 비상 대피시설, 비상식량등을 확보하여 자체 자위력을 강화토록 하며
     현지 공관의 자체 긴급 대피 계획에 따라, 현지 실정에 맞게 잔류교민의 안전
     조치 강구.

   o 유사시 근접국으로 긴급 대피할 경우에 대비, 근접국 주재 아국공관에 긴급
     훈령을 내려 대피교민의 입국이 가능토록 사전 조치하고, 수송편의 및
     임시숙소등 사전 준비토록 조치.

   o 화학전에 대비, 방독면등 화학장비 총 7,223착을 지급하여 교민 신변 안전에
     만전을 기함.

0011

o 공관원 및 가족 전원에 대한 전쟁보험을 가입한 바, 있고 진출업체 소속
   근로자들을 위한 전쟁보험도 소속업체로 하여금 가입토록 적극 권장

4. 교민 입국시 보호 및 구호 대책
    가. 입국시 보호
        o 직원 1명이 특별기에 동승, 탑승교민을 인솔, 안전 수송토록 조치
        o 입국시 대한적십자사의 봉사 지원반을 파견하여 안내
        o 서울, 부산등 공항 및 항만에 기동의료반 편성 운영
        o 대한병원 협회의 협조하에 비상 진료기관(17개) 지정

    나. 구호 대책
        o 보사부, 대한적십자사등 관계 기관과 협조, 무연고 교민 지원 대책 강구
           - 서울시 12개 구민회관을 임시숙소로 확보 (수용 가능인원 1,709명)
           - 무연고 철수 교민중 전.월세 희망자는 130만원 범위 내에서
              보조금 지급
           - 무연고 철수 교민은 의료 보호 1종 대상자로 분류, 보호 .   끝.

0012

지 급

분류기호 문서번호	중근동 720- 4405	기안용지 (720-2327)		시 행 상 특별취급	
보존기간	영구.준영구 10. 5. 3. 1	장 관			
수 신 처 보존기간		예			
시행일자	1991. 1. 30.				

보조기관	국 장	전결	협 조 기 관		문 서 통 제
	심의관				협조 1991. 1. 31 통 제 관
	과 장				
기안책임자		박 규 옥			발 송 인 반송승 1991. 1. 31 의무부

경 유	
수 신	교육부장관
참 조	보통교육국장

발신명의

제 목 철수교민 자녀 편입학 협조 요청

　　　1.　지난 91.1.17. 발발한 걸프전쟁으로 인해 걸프지역 체류

외교관 가족, 상사 주재원, 건설업체 직원등 교민들이 본국으로 비상

철수케 되었으며, 현지 초.중.고교에 재학중이던 동 자녀들의 국내

학교 편입학 문제 해결이 시급한 실정에 있습니다.

　　　2.　교육법 시행령등 관계규정에 의하면 외국의 초.중.고교에

재학하다 귀국하여 국내학교에 편입학할 경우, 소정구비서류를 교육

구청 또는 교육위원회에 제출케 되어 있으나 상기 교민 자녀들은 급박한

현지 상황에 따른 비상철수로 외국학교 재학증명서 및 전학년 성적

증명서, 공관장 추천서등 필요 서류를 미처 준비하지 못한채 / 계속..

0013

귀국 하였으며, 걸프전쟁의 장기화 전망에 따라 동 서류의 단기간내

보완도 현실적으로 불가능한 실정입니다.

　　3. 따라서 ~~서울등특별시~~ 교육위원회등 해당 산하기관이 이들의

편입학 신청서 처리시 재학사실 확인을 위한 최소한의 근거서류 제출

또는 사태 진정시 보완을 전제로 편입학을 허가할수 있도록 적극 협조

하여 주시기 바랍니다.　끝.

0014

국무총리실 제출 자료

(1.31 최영철 심의관)

---

1. 걸프관계국 체류교민 철수 대책은 ?

가. 걸프지역 체류교민은 1.5 현재 총 6,331명 이었으나, 그간 1,509명이
   철수 1.30 현재 4,822명이 남아 있음.

나. 체류 교민 잔류 사유

   ㅇ 중동제국은 모든 외국인에 대해 영주권을 부여하지 않으므로,
      순수한 의미의 정착 교민은 없으며, 모두 체류자들임

   ㅇ 이스라엘 잔류교민은 총 60명으로, 유학생 및 카톨릭 신부들인 바,
      대피 종용에도 불구 학업 계속 내지 종교적 이유등으로 잔류 희망

   ㅇ 쿠웨이트 잔류교민 9명은 쿠웨이트내에 기반을 둔 개인 사업자들로
      잔류를 희망 하였으나, 이들의 소재파악 및 안전 철수를 위해 ICRC등에
      협조를 요청하고, KBS 국제방송을 통해 이들의 긴급 대피를 권유하는
      메세지 전달

   ㅇ 이라크 잔류 교민 14명중 현대소속 근로자 13명은 현장관리 필수요원
      들로서 부득이 잔류하게 되었으나, 육로를 통해 이.이 국경 경유
      이란으로 철수가 예상되며, 공관 고용원 1명은 개인사정으로 잔류를
      희망, 현재 아국공관에 남아있음.

   ㅇ 사우디등 여타 국가 체류교민 4,739명은 대부분 건설업체 근로자,
      현지 취업 및 개인사업자들로서 그간 자진 철수를 권유해 왔음.

      - 현지 진출업체 소속 근로자들은 공사 관련 발주처와의 관계등으로
        잔류해 왔으나 사태가 긴박해짐에 따라 자진철수 내지 긴급 대피를
        종용한 결과 최근 본국 철수 내지 안전지대로의 대피 인원이 증가
        되고 있음

      - 현지 취업자, 개인사업자등 기타 교민들은 생업 종사등을 이유로
        상당수 잔류를 희망하고 있으며, 사태의 긴박성에 비추어
        가족들을 귀국시키고 있음.

0015

다. 교민철수 추진 현황 및 계획

　　1) 걸프전쟁 발발전인 1.14.부터 현재까지 대한항공 특별기를
　　　 3차에 걸쳐 걸프지역에 투입, 960명의 교민을 본국으로 신속
　　　 철수시킴.
　　　　ㅇ 대한항공 특별기 3차 투입 실적 :
　　　　　- 제1차 (1.14)　　이라크, 요르단, 사우디, 바레인지역
　　　　　　301명
　　　　　- 제2차 (1.24)　　사우디, 리야드, 젯다 교민 409명
　　　　　- 제3차 (1.24)　　 ″ 　　 ″ 　　 ″ 　　250명

　　2) 제4차 특별기를 2.5. 사우디 젯다에 추가 투입, 약 400명의
　　　 사우디 체류 교민을 수송할 예정

　　3) 앞으로도 사태 추이 및 철수 희망교민 수를 보아가며, 신속한
　　　 철수를 위해 KAL 특별기를 추가 투입, 교민들을 수송할 계획임.
　　　　ㅇ 사태 추이에 따라 운항시기, 기종, 회수, 경로등은 신축성있게
　　　　　운영

　　4) 공항 폐쇄로 인해 항공편 이용이 불가능할 경우에 대비, 해상 및
　　　 육로를 통한 철수 방법을 병행하여 추진
　　　　ㅇ 해상 및 육로 철수 실적
　　　　　- 이스라엘 교민 53명, 육로를 통해 카이로등 국외로
　　　　　　긴급 대피
　　　　　- 이라크 철수 삼성종합건설 직원 16명, 육로 및 해상을
　　　　　　통해 카이로로 철수후 항공편 귀국
　　　　　- 이라크 잔류, 현대건설 직원 9명, 육로편 이란으로 철수
　　　　　　(현대 근로자 13명도 이란으로 추가 철수 예상)

　　5) 전쟁 피해가 가장 클것으로 예상되는 사우디 동북부지역(카심,
　　　 호포프, 다란등) 체류 교민 1,121명에 대해서는 젯다, 타이프등
　　　 안전지대로 대피토록 조치, 이미 856명이 대피 완료 하였으며
　　　 잔여 265명도 대피중에 있음.　　　　　　　　　　　　　0016

라. 교민 신변 안전 대책

　　o 공관별로 수립된 비상계획에 의거, 교민의 개인신상
　　　사전 파악 및 공관과의 비상연락 체제 유지

　　o 방공호등 비상 대피시설, 비상식량등을 확보하여 자체
　　　자위력을 강화토록 하며 현지 공관의 자체 긴급 대피
　　　계획에 따라, 현지 실정에 맞게 잔류교민의 안전조치 강구

　　o 유사시 근접국으로 긴급 대피할 경우에 대비, 근접국 주재
　　　아국공관에 긴급 훈령을 내려 대피교민의 입국이 가능토록
　　　사전 조치하고, 수송편의 및 임시숙소등 사전 준비토록 조치

　　o 화학전에 대비, 방독면등 화학장비 총 7,223착을 지급하여
　　　교민 신변 안전에 만전을 기함.

---

2. 잔류자 22명에 대한 신변안전 유무 및 향후 철수 일정, 연락 여부는 ?

1. 현 황

　　o 이라크에는 1.5. 96명의 교민이 잔류하고 있었으나 정부는 그간
　　　체류교민들의 이라크 철수를 강력히 권유하여 대다수 인원이 철수
　　　하였으며 또한, 주이라크 대사관의 대사 이하 공관원 전원이 1.14
　　　바그다드를 출발하게 되면 잔류 아국인 출국에 대한 협조가 더이상
　　　불가능함을 진출 4개 업체에 통보하고, 공관원 철수 이전 잔류
　　　인원을 전원 철수시켜 줄것을 요청 하였음.

　　o 이에따라, 삼성, 한양, 정우는 잔류인원을 전원 철수시켰음.
　　　현대는 현장 사정등을 감안하여 5개 현장 직원 22명을 육로로
　　　이란 국경을 통해 철수 시킬것을 1.16. 19:00 이라크 주재 현대
　　　본부장에게 지시 하였으나,

　　o 현대 본사측에 의하면 직원 22명중 16명은 이라크 정부의 출국비자를
　　　소지하고 키르쿡 현장 6명은 발주처의 출국 동의서를 대기하고
　　　있었다함.

0017

o 이와관련, 주이라크 대사는 1.12 이라크 외무성 영사교민국장을
  긴급면담, 현대 소속잔류자의 출국비자 발급 협조를 재차 요청한바,
  동 국장은 비자발급을 약속 하였으며, 이에따라 현대측은 비자를
  관계기관에 신청하였음.

o 현대소속 잔류자 22명중 9명은 이란으로 기출국하였으며, 1.31현재
  잔류인원 13명중 2명은 이라크 여자와의 결혼을 이유로 계속
  잔류를 희망하고 있으며, 잔여 11명중 8명은 출국비자를 발급
  받았고 3명도 출국비자 발급 대기중에 있음.

o 이들 11명은 불원간 이라크.이란 국경 경유 이란으로 철수 할것으로
  기대되며, 이들 잔류교민 들의 신변은 안전 하다고 함.
  (1.26 주이란 대사 보고)

2. 대 책

o 따라서 이들의 안전 철수를 위해 요르단 대사관이 고용기사를
  이라크에 파견하여 이들 소재를 파악하고 있으며, 이들의 소식을
  대기중에 있고, 주이란 아국 대사관은 이들의 이란 국경 통과에
  대비, 필요한 사전 제반 조치를 취해놓고 이들의 입국을 기다리고
  있음.

o 또한, 외무부는 ICRC에 대하여도 이들의 소재 파악을 의뢰하였으며,
  주이란 대사관도 본국으로 일시 귀국하는 테헤란 주재 이라크
  대사관 직원과 테헤란에 임시 대피하였던 주이라크 모리타니
  대사에게 협조를 요청한바 있으며, KBS국제 방송을 통해 이들이
  대피, 이란으로 철수토록 요청하는 메세지를 전달 하는등
  계속 요르단 및 이란 정부, 현대 건설측과 긴밀한 협조하에
  이라크 잔류 13명에 대한 소재 파악과 긴급 대피를 위한 다각적인
  노력을 경주해 나가겠음.

  ※ 참 고 : 주 이라크 대사관에는 현지 채용 아국인 고용원 1명
      (박상화)이 잔류중인바, 동인은 현지인과 결혼 예정이어
      잔류를 희망하였으므로 공관을 지키도록 하였음.

0018

o   걸프전쟁과 관련한 전황을 다각적으로 파악키 위해 외무부
    걸프사태 비상대책본부를 설치, 24시간 가동시키고, 그간 주요
    아국공관 (주미, 영, 불, 독, 일, 전 중동공관등)에 훈령을
    내려 해당 공관원들을 24시간 비상 근무케하여 매일의 전황을
    신속히 보고토록 하여, 동 보고를 접수 종합하고 또한 주요 외신
    보도등을 매일 24시간 체크하여, 이를 토대로 전황을 파악하고
    있음.

0019

外務部 걸프事態 非常對策 本部

題 目: 주요국가의 이라크 및 쿠웨이트 잔류 자국민 철수 계획 1991. 2. 2.

1. 각국의 자국민 잔류 현황

　　가. 일　본

　　　　ㅇ 이 라 크　: 전원철수

　　　　ㅇ 쿠웨이트　: 6명

　　나. 불 란 서

　　　　ㅇ 이라크 및 쿠웨이트　: 10여명

　　다. 영　국

　　　　ㅇ 이라크 및 쿠웨이트　: 약50명

　　라. 독　일

　　　　ㅇ 이라크　: 소수의 이라크 국적 취득자 잔류

　　　　ㅇ 쿠웨이트 : 전원 철수

　　마. 이 태 리

　　　　ㅇ 이라크 및 쿠웨이트　: 극소수의 이중국적자 체류

　　바. 인　　도

　　　　ㅇ 이 라 크　: 약800명

　　　　ㅇ 쿠웨이트　: 약8,000명

2. 자국민 철수계획

　　가. 일　본

　　　　ㅇ 쿠웨이트 잔류인원 6명은 공관철수 직전 파악된 숫자로 현재
　　　　　로서는 파악 불가하며, 이들에 대한 별도의 철수계획은 마련
　　　　　하고 있지 않음.

0020

政府綜合廳舍 810號　　電話 : 730-8283/5, 730-2941.6.7.9, (구내)2331/4, 2337/8　　Fax : 730-8286

나. 불란서

　　ㅇ 잔류 자국민은 주로 이중국적자 또는 현지인과 결혼한자들로서,
　　　 불정부의 철수 권유에도 불구 자신들의 선택에 의해 현지에 체류하고
　　　 있으며, 정부차원의 철수계획은 없음.

다. 영 국

　　ㅇ 잔류 자국민은 자진해서 잔류를 희망하고 있으므로 특별한 철수
　　　 계획은 없으며, 그중 일부가 비록 철수할 의사가 있다하더라도
　　　 현 전쟁상황에서 정부가 취할수 있는 조치는 매우 제한적임.

라. 인 도

　　ㅇ 특별한 철수계획은 세우지 않고 있으나, 현지 공관 차원에서
　　　 상황에따라 교민보호대책에 만전을 기하도록 지시

3. 평 가

　ㅇ 조사 대상국가중 인도를 제외한 대부분의 주요국가는 이라크 및 쿠웨이트
　　 잔류 자국민의 철수를 거의 완료한 상태이며, 다만 이중국적자 또는 현지인
　　 과의 결혼등 사유로 잔류를 희망하는 극소수의 인원만이 체류하고 있음.

　ㅇ 상기 주요각국 정부는 철수 권유에도 불구 자의로 잔류를 희망하는 이들
　　 자국민들에 대해 별도의 철수 계획은 갖고 있지 않으며, 일부 국가는 현지
　　 공관 차원의 교민 보호 대책을 수립하고 있는 정도임. 끝.

0021

사우디 滯留 我國 醫療要員 出國問題

〔91.2.4〕

o 사우디 現地 病院에 就業하고 있는 我國 醫療要員들은 총 325명으로 大部分이
   看護士들이며 地域別로는 東北部(호프프, 카심)地域 99명, 中部(리야드)地域
   126명, 그리고 西部(젯다, 타북등)地域 96명임.

o 이들 就業 醫療要員들중 契約 滿了者는 本人들이 歸國을 希望할 경우에는
   언제든지 出國할 수 있으며, 歸國을 希望해도 사우디를 出國할수 없다는
   一部 國內 言論報道는 事實과 다름.

o 또한 契約期間 滿了前이라도 特別한 事由가 있어 中途 歸國을 希望하는 경우
   出國이 可能하도록 사우디 保健當局과 協議가 되어있으므로 이들 醫療要員들이
   歸國을 希望할 경우 出國에는 問題가 없을것임. 다만 契約期間 滿了前에
   歸國하는 境遇는 契約 中途 解約에 따른 不利益을 甘受하여야 할 것이며 이를
   둘러싸고 病院側과 마찰 素地는 있을 것임.

o 이와관련, 앞으로 특히 사우디 東北部 및 中部地域은 戰爭 被害가 豫想되어,
   이지역 就業 我國 醫療要員들중 身邊 危險을 느껴 中途 歸國을 希望하는자가
   늘어날 것에 對備 사우디 政府와 交涉, 이들의 出國에 지장이 없도록 現地
   公館에 訓令한바 있음.

0022

2. 展　望

　o 이라크측은 多國籍軍이 地上戰 準備를 完了하기 前에 早期 地上戰 開始로
　　大規模 死傷者를 내어 西方圈內 反戰 輿論을 擴散함과 同時에 多國籍軍을
　　자극, 早期 地上戰을 誘導하고 있음.

　o 多國籍軍은 이라크의 戰爭 遂行 能力이 대부분 破壞된 時點에서 本格的인
　　지상전에 突入할 것으로 보이며 걸프 地域의 氣候 조건이 나빠지는 4월
　　以前에 戰爭을 終結짓기 위해서는 늦어도 2월중에는 多國籍軍의 全面 地上
　　攻擊이 開始될 것으로 보임.

　o 現狀態에서 多國籍軍은 制空權을 완전히 掌握, 1일 2,600여회의 出擊으로
　　大規模 空襲을 繼續하고 있고 이라크의 戰爭 遂行 能力이 이미 相當한 打
　　擊을 받은것으로 分析되며, 多國籍軍의 地上戰 準備가 着實히 進行되고
　　있을 뿐만 아니라, 특히 今番 戰爭이 越南戰과는 달리 이라크가 國際的
　　으로 孤立無援의 處地에 빠져있어 外部의 支援을 期待하기 어려운 狀況
　　임을 考慮할때, 금번 戰爭은 比較的 短期間內에 多國籍軍의 勝利로 終結될
　　可能性이 많음.

　o 蘇聯과 一部 回教圈 國家들은 美國이 유엔 安保理 決議를 擴大 해석,
　　이라크 自體의 破壞를 圖謀할 可能性에 대해 憂慮를 表明하고 있으며
　　이에 대하여 美國은 戰爭 目標를 이라크군 撤軍, 쿠웨이트 合法政府 復歸,
　　中東地域 平和와 安定 回復에 한정하고 있음을 거듭 밝히고 있으나

0023

英國의 메이저 總理는 地上戰 開始時 多國籍軍의 이라크 領土 進擊 可能性을 排除하지 않고 있어, 多國籍軍의 攻擊 範圍을 둘러싸고 美國과 大多數 EC 國家, 蘇聯, 多國的軍에 參與하는 아랍국가간에 意見對立이 생길 可能性도 있음.

o 이라크는 開戰 初期 駐佛, 駐유엔 大使等을 통해 散發的으로 美國에 協商을 促求한바 있어 戰勢가 不利하게 될 경우 多國籍軍에 某種의 協商을 提起할 可能性도 없지않은 것으로 보이나, 美國은 후세인 大統領이 쿠웨이트 完全 撤軍을 이행하지 않는한 이에 응하지 않을 것으로 豫想되며, 一部에서는 美國이 內面的으로는 후세인 大統領 政權 自體의 除去를 終戰에의 必須 要件의 하나로 策定하고 있는 것으로 推定하고 있음.

0024

3. 걸프戰이 我國에 미치는 影響

　　o 이라크에 대한 國際社會의 膺懲이 成功的으로 이루어질 경우 武力 侵略
　　　行爲는 容納될수 없다는 先例가 確立되어 北韓의 武力 統一 路線을 抑制
　　　하는 效果를 가져올 수 있다고 볼수 있음.

　　o 短期戰으로 끝날경우 世界的 次元에서 原油 生産 및 供給에 큰 蹉跌이
　　　없을 것으로 展望되어 我國의 原油 導入도 큰 지장을 받지 않을 것으로
　　　보이며 經濟 및 通商面에서도 戰後 需要 增加 豫想으로 우리 經濟에
　　　肯定的 效果가 있을 것으로 期待됨.

　　o 다만, 걸프戰이 長期化될 경우에는 世界 經濟가 株價下落, 需要減退,
　　　油價上昇, 經濟成長 鈍化等의 沈滯 要因으로 인하여 全般的인 下降
　　　局面을 보일 것이며 이경우 우리 經濟도 相當한 影響을 받을
　　　것으로 보임.

0025

4. 戰後 中東地域 情勢 展望

o 終戰後 美國의 中東 政治에서의 影響力은 增加하고, 蘇聯의 對中東 影響力은
減少될 것으로 豫想되며, 또한 中東地域 勢力 版圖에 있어서는 이라크의
位相이 必然的으로 低下될 것이며 相對的으로 아랍 온건 勢力을 代表하는
이집트와 사우디의 影響力과 强硬路線의 시리아, 이란의 影響力이 增大할
것임.

o 이라크의 후세인 政權 除去로 一時的인 域內의 政治的 均衡은 達成될
것이지만 이라크의 쿠웨이트 侵攻으로 表面化된 아랍권 內部 3分 現象
(친이라크, 반이라크, 中立) 持續, 아랍 전반의 對西方 敵對感情 高潮,
걸프지역 王政國家 內部의 改革 要求, 親西方 王政主義對 反西方
아랍민족주의의 對立등 向後 中東地域의 情勢 不安要因은 오히려 더
多角的으로 尖銳化될 可能性이 있음.

o 따라서 域內 勢力 均衡을 圖謀하기 위한 努力이 必然的으로 뒤따를 것으로
보이는바, 이는 이라크와 같은 軍事大國 出現을 豫防하는데 目標를 둘
것임. 사우디등 GCC제국은 王政 維持와 國家 防衛를 위해 어떤 形態로든지
美國과의 安保 協力 體制 構築을 摸索할 것이나 域內 各國의 利害關係
相衝으로 中東 全體의 集團 安保 體制 構築은 큰 어려움이 따를 것임.
따라서 GCC 國家와 이집트등 일부 親西方 國家 그리고 西方國家가 參與
하는 制限的 集團 安保 體制 또는 個別的 相互 防衛 條約을 基礎로한 多元的
勢力 均衡 裝置가 試圖될 것으로 展望됨.

0026

o 美國等 西方側이 戰後에 平和 維持 및 原油 資源의 安定的 確保를 위하여
  사우디등 GCC 國家와의 兩者間 合意에 의해 兵力을 駐屯시키고자 할 가능성도
  排除할 수 없으나 戰後 아랍의 反西方 感情 高潮가 豫想됨에 비추어볼때
  西方側이나 GCC 모두 西方側 兵力의 長期 駐屯은 受容하기 어려울 것으로
  展望됨. 아랍 또는 유엔 平和 維持軍이 쿠웨이트-이라크 국경선에 상당기간
  駐屯할 可能性이 있음.

o 한편 中東平和 維持를 위한 팔레스타인 問題 解決 必要性에 대한 國際的
  認識 提高로 戰後 팔레스타인 問題 解決을 위한 國際的 努力이 必然的으로
  強化될 것으로 보이나, PLO는 걸프事態 關聯 親이라크, 反사우디-쿠웨이트
  立場 表明으로 戰後 立地가 弱化될 것이며, 이스라엘은 이라크의 미사일
  攻擊에 대한 美國등 여러나라의 報復自制 要請을 受容했던 점에 비추어 強硬
  立場을 固守할 것으로 豫想되어 關係國 全部가 參加하는 國際會議 開催를
  통한 卽刻的인 問題 解決 展望은 難望視되며, 主要國間의 個別 接觸 또는
  一部 當事者間 國際會議 開催를 통한 問題 解決 努力이 試圖될 것으로
  豫想됨.

0027

5. 戰後 我國의 對中東 對策

  ○ 쿠웨이트, 이라크 兩國의 原油 收入 比重과 戰後 大規模 復舊事業
    參與可能性을 考慮, 쿠웨이트 및 이라크 新政府와 緊密한 關係를 設定할
    必要性이 있음.
    그 方案으로는 - 新政府 承認 必要時 承認措置
                 - 特使 派遣
                 - 醫療 支援團을 活用한 戰後 救護 事業
                 - 各種 社會間接施設 復舊 등 國家 再建에 必要한 支援을
                   提供하는 것등을 檢討中임.

  ○ 今番 戰爭에서 主導的 役割을 한 사우디, 이집트, 시리아등과의 兩者關係
    增進 努力 强化
    - 특히, 이집트, 시리아에 대한 支援資金 效率化에 의한 關係 强化,
    - 國交關係 樹立으로 誘導

  ○ 戰後 中東地域에서 胎動될 安保協力體制의 向方을 注視, 우리 國益을 考慮한
    對應策 樹立

  ○ 팔레스타인 問題解決을 위한 國際的 努力이 中東諸國과 이스라엘관계 및
    美.이스라엘 關係에 미칠 影響을 銳意 注視
    - 我國의 對팔레스타인, 對이스라엘 關係定立
    - 中東 平和 基金 參與等을 통하여 우리나라의 아랍圈에 대한 積極的인
      政策方向 闡明

  ○ 또한 反西方 性向이 강한 貧困 아랍國에 대한 積極的인 關心 表明과 경협
    擴大를 통해 關係强化

0028

이라크.쿠웨이트 및 이스라엘 殘留者 現況 및 安全 對策은 무엇인가 ?

〈 이 라 크 〉

o 이라크에 殘留해 있던 我國僑民은 公館員을 包含 1.5. 現在 총 96명이
   있었으나 政府가 1.15. 以前 이라크 撤收를 强力히 勸誘하여 大部分이
   撤收하고, 2.4. 現在 11명이 殘留하고 있는바 이중 10명은 現代建設
   所屬 勤勞者이며 1명은 駐이라크 대사관 雇傭員임. 이들중 公館
   雇傭員(박상화, 남)과 現代 勤勞者 2명은 現地 女人과 結婚했거나 ~~結婚~~
                                                              하여
   할 ~~豫定이어서~~ 이라크에 殘留하기를 希望하고 있음.

o 現代 所屬 殘留 勤勞者 10명은 現在 이라크 바쿠바 所在한 農場에 安全하게
   待避해 있으며, 이들중 出國을 希望하는 8명은 出國 手續이 끝나는대로
   이란 國境을 통해 出國할 豫定임.

o 駐이란 大使館은 이들 8명의 現代 勤勞者들이 이란 國境을 通過 入國할
   것에 對備, 이들의 入國에 必要한 모든 措置 및 交通 便宜等 諸殷 準備를
   完了해 놓고 있음.

0029

〈 쿠웨이트 〉

o 지난 90.8.2. 걸프事態 勃發 當時 쿠웨이트에는 我國 僑民 605명이
   滯留하고 있었으나, 政府의 緊急 撤收 計劃에 따라 596명이 撤收하고,
   現在 殘留하고 있는 僑民은 9명임.

o 이들 殘留者 9명은 個人事業上 理由로 그간 政府의 强力한 撤收 勸誘에도
   不拘 繼續 殘留하기를 希望하여, 現在까지 남아있음.

o 90.12.21. 이들중 3명이 쿠웨이트 國境을 通過 이라크 바그다드에 와서
   1박 滯留後 쿠웨이트로 다시 復歸하였다 하며, 당시 이들 3인의 말에
   의하면 殘留者 全員이 無事하고, 安全하게 生活하고 있다 하며, 殘留者中
   2인은 我國公館 및 官邸 建物에 入住, 이를 管理하고 있다함.

o 政府는 이들의 所在把握 및 安全待避를 위해 國際赤十字와 國際 移民機構에
   協調를 要請 하였으며, 또한 KBS 國際放送을 통해 이들에게 戰爭 勃發以後
   急迫한 狀況을 알리는 한편 이란으로 緊急 待避토록 慫慂하는 메세지를 傳達
   하는등 이들의 安全을 위해 可能한 모든 努力을 傾注하고 있음.

0030

外務部 걸프事態 非常對策 本部

題 目: <u>화학전 대비 관련 공관 비상 계획</u>   1991. 2 14

(전쟁 위험지역 체류교민 안전보호)

1. 사전 안전 조치 (공통사항)

   ㅇ 화생방전 교육 실시

      - 방독면등 장비 착용 및 응급 처치 요령

      - 화학 무기 공격시 주의사항등 화학전 대처 요령

   ㅇ 보유 방독면의 상시 휴대 주지

   ㅇ 화학전 대비, 공관 지하실, 각 업체 대피소 및 주택에 밀폐실 설치,

      비상 식량, 식수 및 의약품 준비

   ㅇ 비상연락망을 통한 공관, 업체, 교민간 상호 정보교환 및 안전 여부 확인

      - 5세대 1개조로 조편성, 상호 긴밀 연락 유지

      - 화학전 발생시 비상연락망에의거 긴급 대피 지시

   ㅇ 화학전 사정권내 체류교민의 안전지대로의 대피 계속 추진

      - 이스라엘, 사우디 동북부 교민 등

   ㅇ 긴급 의료수송반 편성

2. 화학전 발생시 대처 (공관별)

   가. 요르단 (21명)

      ㅇ 시간적 여유가 있을시, 비상연락망을 통한 긴급 소집으로 공관

         지하실에 집결, 대피

      ㅇ 시간적 여유가 없을시, 각자 거주지에 가까운 대피시설 또는

         호텔내 대피시설로 대피

      ㅇ 최악의 경우, 공관장 지시에 따라 육로 및 해상을 통해 철수

   나. 카타르 (66명)

      ㅇ 유사시 공관에 집결, 상황에 따라 대처

      ㅇ 사태 긴박시 UAE 또는 오만으로 육로 철수

0031

政府綜合廳舍 810號   電話 : 730-8283/5, 730-2941. 6. 7. 9, (구내)2331/4, 2337/8   Fax : 730-8286

다. 바레인 (233명)

　　o 진출업체는 업체별로 마련된 방공호, 개인취업자등 기타 교민은
　　　　공관 지하실로 대피

　　o 최악의 경우 공관장 지시에 따라 현대건설 소유 선박편으로 해상
　　　　철수 (집결지 : 현대 시멘트 또는 Marina Club 부두)

라. U. A. E. (423명)

　　o 아부다비 체류교민은 공관 및 관저에 집결, 대피

　　o 기타지역 체류교민은 업체별로 마련된 비상대피소에 집결 대피

　　o 최악의 경우, 공관장 판단하에

　　　　- 공로 철수 : Fujairah 국제공항 집결, 특별기편 철수

　　　　- 육로 철수 : Al-Ain 집결, 오만으로 철수

　　　　- 해상 철수 : Khor Fakkan 항 집결, 한국해외수산 선박편
　　　　　　　　　　　　(9척) 철수

마. 사우디 (3,344명)

　　o 공관 지하실, 각 업체 현장별로 마련된 방공호등 시설로 대피

　　o 최악의 경우, 방독면 착용, 안전지대로 대피후 육로 및 항공편을
　　　　통해 긴급 철수

바. 이스라엘 (59명)

　　o 이스라엘 민방위 본부의 지시에 따라 행동

　　o 화학전 발생시, 호텔, 공공시설등에 마련된 인근 대피소로
　　　　대피

　　o 텔아비브, 하이파 등 유태인 집단 거주지 체류 교민의 여타 지역
　　　　으로의 소개 권유

　　o 이스라엘 체류 모든 교민의 이집트 등 국외로의 긴급대피 계속추진

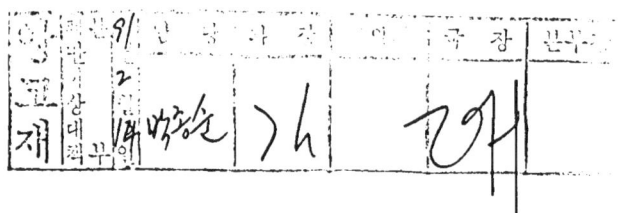

0032

전쟁 위험지역 진출 상사·건설 업체 근로자 철수 현황

(91. 2. 18 현재)

국 명	총 원			철 수 자			잔 류 자		
	상사	건설	계	상사	건설	계	상사	건설	계
사우디	179	2,710 (건설) 45 (용역)	2,934	161	1,116	1,277	18	1,594 (건설) 45 (용역)	1,657
U A E	97	213	310	74	68	142	23	145	168
바레인	52	58 (건설) 130 (용역)	240	43	11(건설) 11(용역)	65	9	47(건설) 119(용역)	175

※ U.A.E. : (상사)KOTRA, 13개 업체

   (진출업체) 한국중공업, 대우. 경남, 현대건설 (3개업체)

※ 바레인 : (상사) 외환은행, 한일은행, 대우, 대한항공 (4개업체)

   (진출업체) 현대건설, 영진공사 (2개업체)

※ 사우디 : (상사) 대우 등 ~~~개 업체 (대우, 금호, 한국타이어, 효성, 현대, 대우자동차,

   (진출업체) 현대건설, 한진등 22개 업체   선명(재인주), 9

0033

걸프전쟁 위험지역 체류교민 현황 및 안전보호 대책

1. 교민철수 및 잔류현황

가. 현 황 (91.2.18. 현재)

국별	공관원및가족(고용원포함)			상사(금융기관,KOTRA포함)			진출업체 근로자			현지취업자등 기타교민			제		
	총인원	철수자	잔류자	총인원	철수자	잔류자	총인원	철수자	잔류자	총인원	철수자	잔류자	총인원	철수자	잔류자
사우디	136	80	56	179	161	18	2,755	1,116	1,639	1,910	414	1,496	4,980	1,771	3,209
이라크	9	8	1	-	-	-	87	80	7	-	-	-	96	88	8
쿠웨이트	-	-	-	-	-	-	-	-	-	9	-	9	9	-	9
요르단	12	5	7	-	-	-	2	-	2	52	40	12	66	45	21
바레인	14	6	8	52	43	9	188	22	166	81	31	50	335	102	233
카타르	14	-	14	-	-	-	-	-	-	68	16	52	82	16	66
U.A.E.	19	1	18	97	74	23	213	68	145	321	84	237	650	227	423
이스라엘	-	-	-	-	-	-	-	-	-	113	56	57	113	56	57
총 8개국	204	100	104	328	278	50	3,245	1,286	1,959	2,554	641	1,913	6,331	2,305	4,026

※ (총인원은 91.1.5. 현재)

外務部 걸프事態 非常對策 本部

題 目 : 걸프전쟁 위험지역 체류 근로자 철수 문제 (공관 보고) 1991. 2. 22.

1. 근로자 철수 현황
   o 사우디 : 총 2,755명중 1,163 철수, 1,592 잔류
   o U.A.E. : 총 213명중 68 철수, 145 잔류
   o 바레인 : 총 58명중 11명 철수, 47 잔류
   o 카타르 : 없음
   o 오 만 : 없음

2. 근로자 철수로 인한 업체 피해
   o 전쟁 피해가 가장큰 사우디 지역 진출 다수의 근로자 철수로 인해,
     사우디내 전선과 인접한 동부지역 공사 현장은 공사 손실 발생이
     불가피 할것으로 보임.
     - 그러나 이는 공사 계약상 War risK 에 해당돼, 발주처와의 교섭
       또는 클레임 청구를 통해 피해 손실 보상을 요구하게 될 것임.
   o U.A.E., 바레인, 카타르, 오만등은 직접적인 전쟁 피해지역이 아닌
     관계로 U.A.E., 바레인 경우, 진출 아국 건설업체 소속 근로자들
     대부분 커다란 동요 없이 작업에 임하고 있으며 근로자 철수에 따른
     업체별 피해는 없는 것으로 파악됨.
     - 카타르, 오만 경우는 현재 진출 아국 건설업체가 없음.

3. 건설 수주 영향
   o 근로자 철수 문제로 인해 사우디 동부지역을 제외한 지역(시공잔액
     기준 전체의 85%)에서는 전쟁 발발이후 거의 정상적으로 공사시공
     중인바, 향후 수주에 미칠 영향은 그다지 크지 않을것으로 판단됨.
   o U.A.E. 경우는 건설 수주에 미칠 영향이 별로 없을 것으로 파악됨.
     - 바레인 경우, 공사중인 건설 현장은 없으나 걸프전쟁에도 불구
       진출 아국업체 인원 다수가 잔류하고 있어 향후 수주에 유리한
       입장임.

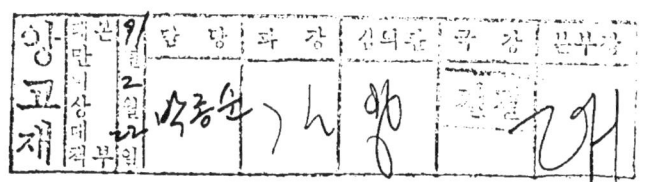

0035

政府綜合廳舍 810號   電話 : 730-8283/5, 730-2941.6.7.9, (구내)2331/4, 2337/8   Fax : 730-8286

전쟁위험지역 체류교민 안전대책

1. 교민철수 현황 및 대책

   가. 교민현황 (91. 2. 23 현재)

      ㅇ 전쟁 발발당시 사우디, 이라크, 쿠웨이트, 요르단, 카타르, 바레인 U.A.E., 이스라엘 8개국에 총 6,331명 체류

      ㅇ KAL 특별기편으로 4차에 걸쳐 1,373명 철수한것을 비롯 그간 총 2,475명이 철수, 현재 3,856명 잔류

      ㅇ 국가별로는 사우디 3,039, 요르단 21, 카타르 66, 바레인 233, U.A.E 423, 이라크 8, 쿠웨이트 9, 이스라엘 57명 각각 잔류중이며 이들 모두 아무런 피해없이 안전함

   나. 철수대책

      ㅇ 젯다(사우디), 두바이(UAE), 마나마(바레인)등 대부분 공항에 정기 민항기 국제선 운항이 재개되고 있는점을 감안,

      - 향후 정기 민항기편을 이용하는 방법을 강구될 것이나,

      - 특별기 추가 운항이 불가피할 경우, 특별기 취항을 주선할 예정

      ㅇ 공항 폐쇄로 인한 항공편 이용이 불가능할 경우에 대비, 해상 및 육로를 이용한 철수 방법도 병행하여 강구

2. 잔류교민 신변안전대책

   가. 이라크의 공격 사정권

      ㅇ 다국적군이 제공권을 장악하고 있는 현상황에서 지상전이 개시될경우 이라크의 공격은 재래식 무기, 스커드 미사일 및 화생방전등으로 압축될수 있는바,

      - 재래식 무기는 사우디, 이라크 및 쿠웨이트 인접지역에서 사용될 가능성이 큼

      ㅇ 보유 미사일중 최장거리인 스커드 미사일은 사정거리 600-900km로서 U.A.E 북부, 사우디 중부 및 동북부, 이스라엘, 요르단, 카타르, 바레인 전역이 사정권내에 들것으로 추정되는바,

      - 동미사일에 화학탄두를 장착 발사할 경우 상기 지역에 피해예상

0036

나. 신변안전대책

1) 긴급대피 적극 유도

  o 지상전이 개시될 경우 이라크의 미사일 또는 재래식 무기공격에 대비,
    방공호등 비상 대피시설, 비상식량등을 확보, 자체 안전대책을
    강화토록 하며

    - 현지 공관의 긴급 대피계획에 따라 현지실정에 맞게 잔류교민의
      안전 조치 강구

  o 특히 이라크 공격시 전쟁 피해가 클것으로 에상되는 사우디 동북부
    지역(카심, 호포프, 다란등) 교민 1,121명중

    - 젯다, 타이프등 안전지대로 880명의대피를 완료

    - 잔여 241명도 ~~조만간~~ 유사지 대피 예정

  o 유사시 인접국으로 긴급 대피할 경우에 대비

    - 인접국 주재 아국 공관에 훈령을 내려 대피교민의 입국이 가능
      토록 조치하고,

    - 수송편의 및 임시숙소등 사전 준비토록 조치

  o 이스라엘 잔류교민 57명은 대부분 동반가족이 없는 유학생 및
    신부들로서, 모두 안전 함.

    - 학업사정상 또는 이스라엘의 안보신뢰등으로 국외대피에는 소극적

    - 그러나, 정부는 이들의 신변안전을 위해 국외대피 종용

    - 긴급대피시 7가지 체류교민의 안전조치로서, 보유중인 방독면을
      항상 휴대하고, 이스라엘 민방위 본부의 지시에 따라 행동할것과,

    - 텔아비브, 하이파등 유대인 집단거주지를 피해 여타 안전지대로
      잠정 대피할것도 권유

2) 화학전 대비책

  o 화학전 대비. 외교행낭편으로 상기국가 체류교민에 대한 방독면
    지급 완료

    ※ 이스라엘 체류교민은 이스라엘 정부가 지급한 방독면 보유

0037

o 안전대책

   - 공관 및 업체별로 방독면 착용 및 응급처치 요령등 교육 및
     안내를 통해 화학전 대비 요령 시달

   - 라디오, TV 등 주재국 언론매체를 통한 방송 청취생활화 및
     비상연락망을 통한 공관과의 수시 정보교환으로 화학전 발생시에
     대비, 신변안전 도모

0038

對 테러 關係

○ 걸프事態 關聯 對 테러關係 當部 所管事項
  - 在外公館, 我國業體 僑民 保護對策
  - 駐在國 關係機關과의 安全措置를 위한 協調
  - 查證發給 審査 強化
  - 國際테러 關聯 情報蒐集 및 關係機關 通報
○ 當部 措置事項
  - 在外公館 查證發給審査 強化
  - 駐韓 外交公館 및 外交官 警備 強化 및 國內 居住
    아랍인등 動向把握
    · 安企部, 治安本部 協調
  - 在外國民 身邊 安全 指針 示達
    · 騷擾地帶 旅行, 外出自制 勸誘
  - 在外公館 自體 警備 強化

0039

KBS 라디오 "안녕하십니까" 프로그램 인터뷰(2.25. 06:50)

1. 걸프전 전망과 대책

○ 지난 1.17. 전쟁은 이미 시작 되었읍니다만 지금까지는 다국적군의 공습이
전쟁의 주요한 양상이었읍니다. 그동안 지상전을 피하기 위한 외교적 해결
노력에도 불구하고 걸프사태가 지상전으로 이르게된 것은 매우 불행한
일이라 생각합니다.
금번 지상전은 걸프사태 해결을 위한 유엔 안전보장이사회의 제반결의를
이행하기 위하여 취해진 불가피한 조치로 생각됩니다. 전쟁이 조기에
종결되어 인명피해등 전쟁의 피해가 최소화되고 걸프지역의 안정과 평화가
조속히 회복되기를 기대 합니다.

○ 정부는 걸프전이 종식되면 중동의 세력 구도가 바뀌고 전쟁으로 폐허화된
이지역의 복구와 경제부흥 문제가 대두될 것으로 보고 현재 외교적, 경제석
대응 방안을 다각적으로 강구하고 있읍니다.

2. 정부 조사단 파견 목적과 활동 계획

○ 외무부 제 2차관보를 단장으로 6개 부처 관계관으로 구성된 걸프사태 현지
조사단이 어제아침 출국 하였습니다.

○ 이 조사단은 사우디아라비아, 요르단, 아랍에미리트, 이집트를 약 2주간
순방하면서 전후 중동질서 재편을 염두에둔 현지 정세를 파악하고 우리나라가
이미 공여하기로 약속한 전쟁 주변국에대한 경제지원 사업을 당사국과 협의하며
전후 복구와 경제 부흥 계획에 관한 정보를 수집하고 현지 진출 우리업체와도
협의하며 교민 신변안전을 점검하는등의 임무를 수행할 예정입니다.

0040

3. 중동지역 잔류교민 현황과 안전대책

o 전쟁 위험지역인 이라크, 쿠웨이트는 물론 사우디아라비아, 요르단, 바레인,
  카타르, 아랍에미리트, 이스라엘등 모두 8개국가에는 전쟁 발발 이전에
  약 6,300명의 우리 교민이 체류하고 있었읍니다.
  그간 4차례에 걸친 특별기운항, 교민의 자진대피 권장 등을 통해 교민의
  안전대피를 위해 노력한 결과 약 2,500명이 철수를 완료하였고, 현재는
  3,800여명의 교민이 잔류하고 있읍니다.

o 잔류 교민들의 안전을 위해서 저희 외무부는 공관별로 현지실정에 맞게
  비상대피 계획을 짜놓고 있었읍니다. 어제 아침 지상전이 개시되었다는
  소식이 있자마자 저희는 공관별 교민대피 계획을 즉각 시행토록 훈령
  하였읍니다. 특히 화생방전이 일어날 가능성에 대비해서 교민들은 방독면을
  이미 지급 받았읍니다만 유사시에는 방독면을 착용하고 비상연락망을 통하여
  안전지대로 긴급대피 할 것입니다.

4. 걸프전 관련 대국민 당부말씀

o 우리가 40년전 6.25 동란때 유엔의 도움을 받아 침략을 격퇴하고 나라를
  지킬수 있었던 것을 생각하면 지금 침략을 물리치고 국제 정의를 실현하기
  위한 유엔의 결의를 지지하고 국제적 노력을 지원하는 것은 너무나 당연하다고
  하겠읍니다. 그러나 우리가 능력이 없으면 그렇게 하고싶어도 못할 것입니다.
  그런데 우리는 다행히도 그동안 온 국민이 힘을 합쳐 경제 발전을 이룩하고
  또 정치적 안정을 이룩한 결과 이제는 국제법과 국제정의를 회복하기 위한
  국제적 노력에 참여할 수 있게 된것은 여간 자랑스러운 일이 아닐수 없읍니다.

o 우리는 그러나 여기에 만족하지 아니하고 또 이러한 조그마한 기여에 자만하지
  아니하고 앞으로 닥칠 이번 전쟁으로 인한 국제 유가의 변동에 대처할 수 있는
  준비가 필요하다고 봅니다. 조그마한 경제적인 여유에 도취되어 과소비 풍조에
  휩싸이고 있지는 않은지 너나없이 생각해 보아야 하겠읍니다.

0041

o 또 우리는 냉전의 종식과 함께 새로운 국제 질서가 태동하는 이 시점에서
   세계 도처에서 나타날수 있는 군사적 모험주의가 반드시 남의 일만이 아니라는
   점을 유의 해야 찰 것으로 생각합니다.   끝.

0042

분류기호 문서번호	영일20830- 114	협 조 문 용 지		결			
시행일자	1991. 3. 9.			재			
수 신	중동아프리카국장	발 신	영사교민국장 （서명)				
제 목	걸프지역 여행제한 완화						

대: 중근동 720-7 (1991.1.17)

1. 91.3.6 주독 대사의 보고에 의하면 걸프전이 종전됨에 따라

  독일 외무부는 자국민의 대이라크 인접국 여행금지 조치를

  일부 해제 하였다 합니다.

2. 이와관련, 귀국에서 대호로 요청하였던 아국인의 동지역

  국가 여행자제 권고에 대한 완화 조치 검토가 필요하다고

  사료 되는바, 이에 대한 귀견을 회신바랍니다. 끝.

이라크지역 해제

0043

1505 - 8 일 (1)
85. 9. 9 승인 "내가아낀 종이 한장 늘어나는 나라살림"   190mm×268mm(인쇄용지 2급 60g /㎡)
가 40-41 1987. 10. 13.

심의관:

분류기호	중동일720-	협조문용지	결	담 당	과 장	국 장
문서번호	70	( )	재			(서명)

시행일자	1991. 3. 11.

수 신	영사교민국장	발 신	중동아프리카국장

제 목	걸프지역 국가 여행 제한 완화

대 : 영일 20830-114 (91.3.9)

연 : 중근동 720-7

대호 관련, 다음과 같이 회보 합니다.

1. 걸프전이 종전됨에 따라 아국 일반인들이 걸프 지역국가를

   여행함에 있어서 안전상 별다른 문제가 없을 것으로 보이며,

   따라서 아국인의 동 국가 여행 제한조치를 해제시켜도 무방할

   것으로 사료 됩니다.

2. 단, 이들 국가중 이라크는 걸프전쟁이 종전됨에도 불구, 국내

   치안상태가 극히 불안한 상태이므로 국내 정세가 어느정도

   안정될 때까지 아국인들의 동국가 여행을 당분간 자제 시키는것이

   좋을 것임을 첨언 합니다. 끝.

0044

2. 체류 동포 현황

0045

걸프 6개국 체류 교민 현황 (91. 1. 3 現在)

- 중동아프리카국 -

지 역 별	총 체 류 자 수	공관원, 상사 및 건설업체 근로자	순 수 교 민 (현지취업자등)
사 우 디	4,980 ~1358~ (사우디 대사관 관할 : 3,622) (젯다 총영사관 관할 : 1,358) ~1338~	3,070 (공관원 147, 업체 2,923) 136 ~203429~	1,910
이 라 크	125 (쿠웨이트 교민 9명 포함)	116 (공관원 9, 업체 107)	9 (쿠웨이트 체류교민 9명 포함)
요 르 단	~89~ 66	12 (공관원 12, 업체 0)	~77~ ~76~ 53
바 레 인	335	278 (공관원 14, 업체 264)	57
카 타 르	~77~ 82	19 (공관원 13, 업체 6)	~58~ 63
U. A. E.	650	329 (공관원 19, 업체 310)	321
총 6개지역	6,256	3,824	2,432

0046

걸프 6개국 체류 교민 현황

(91.1.7. 현재)   - 중동아프리카국 -

국 가 별	총 체 류 자 수	공관원, 상사 및 건설업체 근로자	순 수 교 민 (현지취업자등)
사 우 디	480 ~~4,758~~ (사우디대사관관할: 3,622 (젯다총영사관 관할 : 1,358)	3,070 (공관원 147, 업체 2,923)	1,910
이 라 크	125 (쿠웨이트 교민 9명 포함)	116 (공관원 9, 업체 107)	9 (쿠웨이트 체류 교민 9명 포함)
요 르 단	66	21 (공관원 12, 업체 9)	45
바 레 인	335	278 (공관원 14, 업체 264)	57
카 타 르	77	19 (공관원 13, 업체 6)	58
U. A. E.	650	329 (공관원 19, 업체 310)	321
총 6개지역	6,233	3,833	2,400

0047

전쟁 위험지역 체류교민 철수현황

(91.1.15. 현재)

국 별	체류자수	기철수자 (특별기포함)	철수희망자	체류희망자	잔류자
사 우 디	4,980	200	파악중	파악중	4,780 여명
이 라 크	125 (9) (쿠웨이트 잔류 교민 9명포함)	92 (4)		33(1) 쿠웨이트 잔류교민 9명 포함	33(1)
요 르 단	66 (9)	39	파악중	파악중	27
카 타 르	82 (13)	14	"	"	68
바 레 인	335 (14)	73	"	"	262
U. A. E.	650 (19)	0	"	"	650
총 6개국	6,238	391			5,847

※ 이스라엘 교민 현황

총체류인원	철수인원	잔류인원	비 고
111	13	98	. 철수자 이집트로 대피 . 1.15.전후 40여명 추가 　철수 예정

0048

걸프지역 체류교민 철수현황

국 별	총 원 (91.1.5)	기철수자 (괄호는 KAL 특별기)	잔 류 자	비 고 (추가철수희망자)
사 우 디	4,980	200 (200)	4,780	38
이 라 크	96	72 (37)	24 (현대소속 23 공관고용원 1)	0
쿠 웨 이 트	9	0	9 (개인사업상 잔류희망)	0
요 르 단	66	40 (16)	26	0
카 타 르	82	14	68	17
바 레 인	335	76 (48)	259	0
U. A. E.	650	142	508	41
총 7개국	6,218	544 (301)	5,674	96

0049

걸프지역 체류교민 철수현황

(공관원 및 가족)

(91.1.15 19시 현재)

국 별	총 원 (91.1.5)	기철수자 (괄호는 KAL 특별기)	잔 류 자	비 고 (추가철수희망자)
사 우 디	4,980 (136) ~~(136)~~	200 (43) (200)	4,780 (93)	38 + 337 = 375 (30~40) 한대가족
이 라 크	96 (6)	72 (5) (37)	24 (1) (현대소속 23 공관고용원 1)	0
쿠 웨 이 트	9 (이)	0	9 (0) (개인사업상 잔류희망)	0
요 르 단	66 (12)	40 (8) (16)	26	0
카 타 르	82 (13)	14 (1)	68 (12)	17
바 레 인	335 (14)	76 (0) (48)	259 (14)	0
U. A. E.	650 (19)	142 (1)	508 (18)	41
총 7개국	6,218 (200)	544 (49) (301)	5,674 (151)	96 + 337 = 433

ㅇ 이라크 : ※ 현대직원 포및 고용원 : 4 한양 7. 건우 1. 삼성 15.

0050

전쟁 위험지역 교민 철수 동향

(1.15. 현재)

1. 사우디

- ㅇ 총 교민수 : 4,980명
- ㅇ 철수인원 : 200명 (KAL 특별기편 철수)
- ㅇ 잔류 예상 인원 : 4,780명
- ㅇ 추가 철수 희망 : 38명

2. 이라크

- ㅇ 총 교민수 : 96명
- ㅇ 총 철수인원 72명 (KAL특별기편 37명)
- ㅇ 잔류 예상 인원 : 24명 (공관 고용원 1, 현대 23)
- ㅇ 체류 희망자 : 24명

  ※ 기자 9명 별도 잔류

3. 쿠웨이트

- ㅇ 총 교민수 : 9명
- ㅇ 체류 희망자 : 9명

4. 요르단

- ㅇ 총 교민수 : 66명
- ㅇ 총 40명 철수 (KAL 특별기편 16명)
- ㅇ 잔류 예상 인원 : 26명
- ㅇ 추가 철수 희망자 없음.

0051

5. 카타르

- 총 교민수 82명
- 철수 인원 : 14명
- 잔류 인원 : 68명
- 철수 희망자 : 17명

6. 바레인

- 총 교민수 : 335명
- 철수 인원 : 76명 (KAL 특별기편 48명)
- 잔류 인원 : 259명
- 철수 희망자 없음.

7. UAE

- 총 교민수 : 650명
- 철수 인원 : 142명
- 잔류 인원 : 508명
- 추가 철수 희망자 : 41명

0052

1.16
현재

~~각국별~~ 체류교민 직업별 분류 현황
◎동북(1.19) : 여요 PP. 각층 PK
행정177 = ~~379~~ ~~37~~

국별		공관	~~상사 건설~~ ~~업체~~	기타교민	계
사우디	총원	~~6~~			4P80
	철수				283
	잔류				4697
오만국	총원	17	9	40	~~66~~
	철수	10	6	27	43
	잔류	7	3	13	~~20~~ 23
UAE	총원	1P			650
	철수	1			130
	잔류	18	320 ~~∅∅8~~	1KP	~~520~~ 489
이락크	총원	ⓑ6	P0		P6
	철수	~~∅∅~~5	67		72
	잔류	1	23		24
바레인					
카타르					
요만		24P			
이스라엘		24PP			
		111			
		~~70~~			

0053

걸프지역 체류교민 철수현황

(91.1.16. 09시 현재)

국 별	총 원 (91.1.5)	기철수자 (괄호는 KAL 특별기)	잔 류 자	비 고 (추가철수희망자)
사 우 디	4,980	200 (200)	4,780	397 (리야드 337, 젯다 60)
이 라 크	96	72 (37)	24 (현대소속 23 공관고용원 1)	0
쿠 웨 이 트	9	0	9 (개인사업상 잔류희망)	0
요 르 단	66	40 (16)	26	0
카 타 르	82	14	68	17
바 레 인	335	76 (48)	259	0
U. A. E.	650	142	508	41
총 7개국	6,218	544 (301)	5,674	455

0054

걸프지역 체류교민 철수현황

(91.1.17. 15시 현재)

국 별	총 원 (91.1.5)	기철수자 (괄호는 KAL 특별기)	잔 류 자	비 고 추가철수희망자
사 우 디	4,980	200 (200)	4,780	397 (리야드 337, 젯다 60)
이 라 크	96	72 (37)	24 (현대소속 23 공관고용원 1)	0
쿠 웨 이 트	9	0	9 (개인사업상 잔류희망)	0
요 르 단	66	43 (16)	23	0
카 타 르	82	14	68	40
바 레 인	335	76 (48)	259	0
U. A. E.	650	130	520	450
총 7개국	6,218	535 (301)	5,683	887

0055

걸프지역 체류교민 철수현황

국 별	총 원 (91.1.5)	기철수자 (괄호는 KAL 특별기)	잔 류 자	비 고 추가철수희망자
사 우 디	4,980	283 (200)	4,697	397 (리야드 337, 젯다 60)
이 라 크	96	72 (37)	24 (현대소속 23 공관고용원 1)	0
쿠 웨 이 트	9	0	9 (개인사업상 잔류희망)	0
요 르 단	66	43 (16)	23	0
카 타 르	82	14	68	40
바 레 인	335	76 (48)	259	0
U. A. E.	650	130	520	450
총 7개국	6,218	618 (301)	5,600	887

* 오만: 249

* 이스라엘 : 111

0056

걸프지역 체류교민 철수현황

748-3408
현대건선 대책본부
하 오문전목

(91.1.17. 20시 현재)

746-
2510
김효00

국 별	총 원 (91.1.5)	기 철수자 (괄호는 KAL 특별기)	잔 류 자	비 고
사 우 디	4,980	283 (200)	4,697	
이 라 크	96	72 (37)	24 (현대소속 23 공관고용원 1)	※ MBC 특파원 4명 취재 활동중
쿠 웨 이 트	9	0	9 (개인사업상 잔류희망)	
요 르 단	66	43 (16)	23	※ KBS 특파원등 18명 취재 활동중
카 타 르	82	14	68	
바 레 인	335	76 (48)	259	
U. A. E.	650	130	520	
총 7개국	6,218	618 (301)	5,600	※ 특파원 22명

0057

※ 이스라엘 교민 현황

총체류인원	철수인원	잔류인원	비 고
111	13	98	. 철수자 이집트로 대피 . 1.15.전후 40여명 추가 철수 예정

0058

걸프지역 체류교민 철수현황

국 별	총 원 (91.1.5)	기철수자 (괄호는 KAL 특별기)	잔 류 자	비 고
사 우 디	4,980	283 (200)	4,697	
이 라 크	96	72 (37)	24 (현대소속 23 공관고용원 1)	※ MBC 특파원 4명 취재 활동중
쿠 웨 이 트	9	0	9 (개인사업상 잔류희망)	
요 르 단	66	43 (16)	23	※ KBS 특파원 18명 취재 활동중
카 타 르	82	14	68	
바 레 인	335	76 (48)	259	
U. A. E.	650	130	520	
이 스 라 엘	111	46	65	
총 8개국	6,329	664 (301)	5,665	※ 특파원 22명 취재활동중

0059

걸프지역 체류교민 철수현황

(91.1.18. 12시 현재)

국 별	총 원 (91.1.5)	기철수자 (괄호는 KAL 특별기)	잔 류 자	비 고
사 우 디	4,980	283 (200)	4,697	
이 라 크	96	72 (37)	24 (현대소속 23 공관고용원 1)	※ MBC 특파원 4명 취재 활동중
쿠 웨 이 트	9	0	9 (개인사업상 잔류희망)	
요 르 단	66	43 (16)	23	※ KBS 특파원 18명 취재 활동중
카 타 르	82	14	68	특별기 이착륙 허가 가능
바 레 인	335	76 (48)	259	
U. A. E.	650	130	520	○특별기 이착륙 허가 가능 ○두바이 민항기 운항 중
이 스 라 엘	111	46	65	
총 8개국	6,329	664 (301)	5,665	※ 특파원 22명 취재활동중

※ 특별기 탑승 철수희망자 기십명 程度
　(사태추이 規見望中)
※ 카타르, UAE 제외한 대부분 공항, 民航機에 離着陸不許

0060

외무부 상황실 근무인원

(총 24명)

페만 비상 대책 본부장
제2차관보　　이기주
중동아국장　　이해순
심　의　관　　양태규
공　보　관　　정의용

아프리카 1과	아프리카 2과	중 근 동 과	마그레브과
강선용 과장	유시야 과장	김의기 과장	신국호 과장
장석철 서기관	이병현 서기관	김동억 서기관	허덕행 서기관
구본우 사무관	한원중 사무관	박종순 서기관	김은석 서기관
		박규옥 사무관	서승렬 사무관
		강금구 사무관	
		최형찬 사무관	
		유미선	
		정은주	
		황정미	
		이미영	

0061

사우디 東北部 地域 체류자 현황

총 원 (91.1.5)	1.16. 06시 현재		1.17 06시 현재		1.18 06시 현재		대피 총 철수 인원
	철 수	잔 류	철 수	잔 류	철 수	잔 류	
1,121 (업체 731, 기타 390	255	866	127	739	121+44 *(165)* *(업체 344, 따라고싸가리 P, 의료 PP, 죠고리 업자 236)*	*(574)* 618-44 (업체 284, 기타 334) 의료 PP, 업자 284, 따나-P.	*(547)* 503+44 = (업체 447, 기타 56)

(업체 73P, 기타 345)

1. 18. 10:00 김현수 오무라
라재친문

0062

사우디 체류자 현황

(1.18. 11:50 회교 TE)

o 총 4,697명 (동북부 618, 중부 2,569, 서부 1,510)

o 화학전 대비, 업체 근로자, 개인 취업자등 모든 교민의 방독면 지급 완료

o 현재 공항, 해상, 국경 폐쇄로 국외 철수는 어려운 실정

o 교민들 신변은 안전하며 동요는 없음

※ 김 노무관과 통화

0063

이스라엘 교민 지역별 현황

(91.1.18 현재)

o   예루살렘   40명

o   텔아비브   8명

o   레호보트   13명

o   엘라트   6명

o   하이파   2명

o   키부츠   3명

계   72명

0064

이락 잔류 현대건설 근로자 통계 (1.18)

o   23명에서 22명으로 정정

o   현대건설 아국 직원과 결혼한 이락여자를 통계에 넣었으나 최근 조회
     결과 아국적 취득이 되어있지 않아 통계에서 뺌.

0

0065

쿠웨이트 잔류교민 현황

o   현재 쿠웨이트 내에는 강재억 및 가족 2명과 유재성, 신자철, 오호, 전성규, 최길웅, 조성묵등 총 9명이 잔류해 있음.

o   이중 유재성씨 가족 4명(부인 및 자녀 3)은 대한적십자사에 수용, 보호되고 있음.

0066

걸프지역 체류교민 철수현황

국 별	총 원 (91.1.5)	기철수자 (괄호는 KAL 특별기)	잔 류 자	비 고
사 우 디	4,980	283 (200)	4,697	
이 라 크	96	73 (37)	23 (현대소속 22 공관고용원 1)	※ MBC 특파원 4명 취재 활동중
쿠 웨 이 트	9	0	9 (개인사업상 잔류희망)	
요 르 단	66	43 (16)	23	※ KBS 특파원 18명 취재 활동중
카 타 르	82	14	68	
바 레 인	335	76 (48)	259	
U. A. E.	650	130	520	
이 스 라 엘	111	46	65	
총 8개국	6,329	665 (301)	5,664	※ 특파원 22명 취재활동중

0067

사우디 東北部 地域 체류자 현황

총 원 (91.1.5)	1.16. 06시 현재		1.17 06시 현재		1.18 06시 현재		총 철수 인원
	철 수	잔 류	철 수	잔 류	철 수	잔 류	
1,121 (업체 731, 기타 390	255	866	127	739	121	618 (업체 284, 기타 334)	503 (업체 447, 기타 56)

0068

사우디 잔류 교민 대피 현황

(91. 1. 19 현재)

잔류인원	구 분		대피인원 (리야드,젯다등)	현 원
	지 역 별	인 원		
4,697	동 북 부	1,121	648	473
	중 부	2,218	(▲ 496)	2,714
	서 부	1,358	(▲ 152)	1,510

0069

걸프지역 체류교민 철수현황

_____

(91.1.19. 09시 현재)

국 별	총 원 (91.1.5)	기철수자 (괄호는 KAL 특별기)	잔 류 자	비 고
사 우 디	4,980	283 (200)	4,697	
이 라 크	96	73 (37)	23 (현대소속 22 공관고용원 1)	요르단으로 철수진중 (현재 1) 1.18 10 (최종인정) (산성 16) 거쳐 도착 예정
쿠 웨 이 트	9	0	9 (개인사업상 잔류희망)	
요 르 단	66	43 (16)	23	※ 아국 특파원 22명 취재 활동중
카 타 르	82	17	65	
바 레 인	335	76 (48)	259	
U. A. E.	650	130	520	
이 스 라 엘	111	40	71 47	텔아비브지역 7(잔류) 기타지역 64 안전
총 8개국	6,329	661 (301)	5,668 5,667	※ 아국 특파원 22명 취재 활동중

0070

걸프지역 체류고민 철수현황

국 별	총 원 (90.1.5)	기철수자 (괄호는 KAL 특별기)	잔 류 자	비 고
사 우 디	4,980	283 (200)	4,697	
이 라 크	96	73 (37)	23 (현대소속 22 공관고용원1)	
쿠웨이트	9	0	9 (개인사업상 잔류 희망)	
요 르 단	66	45 (16)	21	※ 아국 특파원 22명 취재 활동중
카 타 르	82	17	65	
바 레 인	335	76 (48)	259	
U. A. E.	650	167	483	
이스라엘	111	40	71	
총 8개국	6,329	701 (301)	5,628	※ 아국 특파원 22명 취재 활동중

0071

걸프지역 체류교민 철수현황

국 별	총 원 (91.1.5)	기철수자 (괄호는 KAL 특별기)	잔 류 자	비 고
사 우 디	4,980	283 (200)	4,697	
이 라 크	96	73 (37)	23 (현대소속 22 공관고용원 1)	
쿠 웨 이 트	9	0	9 (개인사업상 잔류희망)	
요 르 단	66	45 (16)	21	※ 아국 특파원 22명 취재 활동중
카 타 르	82	17	65	
바 레 인	335	76 (48)	259	
U. A. E.	650	167	483	
이 스 라 엘	111	40	71	※ 1.20.경 27명 이집트 로 대피 예정
총 8개국	6,329	701 (301)	5,628	※ 아국 특파원 22명 취재 활동중

0072

사우디 잔류 교민 현황

총 원 (91.1.5.)		현 원	비고 (증감인원)
지역별	인 원		
동 북 부	1,121	370	751명 감소 (중부, 서부지역으로 대피)
중 부	2,218	2,809	591명 증가 (동북부에서 유입)
남 부	1,358	1,518	160명 증가 (동북부에서 유입)
계	4,697	4,697	

0073

걸프지역 체류교민 철수현황

(91.1.20. 11시 현재)

국 별	총 원 (91.1.5)	기철수자 (괄호는 KAL 특별기)	잔 류 자	비 고
사 우 디	4,980	283 (200)	4,697	
이 라 크	96	73 (37)	23 (현대소속 22 공관고용원 1)	
쿠 웨 이 트	9	0	9 (개인사업상 잔류희망)	
요 르 단	66	45 (16)	21	※ 아국 특파원 22명 취재 활동중
카 타 르	82	17	65	
바 레 인	335	76 (48)	259	
U. A. E.	650	167	483	
이 스 라 엘	111	40	71	※ 1.20.경 27명 이집트 로 대피 예정
총 8개국	6,329	701 (301)	5,628	

0074

사우디 잔류 교민 현황

(91.1.21. 07:00 현재)

총 원 (91.1.5.)		현 원	비고 (증감인원)
지 역 별	인 원		
동 북 부	1,121	320	801명 감소 (중부, 서부지역으로 대피)
중 부	2,218	2,814	596명 증가 (동북부에서 유입)
남 부	1,358	1,563	205명 증가 (동북부에서 유입)
계	4,697	4,697	

0075

걸프지역 체류교민 철수현황

(91.1.20. 11시 현재)

국 별	총 원 (91.1.5)	기철수자 (괄호는 KAL 특별기)	잔 류 자	비 고
사 우 디	4,980	283 (200)	4,697	
이 라 크	96	73 (37)	23 (현대소속 22 공관고용원 1)	
쿠 웨 이 트	9	0	9 (개인사업상 잔류희망)	
요 르 단	66	45 (16)	21	※ 아국 특파원 22명 취재 활동중
카 타 르	82	17	65	
바 레 인	335	76 (48)	259	
U. A. E.	650	167	483	
이 스 라 엘	111	40	71	※ 1.20.경 27명 이집트로 대피 예정
총 8개국	6,329	701 (301)	5,628	

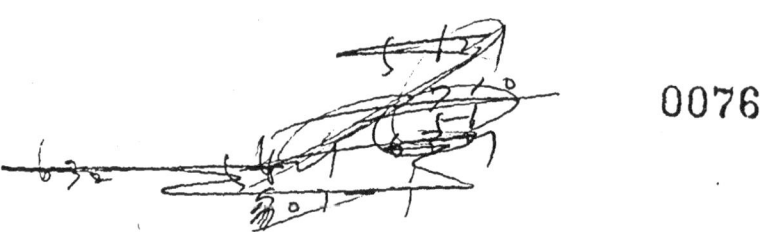

0076

걸프지역 체류교민 철수현황

(91.1.20. 23:00 현재)

국 별	총 원 (91.1.5)	기철수자 (괄호는 KAL 특별기)	잔 류 자	비 고
사 우 디	4,980	283 (200)	4,697	
이 라 크	96	73 (37)	23 (현대소속 22 공관고용원 1)	
쿠 웨 이 트	9	0	9 (개인사업상 잔류희망)	
요 르 단	66	45 (16)	21	※ 아국 특파원 22명 취재 활동중
카 타 르	82	17	65	
바 레 인	335	76 (48)	259	
U. A. E.	650	171	479	
이 스 라 엘	113	49	64	※ 1.20. 20:00 (현지시간) 9명 이집트 도착
총 8개국	6,331	710 (301)	5,621	

0077

사우디 동북부 체류 교민 현황

(1.21. 11시 현재)

o 의료 요원 (간호원등) 99명

o 진출 업계 52명

o 현지 업체 및 기타 169명

계 320명

0078

外務部 걸프事態 非常對策 本部

題 目 :   1991.   .   .

걸프지역 체류교민 철수현황

(91.1.21. 17:00 현재)

국 별	총 원 (91.1.5)	기철수자 (괄호는 KAL 특별기)	잔 류 자	비 고
사 우 디	4,980	283 (200)	4,697	
이 라 크	96	73 (37)	23 (현대소속 22 공관고용원 1)	
쿠 웨 이 트	9	0	9 (개인사업상 잔류희망)	
요 르 단	66	45 (16)	21	※ 아국 특파원 22명 취재 활동중
카 타 르	82	17	65	
바 레 인	335	76 (48)	259	
U. A. E.	650	171	479	
이 스 라 엘	113	49	64	※ 1.20. 20:00 (현지시간) 9명 이집트 대피
총 8개국	6,331	714 (301)	5,617	

0079

政府綜合廳舍 810號   電話 : 730-8283/5, 730-2941. 6. 7. 9, (구내) 2331/4, 2337/8   Fax : 730-8286

재 사우디 교민 직업별 분류 현황

1. 전 지 역

(1.21. 17시 현재)

구분 직업별	주 사우디 대사관 관할	주 젯다 총영사관 관할	계
공관원및가족 (고용원및가족)	58 (14)	35 (16)	93 (30)
파견공무원및 국영기업체	28	16	44
상사 및 은행 주재원	85	112	197
의료 요원	237	103	340
진출 업체	1,742	804	2,546
현지 업체 및 기타	984	493	1,477
계	3,134	1,563	4,697

2. 동북부 지역

직 업 별	인 원	비 고
진 출 업 체	52	
의 료 요 원 (간호원포함)	99	
현지 업체 및 기타	169	
계	320	

0080

外務部 걸프事態 非常對策 本部

題 目: 1991.   .   .

걸프지역 체류교민 철수현황

(91.1.21. 20:00 현재)

국 별	총 원 (91.1.5)	기철수자 (괄호는 KAL 특별기)	잔 류 자	비 고
사 우 디	4,980	283 (200)	4,697	
이 라 크	96	73 (37)	23 (현대소속 22 공관고용원 1)	
쿠 웨 이 트	9	0	9 (개인사업상 잔류희망)	
요 르 단	66	46 (16)	20	※ 특파원 7명 취재 활동중 (이중 4명은 1.21.귀국예정)
카 타 르	82	17	65	
바 레 인	335	76 (48)	259	
U. A. E.	650	171	479	
이 스 라 엘	113	49	64	※ 특파원 15명 취재 활동중
총 8개국	6,331	715 (301)	5,616	

0081

政府綜合廳舍 810號   電話 : 730-8283/5, 730-2941. 6. 7. 9, (구내)2331/4, 2337/8   Fax : 730-8286

外務部 걸프事態 非常對策 本部

題 目 : 요르단 체류 특파원 동정   1991. 1 . 21

　

ㅇ   요르단 체류 (3) : MBC 윤두환, KBS 이영일, 황성규

ㅇ   귀국 예정 (4) : MBC 강성주, 이진숙, 서태경, 황성희

ㅇ   이스라엘 입국 (15) : - KBS 김관성, 이현규, 박시명

　　　　　　　　　　　　　　　MBC 정동영, 조항민, 이미애

　　　　　　　　　　　　　　　조선 김성용(이상 7명 1.20 입국)

　　　　　　　　　　　　　- 서울 김주혁, 류재림. 한국 이상덕,

　　　　　　　　　　　　　　경향 김종두, 중앙 배명복,

　　　　　　　　　　　　　　국민 염성덕, 동아 반병희,

　　　　　　　　　　　　　　연합통신 유영준 (이상 8명 1.21 입국)

* 1.21 밤 늦게 MBC 정동영, 조항민, 이미애 3명 암만 귀환예정

0082

政府綜合廳舍 810號   電話 : 730-8283/5, 730-2941. 6. 7. 9, (구내) 2331/4, 2337/8   Fax : 730-8286

동아일보 보도(1.21.자) 잔류교민 동향

1. 요르단 (20명)

   o 공관원 7명

   o 교민 13명 (대부분 개인 사업가로 잔류 희망)

   o 공관측은 긴급 사태에 대비, 아카바항 및 항공편을 통한 이집트로의
   출국과 육로를 통한 시리아로의 출국 준비 완료

   ※ 국내 보도진 22명(이중 15명은 이스라엘 입국, 취재 활동중)

2. 이라크 (23명)

   o 공관 고용원 박상화(34세, 朴相化)

   - 공관 거주(지하 방공호를 피난처로 활용)

   o 현대근로자 22명

   - 전쟁 발발 직전일인 1.16. 14명은 바그다드 남부 아다시야 위치
   사업본부에 집결

   - 나머지 인원 8명은 바스라등 각 사업장에 소수인원씩 분산되어
   있었음.

   - 현대측은 이들 전원을 바그다드에 집결시켜 바그다드 동북쪽
   170 ㎞ 지점의 라마디 대피장소로 소개시킬 계획이었음.

3. 쿠웨이트 (9명)

   o 이들 대부분은 현지에 생활 터전을 갖고있는 사람들로서 잔류를 희망

4. 사우디 (4,697명)

   o 진출업체(2,546명) : 현대 899, 대림 203, 신성 240, 한일개발 265명등

   o 전쟁 발발 직후 사우디 동북부 쿠웨이트 국경 150㎞ 지점인 담맘, 쥬베일
   지역의 공사현장에 필수요원만 남기고 모든 인원을 리야드나 젯다등
   안전지대로 대피시킴.

	담 당	과 장	심의관	국 장	본부장

0083

外務部 걸프事態 非常對策 本部

題 目 : **걸프지역 체류교민 철수현황** 1991.

(91.1.22. 04:00 현재)

국 별	총 원 (91.1.5)	기철수자 (괄호는 KAL 특별기)	잔 류 자	비 고
사 우 디	4,980	283 (200)	4,697	
이 라 크	96	73 (37)	23 (현대소속 22 공관고용원 1)	
쿠 웨 이 트	9	0	9 (개인사업상 잔류희망)	
요 르 단	66	46 (16)	20	※ 특파원 7명 취재 활동중 (이중 4명은 1.21.귀국예정)
카 타 르	82	17	65	
바 레 인	335	76 (48)	259	
U. A. E.	650	201	449	
이 스 라 엘	113	49	64	※ 특파원 15명 취재 활동중
총 8개국	6,331	745 (301)	5,586	

0084

政府綜合廳舍 810號   電話 : 730-8283/5, 730-2941. 6. 7. 9, (구내) 2331/4, 2337/8   Fax : 730-8286

外務部 걸프事態 非常對策 本部

題 目: 걸프지역 체류교민 철수현황   1991. . .

국 별	총 원 (91.1.5)	기철수자 (괄호는 KAL 특별기)	잔 류 자	비 고
사 우 디	4,980	283 (200)	4,697	
이 라 크	96	73 (37)	23 (현대소속 22 공관고용원 1)	
쿠 웨 이 트	9	0	9 (개인사업상 잔류희망)	
요 르 단	66	46 (16)	20	※ 특파원 7명 취재 활동중 (이중 4명은 1.21.귀국예정)
카 타 르	82	17	65	
바 레 인	335	76 (48)	259	
U. A. E.	650	201	449	
이 스 라 엘	113	49	64	※ 특파원 15명 취재 활동중
총 8개국	6,331	745 (301)	5,586	

0085

政府綜合廳舍 810號   電話:730-8283/5, 730-2941.6.7.9, (구내)2331/4, 2337/8   Fax:730-8286

外務部 걸프事態 非常對策 本部

題 目 : **걸프지역 체류교민 철수현황**　　　1991.

국　별	총 원 (91.1.5)	기철수자 (괄호는 KAL 특별기)	잔 류 자	비 　 고
사 우 디	4,980	283 (200)	4,697	
이 라 크	96	73 (37)	23 (현대소속 22 공관고용원 1)	
쿠 웨 이 트	9	0	9 (개인사업상 잔류희망)	
요 르 단	66	46 (16)	20	※ 특파원 7명 취재 활동중 (이중 4명은 1.22. 귀국예정)
카 타 르	82	17	65	
바 레 인	335	76 (48)	259	
U. A. E.	650	201	449	
이 스 라 엘	113	49	64	※ 특파원 15명 취재 활동중
총 8개국	6,331	745 (301)	5,586	

0086

政府綜合廳舍 810號　　電話 : 730-8283/5, 730-2941. 6. 7. 9, (구내)2331/4, 2337/8　Fax : 730-8286

外務部 걸프事態 非常對策 本部

題 目 :,　　　　　걸프지역 체류교민 철수현황　　　　　1991.

국　　　별	총 원 (91.1.5)	기철수자 (괄호는 KAL 특별기)	잔 류 자	비 고
사 우 디	4,980	283 (200)	4,697	
이 라 크	96	73 (37)	23 (현대소속 22 공관고용원 1)	
쿠 웨 이 트	9	0	9 (개인사업상 잔류희망)	
요 르 단	66	46 (16)	20	※ 특파원 10명 　취재 활동중 　(이중 4명은 　1.22.귀국예정)
카 타 르	82	17	65	
바 레 인	335	76 (48)	259	
U. A. E.	650	201	449	
이 스 라 엘	113	49	64	※ 특파원 14명 　취재 활동중
총 8개국	6,331	745 (301)	5,586	

0087

政府綜合廳舍 810號　　電話 : 730-8283/5, 730-2941. 6. 7. 9, (구내) 2331/4, 2337/8　　Fax : 730-8286

外務部 걸프事態 非常對策 本部

題 目：

사우디 동북부 체류 교민 현황

1991.

(1.23. 09시 현재)

o 의료 요원(간호원등)		99명
o 진출 업계		45명
o 현지 업체 및 기타		169명
	계	313명

0088

政府綜合廳舍 810號   電話：730-8283/5, 730-2941.6.7.9, (구내)2331/4, 2337/8   Fax：730-8286

外務部 걸프事態 非常對策 本部

사우디 잔류 교민 현황

題 目: 1991.   .

(91.1.23. 09시 현재)

총 원 (91.1.5.)		현 원	비고 (증감인원)
지 역 별	인 원		
동 북 부	1,121	313	808명 감소 (중부, 서부지역으로 대피)
중 부	2,218	2,721	503명 증가 (동북부에서 유입)
서 부	1,358	1,663	305명 증가 (동북부에서 유입)
계	4,697	4,697	

0089

政府綜合廳舍 810號   電話：730-8283/5，730-2941.6.7.9，(구내)2331/4，2337/8   Fax：730-8286

外務部 걸프事態 非常對策 本部

題 目 : 　　걸프지역 체류교민 철수현황　　1991.

(91.1.23. 20 시 현재)

국　　별	총　원 (91.1.5)	기철수자 (괄호는 KAL 특별기)	잔 류 자	비　고
사 우 디	4,980	283 (200)	4,697	
이 라 크	96	73 (37)	23 (현대소속 22 공관고용원 1)	
쿠 웨 이 트	9	0	9 (개인사업상 잔류희망)	
요 르 단	66	46 (16)	20	※ 특파원 6명 취재 활동중
카 타 르	82	17	65	
바 레 인	335	76 (48)	259	
U. A. E.	650	215	435	
이 스 라 엘	113	49	64	※ 특파원 14명 취재 활동중
총 8개국	6,331	759 (301)	5,572	

0090

政府綜合廳舍 810號　　電話 : 730-8283/5, 730-2941. 6. 7. 9, (구내)2331/4, 2337/8　　Fax : 730-8286

外務部 걸프事態 非常對策 本部

사우디 잔류 교민

題 目 :   1991.

총 원 (91.1.5.)		현 원	비고 (증감인원)
지 역 별	인 원		
동 북 부	1,121	313	808명 감소 (중부, 서부지역으로 대피)
중 부	2,218	2,721	503명 증가 (641명중 138명 서부지역으로 이동)
서 부	1,358	1,663	305명 증가 (중부에서 138, 동북부 에서 167유입)
계	4,697	4,697	

0091

政府綜合廳舍 810號   電話 : 730-8283/5, 730-2941. 6. 7. 9, (구내)2331/4, 2337/8   Fax : 730-8286

걸프지역 특파원 현황

23.
(91.1.~~22~~. 18:30시 현재)

언론사	요르단(암만)	이스라엘	이집트(카이로)
서 울		김주혁 류재림(사)	
조 선		김성용	
한 국	이성석	~~이상석~~ 강병태	
세 계	⋮		주섭일
동 아		반병희	
중 앙		배명복	
국 민	엽성덕	~~염성덕~~ 김창용	
경 향	김종두	~~김종두~~	
연 통		유영준	
K B S	이영일 황성규(사)	김관상 이형기(사) 박희명(사)	
M B C	정동영 조항민(사) 이미애(사) 윤두환 (1.22 귀국예정) 강성주 이진숙 서태경(사) 황성희(사)	양국일보	
계	10	~~14~~ ~~11~~ 12	1

※ (사) 사진기자

재 사우디 교민 직업별 분류 현황

1. 전 지 역

(1. 24. 08시 현재)

구분 직업별	주 사우디 대사관 관할	주 젯다 총영사관 관할	계
공관원및가족 (고용원및가족)	58 (14)	35 (16)	93 (30)
파견공무원및 국영기업체	28	16	44
상사 및 은행 주재원	85	112	197
의료 요원	237	103	340
진출 업체	1,742	804	2,546
현지 업체 및 기타	984	493	1,477
계	3,134	1,563	4,697

2. 동북부 지역

직 업 별	인 원	비 고
진 출 업 체	52	
의 료 요 원 (간호원포함)	99	
현지 업체 및 기타	169	
계	320	

0093

外務部 걸프事態 非常對策 本部

題 目 :　　　　걸프지역 체류교민 철수현황　　　　1991.

(91.1.23. 14 시 현재)

국 별	총 원 (91.1.5)	기철수자 (괄호는 KAL 특별기)	잔 류 자	비 고
사 우 디	4,980	283 (200)	4,697	
이 라 크	96	73 (37)	23 (현대소속 22 공관고용원 1)	
쿠 웨 이 트	9	0	9 (개인사업상 잔류희망)	
요 르 단	66	46 (16)	20	※ 특파원 6명 취재 활동중
카 타 르	82	17	65	
바 레 인	335	76 (48)	259	
U. A. E.	650	201	449	
이 스 라 엘	113	49	64	※ 특파원 14명 취재 활동중
총 8개국	6,331	745 (301)	5,586	

0094

政府綜合廳舍 810號　　電話 : 730-8283/5, 730-2941. 6. 7. 9, (구내) 2331/4, 2337/8　Fax : 730-8286

U A E 교민현황

(1.23. 현재)

ㅇ 공관원 및 가족   : 18

ㅇ 건설업체   : 150

ㅇ 상사직원 및 가족   : 21

ㅇ 일반교민   : 246

───────────────

계   : 435 명

0095

外務部 걸프事態 非常對策 本部

題 目: 걸프地域 滯留僑民 撤收 現況

1991. 1 24
(年頭報告 參考資料)

(91.1.24. 01 時 現在)

國 別	總 員 (91.1.5)	既撤收者 (括弧는 KAL 特別機)	殘 留 者	備 考
사 우 디	4,980	283 (200)	4,697	
이 라 크	96	73 (37)	23 (現代所屬 22 公館雇用員 1)	
쿠 웨 이 트	9	0	9 (個人事業上 殘留希望)	
요 르 단	66	46 (16)	20	※ 特派員 6名 取材 活動中
카 타 르	82	17	65	
바 레 인	335	76 (48)	259	
U. A. E.	650	215	435	
이 스 라 엘	113	52	61	※ 特派員 14名 取材 活動中
總 8個國	6,331	762 (301)	5,569	

0096

政府綜合廳舍 810號 電話：730-8283/5, 730-2941.6.7.9, (구내)2331/4, 2337/8 Fax：730-8286

外務部 걸프事態 非常對策 本部

題 目 : 걸프地域 滯留僑民 撤收 現況   1991. 1 . 24 .

(91.1.24. 08 時 現在)

國 別	總 員 (91.1.5)	既撤收者 (括弧는 KAL 特別機)	殘 留 者	備 考
사 우 디	4,980	283 (200)	4,697	※ 極東建設 59名, 1.24. UAE로 陸路 撤收 豫定
이 라 크	96	73 (37)	23 (現代所屬 22 公館雇用員 1)	
쿠 웨 이 트	9	0	9 (個人事業上 殘留希望)	
요 르 단	66	46 (16)	20	※ 特派員 6名 取材 活動中
카 타 르	82	17	65	
바 레 인	335	76 (48)	259	
U. A. E.	650	215	435	
이 스 라 엘	113	52	61	※ 特派員 14名 取材 活動中
總 8個國	6,331	762 (301)	5,569	

0097

政府綜合廳舍 810號   電話 : 730-8283/5, 730-2941.6.7.9, (구내)2331/4, 2337/8   Fax : 730-8286

外務部 걸프事態 非常對策 本部

題 目 : 걸프地域 滯留僑民 撤收 現況   1991. 1 . 24

(91.1.24. 20 時 現在)

國　　別	總　員 (91.1.5)	旣撒收者 (括弧는 KAL 特別機)	殘　留　者	備　　考
사 우 디	4,980	290 (200)	4,690	
이 라 크	96	73 (37)	23 (現代所屬 22 公館雇用員 1)	
쿠 웨 이 트	9	0	9 (個人事業上 殘留希望)	
요 르 단	66	46 (16)	20	※ 特派員 9名 取材 活動中
카 타 르	82	17	65	
바 레 인	335	76 (48)	259	
U. A. E.	650	215	435	
이 스 라 엘	113	52	61	※ 特派員 11名 取材 活動中
總 8個國	6,331	769 (301)	5,562	

0098

政府綜合廳舍 810號　　電話 : 730-8283/5, 730-2941. 6. 7. 9, (구내) 2331/4, 2337/8　Fax : 730-8286

걸프지역 잔류 교민 현황

지 역 별	총잔류자수	공관원 및 가족	상사·건설 업체	순수 교민
사 우 디	4,690	93 (공관원 리야드 19, 젯다 4)	2,736	1,861
이 라 크	23	1 (고용원)	22	0
쿠웨이트	9	0	0	9
요 르 단	20	7 (공관원 5)	1	12
카 타 르	65	13 (공관원 3)	6	46
U. A. E.	435	18 (공관원 5)	171	246
바 레 인	259	14 (공관원 3)	186	59
이스라엘	61	0	0	61
계	5,562	146	3,122	2,294

0099

外務部 걸프事態 非常對策 本部

題 目 : 걸프地域 滯留僑民 撤收 現況　　　　　1991. 1. 24.

(91.1.24. 16 時 現在)

國　　別	總　員 (91.1.5)	旣撤收者 (括弧는 KAL 特別機)	殘　留　者	備　　考
사　우　디	4,980	290 (200)	4,690	※極東建設 　59명, 1.24 　UAE로 陸路 　撤收 豫定
이　라　크	96	73 (37)	23 (現代所屬 22 公館雇用員 1)	
쿠　웨　이　트	9	0	9 (個人事業上 殘留希望)	
요　르　단	66	46 (16)	20	※ 特派員 9名 　取材 活動中
카　타　르	82	17	65	
바　레　인	335	76 (48)	259	
U.　A.　E.	650	215	435	
이　스　라　엘	113	52	61	※ 特派員 12名 　取材 活動中
總 8個國	6,331	769 (301)	5,562	

0100

政府綜合廳舍 810號　　電話 : 730-8283/5, 730-2941.6.7.9, (구내)2331/4, 2337/8　　Fax : 730-8286

外務部 걸프事態 非常對策 本部

題 目 : 걸프地域 滯留僑民 撤收 現況   1991. 1 . 25 .

(91.1.25. 08 時 現在)

國 別	總 員 (91.1.5)	旣撤收者 (括弧는 KAL 特別機)	殘 留 者	備 考
사 우 디	4,980	290 (200)	4,690	
이 라 크	96	73 (37)	23 (現代所屬 22 公館雇用員 1)	
쿠 웨 이 트	9	0	9 (個人事業上 殘留希望)	
요 르 단	66	46 (16)	20	※ 特派員 9名 取材 活動中
카 타 르	82	17	65	
바 레 인	335	76 (48)	259	
U. A. E.	650	215	435	
이 스 라 엘	113	58	55	※ 特派員 12名 取材 活動中
總 8個國	6,331	775 (301)	5,556	

0101

政府綜合廳舍 810號   電話 : 730-8283/5, 730-2941. 6. 7. 9, (구내)2331/4, 2337/8   Fax : 730-8286

사우디 잔류 교민 현황

(91.1.24. 46시 현재)

총 원 (91.1.5.)		잔류자 현 원	비고 (증감인원)
지 역 별	인 원		
동 북 부	1,121	~~284~~ 265	~~856명~~ 837명 감소 (중부, 서부지역으로 대피)
중 부	2,218	~~2,363~~ 2168	※ 증가인원 503명 중 ~~358명~~ 서부지역으로 이동 (145명 증가) ※
서 부	1,358	~~2,043~~ 2257	※ 중부에서 496, 동북부에서 196 유입 (692명 증가) ~~※ 이중 7명 젯다에서 개별 출국~~
계	4,697	4,690	

0102

걸프地域 滯留僑民 撤收 現況

(91.1.25. 22시 현재)

국 별	총 원 (91.1.5)	기철수자 (괄호는 KAL 특별기)	잔 류 자	비 고
사 우 디	4,980	949 (859)	4031	*1.25 KAL특별기편 659명 본국 철수
이 라 크	96	82 (37)	14 (현대소속 13, 공관고용원 1)	* 현대 근로자9명 1.25 이란으로 철수
쿠웨이트	9	0	9 (개인사업상 잔류 희망)	
요 르 단	66	46 (16)	20	* 특파원 9명 취재 활동중
카 타 르	82	17	65	
바 레 인	335	76 (48)	259	
U. A. E.	650	215	435	
이스라엘	113	58	55	* 특파원 12명 취재 활동중
총 8개국	6,331	1443 (960)	4,888	

0103

外務部 걸프事態 非常對策 本部

題 目: **사우디 잔류 교민 현황**

1991.

(91.1.26. 14시 현재)

총 원 (91.1.5.)		잔 류 자	비 고
지 역 별	인 원		
동 북 부	1,121	265	
중 부	2,501	2,168	
서 부	1,358	1,598	※ 2,257명중 659명 1.25 KAL 특별기편 본국 철수
계	4,980	4,031	

0104

政府綜合廳舍 810號   電話 : 730-8283/5, 730-2941. 6. 7. 9, (구내) 2331/4, 2337/8   Fax : 730-8286

外務部 걸프事態 非常對策 本部

題 目 : 걸프地域 滯留僑民 撤收 現況   1991.   .

(91.1.27. 08 時 現在)

國 別	總 員 (91.1.5)	旣撤收者 (括弧는 KAL 特別機)	殘 留 者	備 考
사 우 디	4,980	989 (859)	3,991	
이 라 크	96	82 (37)	14 (現代所屬 13 公館雇用員 1)	
쿠 웨 이 트	9	0	9 (個人事業上 殘留希望)	
요 르 단	66	46 (16)	20	※ 特派員 11名 取材 活動中
카 타 르	82	17	65	
바 레 인	335	76 (48)	259	
U. A. E.	650	215	435	
이 스 라 엘	113	58	55	※ 特派員 11名 取材 活動中
總 8個國	6,331	1,483 (960)	4,848	

0105

政府綜合廳舍 810號   電話 : 730-8283/5, 730-2941.6.7.9, (구내) 2331/4, 2337/8   Fax : 730-8286

근로대책반
박사우 및 거주
교민(근로자포함) 대피 및 철수 인원

1991. 1. 28. 현재
08:00

분류	철수 인원 (기 철수)				수송 대기			양·송부			비고
	서부	중부	동부	소계	현지대기	회구대기	송부	현지대기	회구	송부	
계(합)	1,860	1,866	265	3,991							
민항직원 및 그 용원	16(4)	17(15)		33(19)							米 ( )은
교사등 공무원	9(5)	14(13)		23(18)							잔여수
향영 기업체	8(2)	5(5)		13(7)							( )안은 출국자수
은행 주재원	8(2)	1(1)		9(3)							
상사 주재원		...									
취로	40(9)			40(9)							사우디아라비아
전자	96	134	97	329							- 제다이동 :50
항해	1,077	1,133	19	2,229							- 후송귀국 23
기타	606	562	147	1,315							- 교민 27

外務部 걸프事態 非常對策 本部

題 目 : 걸프地域 滯留僑民 撤收 現況   1991.

(91.1.28. 10 時 現在)

國 別	總 員 (91.1.5)	旣撤收者 (括弧는 KAL 特別機)	殘 留 者	備 考
사 우 디	4,980	989 (859)	3,991	
이 라 크	96	82 (37)	14 (現代所屬 13 公館雇用員 1)	
쿠 웨 이 트	9	0	9 (個人事業上 殘留希望)	
요 르 단	66	46 (16)	20	※ 特派員 13名 取材 活動中
카 타 르	82	17	65	
바 레 인	335	76 (48)	259	
U. A. E.	650	227	423	
이 스 라 엘	113	58	60 55	※ 特派員 11名 取材 活動中 5명 재입국
總 8個國	6,331	1,495 (960)	4,836	

0107

政府綜合廳舍 810號   電話 : 730-8283/5, 730-2941. 6. 7. 9, (구내)2331/4, 2337/8   Fax : 730-8286

外務部 걸프事態 非常對策 本部

題 目 : 걸프地域 滯留僑民 撤收 現況   1991.

(91.1.28. 18 時 現在)

國　　別	總　員 (91.1.5)	既撤收者 (括弧는 KAL 特別機)	殘　留　者	備　　考
사 우 디	4,980	989 (859)	3,991	
이 라 크	96	82 (37)	14 (現代所屬 13 公館雇用員 1)	
쿠 웨 이 트	9	0	9 (個人事業上 殘留希望)	
요 르 단	66	46 (16)	20	※ 特派員 13名 取材 活動中
카 타 르	82	17	65	
바 레 인	335	76 (48)	259	
U. A. E.	650	227	423	
이 스 라 엘	113	53	60	※ 特派員 11名 取材 活動中
總 8個國	6,331	1,490 (960)	4,841	

0108

政府綜合廳舍 810號　電話 : 730-8283/5, 730-2941.6.7.9, (구내)2331/4, 2337/8　Fax : 730-8286

外務部 걸프事態 非常對策 本部

題 目 걸프地域 滯留僑民 撤收 現況   1991.

(91.1.~~20.~~22 時 現在)

國 別	總 員 (91.1.5)	旣撤收者 (括弧는 KAL 特別機)	殘 留 者	備 考
사 우 디	4,980	989 (859)	3,991	
이 라 크	96	82 (37)	14 (現代所屬 13 公館雇傭員 1)	
쿠 웨 이 트	9	0	9 (個人事業上 殘留希望)	
요 르 단	66	46 (16)	20	※ 特派員 13名 取材 活動中
카 타 르	82	~~17~~ 16	~~65~~ 66	1명 복귀
바 레 인	335	~~98~~ 100 (48)	~~237~~ 239	
U. A. E.	650	227	423	
이 스 라 엘	113	53	60	※ 特派員 11名 取材 活動中
總 8個國	6,331	~~1,512~~ 1,509 (960)	~~4,819~~ 4,822	

0109

政府綜合廳舍 810號   電話：730-8283/5, 730-2941.6.7.9, (구내)2331/4, 2337/8   Fax：730-8286

外務部 걸프事態 非常對策 本部

題 目 : <u>사우디 殘留 僑民 現況</u>　　　　　　1991.

(91.1.29. 07時 現在)

總　員 (91.1.5.)		殘 留 者	備 考
地 域 別	人 員		
東 北 部	1,121	271 (醫療要員 99名, 進出業體 25名, 現地就業者 및 家族 147名)	○ 1.27現在 265名 에서 - 中部로부터 6명 流入
中 部	2,501	1,956	○ 1.27現在 2,168名 에서 -206名 西部地域 , 6명 東北部 지역으로 移動
西 部	1,358	1,764	○ 1.27現在 1,598名 에서 -中部로부터 206명 流入 -이중 40명 個別 出國
計	4,980	3,991	

0110

政府綜合廳舍 810號　　電話 : 730-8283/5, 730-2941.6.7.9, (구내)2331/4, 2337/8　Fax : 730-8286

外務部 걸프事態 非常對策 本部

題 目: 걸프地域 滯留僑民 撤收 現況

1991.

(91.1.29. 09 時 現在)

國 別	總 員 (91.1.5)	既撤收者 (括弧는 KAL 特別機)	殘 留 者	備 考
사 우 디	4,980	989 (859)	3,991	
이 라 크	96	82 (37)	14 (現代所屬 13 公館雇傭員 1)	
쿠 웨 이 트	9	0	9 (個人事業上 殘留希望)	
요 르 단	66	46 (16)	20	※ 特派員 13名 取材 活動中
카 타 르	82	16	66	
바 레 인	335	96 (48)	239	
U. A. E.	650	227	423	
이 스 라 엘	113	53	60	※ 特派員 11名 取材 活動中
總 8個國	6,331	1,509 (960)	4,822	

0111

政府綜合廳舍 810號   電話 : 730-8283/5, 730-2941.6.7.9, (구내) 2331/4, 2337/8   Fax : 730-8286

外務部 걸프事態 非常對策 本部

題 目 : 걸프地域 滯留僑民 撤收現況

1991.

(91.1.29. 20 時 現在)

國　別	總　員 (91.1.5)	旣撤收者 (括弧는 KAL特別機)	殘　留　者	備　考
사 우 디	4,980	989 (859)	3,991	
이 라 크	96	82 (37)	14 (現代所屬 13 公館雇傭員 1)	
쿠 웨 이 트	9	0	9 (個人事業上 殘留希望)	
요 르 단	66	46 (16)	20	※特派員13名 取材活動中
바 레 인	335	96 (48)	239	
카 타 르	82	16	66	
U. A. E	650	227	423	
이 스 라 엘	113	53	60	※特派員11名 取材活動中
總 8 個國	6,331	1,509 (960)	4,822	

0112

政府綜合廳舍 810號　電話 : 730-8283/5, 730-2941. 6. 7. 9, (구내) 2331/4, 2337/8　Fax : 730-8286

外務部 걸프事態 非常對策 本部

題 目 : 사우디 殘留 僑民 現況   1991.   .   .

(91. 1. 29. 20 時 現在)

總 員 (91.1.5.)		殘 留 者	備 考
地 域 別	人 員		
東 北 部	1,121	265 (醫療要員 99名, 進出業體 19名, 現地就業者 및 家族 147名)	○ 1.28 現在 271名 에서 - 6名 西部地域 으로 移動
中 部	2,501	1,866	○ 1.28現在1,956名 에서 -90명 西部地域 으로 移動
西 部	1,358	1,860	○ 1.28現在1,764名 에서 -中部로부터90名 流入 -東北部로부터 6名 流入
計	4,980	3,991	

0113

政府綜合廳舍 810號   電話 : 730-8283/5, 730-2941. 6. 7. 9, (구내)2331/4, 2337/8   Fax : 730-8286

걸프전쟁 위험지역 체류교민 현황 및 안전보호 대책

1. 교민철수 및 잔류현황

가. 현 황 (91.1.29. 현재)

※ (총인원은 91.1.5. 현재)

국 별	공관원및가족 (고용원포함)			상사, 진출업체 근로자			현지취업자등기타교민			계		
	총인원	접수자	잔류자	총인원	접수자	잔류자	총인원	접수자	잔류자	총인원	접수자	잔류자
사 우 디	136	80	56	2,934	665	2,269	1,910	244	1,666	4,980	989	3,991
이 라 크	9	8	1	87	74	13	-	-	-	96	82	14
쿠웨이트	-	-	-	-	-	-	9	-	9	9	-	9
요 르 단	12	5	7	1	-	1	53	41	12	66	46	20
바 레 인	14	7	7	264	71	193	57	18	39	335	96	239
카 타 르	13	-	13	6	-	6	63	16	47	82	16	66
U. A. E.	19	1	18	310	139	171	321	87	234	650	227	423
이스라엘	-	-	-	-	-	-	113	53	60	113	53	60
총 8개국	203	101	102	3,602	949	2,653	2,526	459	2,067	6,331	1,509	4,822

0114

나. 체류 교민 잔류 사유
　　ㅇ 중동제국은 모든 외국인에 대해 영주권을 부여하지 않으므로, 순수한
　　　의미의 정착 교민은 없으며 모두 체류자들임
　　ㅇ 이스라엘 잔류교민은 총 60명으로, 유학생 및 카톨릭 신부들인 바,
　　　대피 종용에도 불구 학업 계속 내지 종교적 이유등으로 잔류 희망
　　ㅇ 쿠웨이트 잔류교민 9명은 쿠웨이트내에 기반을 둔 개인 사업자들로
　　　잔류를 희망 하였으나, 이들의 소재파악 및 안전 철수를 위해 ICRC등에
　　　협조를 요청하고 KBS 국제방송을 통해 이들의 긴급 대피를 권유하는
　　　메세지 전달
　　ㅇ 이라크 잔류 교민 14명중 현대소속 근로자 13명은 현장관리 필수요원
　　　들로서 부득이 잔류하게 되었으나, 육로를 통해 이.이 국경 경유
　　　이란으로 철수가 예상되며, 공관 고용원 1명은 개인사정으로 잔류를
　　　희망, 현재 공관 재산관리를 위해 남아있음.
　　ㅇ 사우디등 여타 국가 체류교민 4,739명은 대부분 건설업체 근로자,
　　　현지 취업 및 개인사업자들로서 그간 자진 철수를 권유해 왔음.
　　　- 현지 진출업체 소속 근로자들은 공사 관련 발주처와의 관계등으로
　　　　잔류해 왔으나 사태가 긴박해짐에 따라 자진철수 내지 긴급 대피를
　　　　종용한 결과 최근 본국 철수 내지 안전지대로의 대피 인원이 증가
　　　　되고 있음
　　　- 현지 취업자, 개인사업자등 기타 교민들은 생업 종사등을 이유로
　　　　상당수 잔류를 희망하고 있으며, 사태의 긴박성에 비추어 가족들을
　　　　귀국시키고 있음.

2. 교민 철수 계획
　가. 걸프전쟁 발발전인 1.14. 부터 현재까지 대한항공 특별기를 3차에 걸쳐
　　걸프지역에 투입, 960명의 교민을 본국으로 신속 철수시킴.
　　ㅇ 대한항공 특별기 3차 투입 실적 :
　　　- 제1차 (1.14)　　이라크, 요르단, 사우디, 바레인지역 301명
　　　- 제2차 (1.24)　　사우디, 리야드, 젯다 교민 409명
　　　- 제3차 (1.24)　　　〃　　　〃　　　〃　　　205명

0115

나. 제4차 특별기를 2.5. 사우디 젯다에 추가 투입, 약 400명의 사우디 체류
   교민을 수송할 예정

다. 앞으로도 사태 추이 및 철수 희망교민 수를 보아가며, 신속한 철수를
   위해 KAL 특별기를 추가 투입, 교민들을 수송할 계획임.

   ㅇ 사태 추이에 따라 운항시기, 기종, 회수, 경로등은 신축성있게 운영

라. 공항 폐쇄로 인해 항공편 이용이 불가능할 경우에 대비, 해상 및 육로를
   통한 철수 방법을 병행하여 추진

   ㅇ 해상 및 육로 철수 실적

      - 이스라엘 교민 53명, 육로를 통해 카이로등 국외로 긴급 대피

      - 이라크 철수 삼성종합건설 직원 16명, 육로 및 해상을 통해
        카이로로 철수후 항공편 귀국

      - 이라크 잔류, 현대건설 직원 9명, 육로편 이란으로 철수
        (현대 근로자 13명도 이란으로 추가 철수 예상)

마. 전쟁 피해가 가장 클것으로 예상되는 사우디 동북부지역(카심, 호포프,
   다란등) 체류 교민 1,121명에 대해서는 젯다, 타이프등 안전지대로
   대피토록 조치, 이미 856명이 대피 완료 하였으며 잔여 265명도 대피중에
   있음.

3. 교민 신변 안전 대책

   ㅇ 공관별로 수립된 비상계획에 의거, 교민의 개인신상 사전 파악 및 공관과의
      비상연락 체제 유지

   ㅇ 방공호등 비상 대피시설, 비상식량등을 확보하여 자체 자위력을 강화토록 하며
      현지 공관의 자체 긴급 대피 계획에 따라, 현지 실정에 맞게 잔류교민의 안전
      조치 강구

   ㅇ 유사시 근접국으로 긴급 대피할 경우에 대비, 근접국 주재 아국공관에 긴급
      훈령을 내려 대피교민의 입국이 가능토록 사전 조치하고, 수송 교통편의 및
      임시숙소등 사전 준비토록 조치

   ㅇ 화학전에 대비, 방독면등 화학장비 총 7,223착을 지급하여 교민 신변 안전에
      만전을 기함.

0116

o 공관원 및 가족 전원에 대한 전쟁보험을 가입한 바 있고 진출업체 소속
  근로자들을 위한 전쟁보험도 소속업체로 하여금 가입토록 적극 권장

4. 교민 입국시 보호 및 구호 대책

  가. 입국시 보호

    o 직원 1명이 특별기에 동승, 탑승교민을 인솔, 안전 수송토록 조치

    o 입국시 대한적십자사의 봉사 지원반을 파견하여 안내

    o 서울, 부산등 공항 및 항만에 기동의료반 편성 운영

    o 대한병원 협회의 협조하에 비상 진료기관(17개) 지정

  나. 구호 대책

    o 보사부, 대한적십자사등 관계 기관과 협조, 무연고 교민 지원 대책 강구

      - 서울시 12개 구민회관을 임시숙소로 확보 (수용 가능인원 1,789명)

      - 무연고 철수 교민중 전.월세 희망자는 130만원 범위 내에서
        보조금 지급

      - 무연고 철수 교민은 의료 보호 1종 대상자로 분류, 보호 .   끝.

0117

外務部 걸프事態 非常對策 本部

題 目:　걸프地域 滯留僑民 撤收現況　　　　　　　　1991. ·

(91.1.30. 09 時 現在)

國　別	總　員 (91.1.5)	既撤收者 (括弧는 KAL特別機)	殘　留　者	備　考
사 우 디	4,980	990 (859)	3,990	
이 라 크	96	82 (37)	14 (現代所屬 13 公館雇備員 1)	
쿠 웨 이 트	9	0	9 (個人事業上 殘留希望)	
요 르 단	66	46 (16)	20	※特派員12名 取材活動中
바 레 인	335	96 (48)	239	
카 타 르	82	16	66	
U. A. E	650	227	423	
이 스 라 엘	113	47	66	※特派員11名 取材活動中 ※카이로待避 人員6名復歸
總 8 個國	6,331	1,504 (960)	4,827	

0118

政府綜合廳舍 810號　　電話:730-8283/5, 730-2941.6.7.9, (구내)2331/4, 2337/8　Fax:730-8286

外務部 걸프事態 非常對策 本部

題 目 : 사우디 殘留 僑民 現況   1991.   .   .

(91.1.30. 09時 現在)

總 員 (91.1.5.)		殘 留 者	備 考
地 域 別	人 員		
東 北 部	1,121	263 (醫療要員 99名, 進出業體 17名, 現地就業者 및 家族 147名)	o 1.29 現在 265名 에서 - 2名 西部地域 으로 移動
中 部	2,501	1,865	o 1.29現在 1,866名 에서 -1명 西部地域 으로 移動
西 部	1,358	1,862	o 1.29現在 1,860名 에서 -中部로부터 1名 流入 -東北部로부터 2名 流入 -1名 歸國
計	4,980	3,990	

0119

政府綜合廳舍 810號   電話 : 730-8283/5, 730-2941. 6. 7. 9, (구내) 2331/4, 2337/8   Fax : 730-8286

外務部 걸프事態 非常對策 本部

題 目: 사우디 殘留 僑民 現況   1991.

(91.1.30. 19 時 現在)

總 員 (91.1.5.)		殘 留 者	備 考
地 域 別	人 員		
東 北 部	1,121	263 (醫療要員 99名, 進出業體 17名, 現地就業者 및 家族 147名)	○ 1.29 現在 265名 에서 - 2名 西部地域 으로 移動
中 部	2,501	1,865	○ 1.29現在1,866名 에서 -1명 西部地域 으로 移動

西 部	1,358	1,862	○ 1.29現在1,860名
			에서
			-中部로부터 1名
			   流入
			-東北部로부터
			  2名流入
			-1名 歸國

計	4,980	3,990	

0120

政府綜合廳舍 810號   電話:730-8283/5, 730-2941.6.7.9, (구내)2331/4, 2337/8   Fax:730-8286

外務部 걸프事態 非常對策 本部

題 目: **주요국가 국민의 전쟁 위험지역 체류 현황**

1991. 1. 31.

1. 일 본

   o 잔류현황

      - 이 라 크 : 없음
      - 쿠웨이트 : 6명
      - 사 우 디 : 49명
      - 바 레 인 : 9명
      - 카 타 르 : 29명
      - U. A. E. : 422명
      - 이스라엘 : 200여명

      (참고사항)
      ※ UAE를 비교적 안전한 지대로 판단, 철수를 권고치 않고 있음.
      ※ 이스라엘 잔류자는 ① 국제결혼 ② 사업관계, 여타지역 잔류자는
         ① 영주자 ② 종교관계등의 이유로 각각 잔류희망.

   o 철수계획

      - 동 지역 잔류자에 대한 별도의 철수 계획은 마련하고 있지 않으며,
      - 단지 신변 안전등의 목적으로 공관과 비상 연락망을 유지하고
        있는 정도임.

2. 영 국

   o 잔류현황

      - 이라크 및 쿠웨이트 약 50명

   o 철수계획

      - 상기 체류자들은 자진해서 잔류를 희망하는자들 이며,
      - 이들중 일부가 철수할 의사가 있다하더라도 전쟁 상황에서
        정부가 취할수 있는 조치는 극히 제한적임

0121

政府綜合廳舍 810號   電話 : 730-8283/5, 730-2941. 6. 7. 9, (구내) 2331/4, 2337/8   Fax : 730-8286

3. 독 일

   ㅇ 잔류현황

     - 이라크 및 쿠웨이트내에는 현재 이라크 주재 공관원(대사포함) 및
      이라크 국적 취득자등 소수인원만이 체류중

4. 이태리

   ㅇ 잔류현황

     - 이라크 및 쿠웨이트내 잔류자전원 철수완료
     - 다만, 극소수의 이중국적자 체류중

5. 인 도

   ㅇ 잔류현황

     - 이 라 크 : 약 800명
     - 쿠웨이트 : 약 8,000명

   (참고사항)

   ※ 상기 2개국 체류자는 당초 약 18만명 이었으나, 귀국 희망자에
     대한 철수 완료.　　끝.

0122

外務部 걸프事態 非常對策 本部

題 目: 걸프地域 滯留僑民 撤收現況   1991.

(91.2.1. 10 時 現在)

國 別	總 員 (91.1.5)	旣撤收者 (括弧는 KAL特別機)	殘 留 者	備 考
사 우 디	4,980	990 (859)	3,990	
이 라 크	96	82 (37)	14 (現代所屬 13 公館雇傭員 1)	
쿠 웨 이 트	9	0	9 (個人事業上 殘留希望)	
요 르 단	66	45 (16)	21	※特派員 12名 取材活動中
바 레 인	335	102 (48)	233	
카 타 르	82	16	66	
U. A. E	650	227	423	
이 스 라 엘	113	47	66	※特派員 9名 取材活動中
總 8 個國	6,331	1,509 (960)	4,822	

0123

政府綜合廳舍 810號   電話: 730-8283/5, 730-2941.6.7.9, (구내)2331/4, 2337/8   Fax: 730-8286

外務部 걸프事態 非常對策 本部

題 目: 사우디 殘留 僑民 現況

1991.

(91.2.1. 10 時 現在)

總 員 (91.1.5.)		殘 留 者	備 考
地 域 別	人 員		
東 北 部	1,121	245 (醫療要員 99名, 進出業體 4 名, 現地就業者 및 家族 142名)	o 1.30 現在 263名 에서 - 4名 中部地域, 14名 西部地域 으로 待避
中 部	2,501	1,869	o 1.30現在1,865名 에서 -4명 東北部地域 으로부터 流入
西 部	1,358	1,876	o 1.30現在1,862名 에서 - 東北部地域 으로부터 14名 流入
計	4,980	3,990	

0124

政府綜合廳舍 810號　　電話 : 730-8283/5, 730-2941.6.7.9. (구내) 2331/4, 2337/8　Fax : 730-8286

外務部 걸프事態 非常對策 本部

題 目 : 걸프地域 滯留僑民 撤收現況

1991.

(91.2.1. 17 時 現在)

國 別	總 員 (91.1.5)	旣撤收者 (括弧는 KAL特別機)	殘 留 者	備 考
사 우 디	4,980	990 (859)	3,990	
이 라 크	96	84 (37)	12 (現代所屬 11 公館雇傭員 1)	※1.31.現代 職員2名 이란 으로 撤收
쿠 웨 이 트	9	0	9 (個人事業上 殘留希望)	
요 르 단	66	45 (16)	21	※特派員12名 取材活動中
바 레 인	335	102 (48)	233	
카 타 르	82	16	66	
U. A. E	650	227	423	
이 스 라 엘	113	47	66	※特派員9名 取材活動中
總 8 個 國	6,331	1,511 (960)	4,820	

0125

政府綜合廳舍 810號   電話 : 730-8283/5, 730-2941. 6. 7. 9, (구내)2331/4, 2337/8   Fax : 730-8286

外務部 걸프事態 非常對策 本部

題 目: 걸프地域 滯留僑民 撤收現況

1991.

(91.2.2. 07 時 現在)

國 別	總 員 (91.1.5)	旣撤收者 (括弧는 KAL特別機)	殘 留 者	備 考
사 우 디	4,980	990 (859)	3,990	
이 라 크	96	84 (37)	12 (現代所屬 11 公館雇傭員 1)	※1.31.現代 職員2名 이란 으로 撤收
쿠 웨 이 트	9	0	9 (個人事業上 殘留希望)	
요 르 단	66	45 (16)	21	※特派員 8名 取材活動中
바 레 인	335	102 (48)	233	
카 타 르	82	16	66	
U. A. E	650	227	423	
이 스 라 엘	113	47	66	※特派員 9名 取材活動中
總 8 個國	6,331	1,511 (960)	4,820	

0126

政府綜合廳舍 810號　電話：730-8283/5. 730-2941.6.7.9, (구내)2331/4. 2337/8　Fax：730-8286

外務部 걸프事態 非常對策 本部

題 目 : 걸프地域 滯留僑民 撤收現況   1991.

(91.2.2. 12 時 現在)

國　別	總　員 (91.1.5)	旣撤收者 (括弧는 KAL特別機)	殘　留　者	備　考
사 우 디	4,980	990 (859)	3,990	
이 라 크	96	85 (37)	11 (現代所屬 10 公館雇傭員 1)	※2.1.現代 職員1名 이란 으로 追加撤收
쿠 웨 이 트	9	0	9 (個人事業上 殘留希望)	
요 르 단	66	45 (16)	21	※特派員 8名 取材活動中
바 레 인	335	102 (48)	233	
카 타 르	82	16	66	
U. A. E	650	227	423	
이 스 라 엘	113	47	66	※特派員 9名 取材活動中
總 8 個國	6,331	1,512 (960)	4,819	

0127

政府綜合廳舍 810號　電話 : 730-8283/5, 730-2941.6.7.9, (구내)2331/4, 2337/8　Fax : 730-8286

外務部 걸프事態 非常對策 本部

題 目 : 사우디 殘留 僑民 現況

1991.

(91.2.2. 07 時 現在)

總 員 (91.1.5.)		殘 留 者	備 考
地 域 別	人 員		
東 北 部	1,121	245 (醫療要員 99名, 進出業體 4 名, 現地就業者 및 家族 142名)	ㅇ 1.30 現在 263名 에서 - 4名 中部地域, 14名 西部地域 으로 待避
中 部	2,501	1,869	ㅇ 1.30現在1,865名 에서 -4명 東北部地域 으로부터 流入
西 部	1,358	1,876	ㅇ 1.30現在1,862名 에서 - 東北部地域 으로부터 14名 流入
計	4,980	3,990	

0128

政府綜合廳舍 810號   電話 : 730-8283/5, 730-2941.6.7.9, (구내)2331/4, 2337/8   Fax : 730-8286

外務部 걸프事態 非常對策 本部

題 目:　걸프地域 滯留僑民 撤收現況　　　　　　　　1991.

國 別	總 員 (91.1.5)	旣撤收者 (括弧는KAL特別機)	殘 留 者	備 考
사 우 디	4,980	990 (859)	3,990	.
이 라 크	96	85 (37)	11 (現代所屬 10 公館雇傭員 1)	
쿠 웨 이 트	9	0	9 (個人事業上 殘留希望)	
요 르 단	66	45 (16)	21	※特派員12名 取材活動中
바 레 인	335	102 (48)	233	
카 타 르	82	16	66	
U. A. E	650	227	423	
이 스 라 엘	113	47	66	※特派員9名 取材活動中
總 8 個國	6,331	1,512 (960)	4,819	

0129

政府綜合廳舍 810號　　電話 : 730-8283/5, 730-2941. 6. 7. 9, (구내)2331/4, 2337/8　Fax : 730-8286

外務部 걸프事態 非常對策 本部

題 目: 사우디 殘留 僑民 現況   1991.

(91.2.3. 09 時 現在)

總 員 (91.1.5.)		殘 留 者	備 考
地 域 別	人 員		
東 北 部	1,121	245 (醫療要員 99名, 進出業體 4名, 現地就業者 및 家族 142名)	○ 1.30 現在 263名 에서 - 4名 中部地域, 14名 西部地域 으로 待避
中 部	2,501	1,869	○ 1.30現在 1,865名 에서 -4명 東北部地域 으로부터 流入
西 部	1,358	1,876	○ 1.30現在 1,862名 에서 - 東北部地域 으로부터 14名 流入
計	4,980	3,990	

0130

政府綜合廳舍 810號   電話: 730-8283/5, 730-2941.6.7.9, (구내)2331/4, 2337/8   Fax: 730-8286

外務部 걸프事態 非常對策 本部

題 目: 걸프地域 滯留僑民 撤收現況　　　　　　1991.

(91.2.4. 06 時 現在)

國　別	總　員 (91.1.5)	旣撤收者 (括弧는 KAL特別機)	殘 留 者	備 考
사 우 디	4,980	997 (859)	3,983	※ 2.3 僑民 7名 個別 出國
이 라 크	96	85 (37)	11 (現代所屬 10 公館雇傭員 1)	
쿠 웨 이 트	9	0	9 (個人事業上 殘留希望)	
요 르 단	33	45 (16)	21	※特派員 9名 取材活動中
바 레 인	335	102 (48)	233	
카 타 르	82	16	66	
U. A. E	650	227	423	
이 스 라 엘	113	50	63	※2.3僑民3名 歸國(豫定) ※特派員 9名 取材活動中
總 8 個國	6,331	1,522 (960)	4,809	

0131

政府綜合廳舍 810號　　電話：730-8283/5, 730-2941. 6. 7. 9, (구내) 2331/4, 2337/8　Fax：730-8286

外務部 걸프事態 非常對策 本部

題 目:　　사우디 殘留 僑民 現況　　　　　　　　　1991.

(91.2.4. 06 時　現在)

總　員 (91.1.5.)		殘　留　者	備　考
地　域　別	人　員		
東　北　部	1,121	257 (醫療要員 99名, 進出業體 16名, 現地就業者 및 家族 142名)	○ 2.3 現在 245名 에서 - 12名 中部地域, 　으로부터 流入
中　部	2,501	1,835	○ 2.3 現在 1,869名 에서 -12名 東北部로 　이동 - 22名 西部地域 　으로 待避
西　部	1,358	1,891	○ 2.3 現在 1,876名 에서 - 中部地域으로 　부터 22名流入 - 이중 7名 個別 　出國
計	4,980	3,983	

0132

政府綜合廳舍 810號　　電話 : 730-8283/5, 730-2941. 6. 7. 9, (구내) 2331/4, 2337/8　Fax : 730-8286

外務部 걸프事態 非常對策 本部

題 目: 걸프地域 滯留僑民 撤收現況　　　　1991.

(91.2.4. 17 時 現在)

國 別	總 員 (91.1.5)	既撤收者 (括弧는 KAL特別機)	殘 留 者	備 考
사 우 디	4,980	997 (859)	3,983	※ 2.3 僑民 　7名 個別 　出國
이 라 크	96	85 (37)	11 (現代所屬 10 公館雇傭員 1)	
쿠 웨 이 트	9	0	9 (個人事業上 殘留希望)	
요 르 단	66	45 (16)	21	※特派員 9名 取材活動中
바 레 인	335	102 (48)	233	
카 타 르	82	16	66	
U. A. E	650	227	423	
이 스 라 엘	113	50	63	※2.3僑民3名 歸國(豫定) ※特派員 9名 取材活動中
總 8 個國	6,331	1,522 (960)	4,809	

0133

政府綜合廳舍 810號　　電話: 730-8283/5, 730-2941.6.7.9, (구내)2331/4, 2337/8　Fax: 730-8286

外務部 걸프事態 非常對策 本部

題 目 : 걸프地域 滯留僑民 撤收現況   1991.

國 別	總 員 (91.1.5)	旣撤收者 (括弧는 KAL特別機)	殘 留 者	備 考
사 우 디	4,980	997 (859)	3,983	
이 라 크	96	85 (37)	11 (現代所屬 10 公館雇傭員 1)	
쿠 웨 이 트	9	0	9 (個人事業上 殘留希望)	
요 르 단	66	45 (16)	21	※特派員 9名 取材活動中
바 레 인	335	102 (48)	233	
카 타 르	82	16	66	
U. A. E	650	227	423	
이 스 라 엘	113	50	63	※特派員 9名 取材活動中
總 8 個 國	6,331	1,522 (960)	4,809	

0134

政府綜合廳舍 810號   電話 : 730-8283/5, 730-2941. 6. 7. 9, (구내)2331/4, 2337/8   Fax : 730-8286

外務部 걸프事態 非常對策 本部

題 目:　걸프地域 滯留僑民 撤收現況

1991.

國　別	總　員 (91.1.5)	既撤收者 (括弧는 KAL特別機)	殘　留　者	備　考
사 우 디	4,980	997 (859)	3,983	
이 라 크	96	85 (37)	11 (現代所屬 10 公館雇傭員 1)	
쿠 웨 이 트	9	0	9 (個人事業上 殘留希望)	
요 르 단	66	45 (16)	21	※特派員 9名 取材活動中
바 레 인	335	102 (48)	233	
카 타 르	82	16	66	
U. A. E	650	227	423	
이 스 라 엘	113	50	63	※特派員 9名 取材活動中
總 8 個國	6,331	1,522 (960)	4,809	

0135

政府綜合廳舍 810號　　電話:730-8283/5, 730-2941. 6. 7. 9, (구내)2331/4, 2337/8　Fax:730-8286

外務部 걸프事態 非常對策 本部

題 目: **걸프地域 滯留僑民 撤收現況**

1991. . .

(91.2.6. 07 時 現在)

國 別	總 員 (91.1.5)	既撤收者 (括弧는 KAL特別機)	殘 留 者	備 考
사 우 디	4,980	997 (859)	3,983	
이 라 크	96	85 (37)	11 (現代所屬 10 公館雇備員 1)	
쿠 웨 이 트	9	0	9 (個人事業上 殘留希望)	
요 르 단	66	45 (16)	21	※特派員 9名 取材活動中
바 레 인	335	102 (48)	233	
카 타 르	82	16	66	
U. A. E	650	227	423	
이 스 라 엘	113	54	59	※特派員 12名 取材活動中
總 8 個國	6,331	1,526 (960)	4,805	

0136

政府綜合廳舍 810號　　電話：730-8283/5, 730-2941. 6. 7. 9, (구내)2331/4, 2337/8　　Fax：730-8286

外務部 걸프事態 非常對策 本部

題 目:　사우디 殘留 僑民 現況

1991.

(91.2.6. 07 時　現在)

總　員 (91.1.5.)		殘 留 者	備　考
地 域 別	人　員		
東 北 部	1,121	257 (醫療要員 99名, 進出業體 16名, 現地就業者 및 家族 142名)	○ 2.3 現在 245名 에서 - 12名 中部地域 　으로부터 流入
中 部	2,501	1,835	○ 2.3 現在 1,869名 에서 - 12名 東北部로 　이동 - 22名 西部地域 　으로 待避
西 部	1,358	1,891	○ 2.3 現在 1,876名 에서 - 中部地域으로 　부터 22名 流入 - 이중 7名 個別 　出國
計	4,980	3,983	

0137

政府綜合廳舍 810號　電話 : 730-8283/5, 730-2941.6.7.9, (구내) 2331/4, 2337/8　Fax : 730-8286

外務部 걸프事態 非常對策 本部

題 目:　걸프地域 滯留僑民 撤收現況　　　　　　1991.

(91.2.7. 09 時 現在)

國 別	總 員 (91.1.5)	既撤收者 (括弧는KAL特別機)	殘 留 者	備 考
사 우 디	4,980	1,410 (1,272)	3,570	※ 2.6 KAL 特別機便 413名撤收
이 라 크	96	85 (37)	11 (現代所屬 10 公館雇傭員 1)	
쿠 웨 이 트	9	0	9 (個人事業上 殘留希望)	
요 르 단	66	45 (16)	21	※特派員11名 取材活動中
바 레 인	335	102 (48)	233	
카 타 르	82	16	66	
U. A. E	650	227	423	
이 스 라 엘	113	54	59	※特派員12名 取材活動中
總 8 個國	6,331	1,939 (1,373)	4,392	

0138

政府綜合廳舍 810號　　電話:730-8283/5, 730-2941.6.7.9, (구내)2331/4, 2337/8　Fax:730-8286

外務部 걸프事態 非常對策 本部

題 目: 걸프地域 滯留僑民 撤收現況   1991.   .   .

(91.2.7. 15 時 現在)

國 別	總 員 (91.1.5)	旣撤收者 (括弧는 KAL特別機)	殘 留 者	備 考
사 우 디	4,980	1,452 (1,272)	3,528	※ 2.6 455名 出國(KAL 特別機便 413名)
이 라 크	96	85 (37)	11 (現代所屬 10 公館雇傭員 1)	
쿠 웨 이 트	9	0	9 (個人事業上 殘留希望)	
요 르 단	66	45 (16)	21	※特派員 11名 取材活動中
바 레 인	335	102 (48)	233	
카 타 르	·82	16	66	
U. A. E	650	227	423	
이 스 라 엘	113	54	59	※特派員 12名 取材活動中
總 8 個國	6,331	1,981 (1,373)	4,350	

0139

政府綜合廳舍 810號   電話:730-8283/5, 730-2941.6.7.9, (구내)2331/4, 2337/8   Fax:730-8286

外務部 걸프事態 非常對策 本部

題 目: 사우디 殘留 僑民 現況   1991.   .

(91.2.7. 15 時 現在)

總 員 (91.1.5.)		殘 留 者	備 考
地 域 別	人 員		
東 北 部	1,121	227 (醫療要員 97名, 進出業體 16名, 現地就業者 및 家族 114名)	○ 2.5 現在 257名 에서 - 30名 西部地域 으로 待避 ○ 軍醫療支援團 154名 別途滯留
中 部	2,501	1,643	○ 2.5 現在 1,835名 에서 -192名 西部地域 으로 待避

西 部	1,358	1,658	○ 2.5 現在 1,891名
			에서
			 - 中部地域으로
			   부터 192名流入
			 - 東北部地域으로
			   부터 30名流入
			 - 이중 455名出國
			   (KAL機便 413名)

計	4,980	3,983	

政府綜合廳舍 810號   電話:730-8283/5, 730-2941.6.7.9, (구내) 2331/4, 2337/8   Fax:730-8286

外務部 걸프事態 非常對策 本部

題 目:　　걸프地域 滯留僑民 撤收現況　　　　　　1991.

(91.2.8. 08 時 現在)

國　別	總　員 (91.1.5)	旣撤收者 (括弧는 KAL特別機)	殘　留　者	備　考
사 우 디	4,980	1,452 (1,272)	3,528	※ 2.6 455名 出國(KAL 特別機便 413名)
이 라 크	96	85 (37)	11 (現代所屬 10 公館雇傭員 1)	
쿠 웨 이 트	9	0	9 (個人事業上 殘留希望)	
요 르 단	66	45 (16)	21	※特派員11名 取材活動中
바 레 인	335	102 (48)	233	
카 타 르	82	16	66	
U. A. E	650	227	423	
이 스 라 엘	113	54	59	※特派員12名 取材活動中
總 8 個國	6,331	1,981 (1,373)	4,350	

0141

政府綜合廳舍 810號　　電話:730-8283/5, 730-2941.6.7.9, (구내)2331/4, 2337/8　　Fax:730-8286

外務部 걸프事態 非常對策 本部

題 目:　사우디 殘留 僑民 現況　　　　　　　　　　　1991.

(9i.2.8. 08 時　現在)

總　員 (91.1.5.)		殘 留 者	備　考
地 域 別	人 員		
東 北 部	1,121	227 (醫療要員 97名, 進出業體 16名, 現地就業者 및 家族 114名)	ㅇ 2.5 現在 257名 에서 - 30名 西部地域 으로 待避 ㅇ 軍醫療支援團 154名 別途滯留
中 部	2,501	1,643	ㅇ 2.5 現在 1,835名 에서 -192名 西部地域 으로 待避
西 部	1,358	1,658	ㅇ 2.5 現在 1,891名 에서 - 中部地域으로 부터 192名 流入 - 東北部地域으로 부터 30名 流入 - 이중 455名 出國 (KAL機便 413名)
計	4,980	3,528	

0142

政府綜合廳舍 810號　　電話 : 730-8283/5, 730-2941. 6. 7. 9, (구내) 2331/4, 2337/8　Fax : 730-8286

外務部 걸프事態 非常對策 本部

題 目: 걸프地域 滯留僑民 撤收現況

1991.

國 別	總 員 (91.1.5)	旣撤收者 (括弧는 KAL特別機)	殘 留 者	備 考
사 우 디	4,980	1,452 (1,272)	3,528	
이 라 크	96	85 (37)	11 (現代所屬 10 公館雇備員 1)	
쿠 웨 이 트	9	0	9 (個人事業上 殘留希望)	
요 르 단	66	45 (16)	21	※特派員11名 取材活動中
바 레 인	335	102 (48)	233	
카 타 르	82	16	66	
U. A. E	650	227	423	
이 스 라 엘	113	54	59	※特派員12名 取材活動中
總 8 個國	6,331	1,981 (1,373)	4,350	

0143

政府綜合廳舍 810號   電話：730-8283/5, 730-2941.6.7.9, (구내)2331/4, 2337/8   Fax：730-8286

外務部 걸프事態 非常對策 本部

題 目: 사우디 殘留 僑民 現況

1991.

(91.2.8. 26時 現在)

總　員 (91.1.5.)		殘　留　者	備　　考
地　域　別	人　員		
東　北　部	1,121	227 (醫療要員 97名, 進出業體 16名, 現地就業者 및 家族 114名)	○ 2.5 現在 257名 　에서 　- 30名 西部地域 　　으로 待避 ○ 軍醫療支援團 　154名 別途滯留
中　部	2,501	1,643	○ 2.5 現在 1,835名 　에서 　-192名 西部地域 　　으로 待避
西　部	1,358	1,658	○ 2.5 現在 1,891名 　에서 　- 中部地域으로 　　부터 192名流入 　- 東北部地域으로 　　부터 30名流入 　- 이중 455名出國 　　(KAL機便 413名)
計	4,980	3,528	

0144

政府綜合廳舍 810號　電話 : 730-8283/5, 730-2941.6.7.9, (구내) 2331/4, 2337/8　Fax : 730-8286

外務部 걸프事態 非常對策 本部

題 目: 걸프地域 滯留僑民 撤收現況

1991.

(91.2.9. 09 時 現在)

國 別	總 員 (91.1.5)	旣撤收者 (括弧는KAL特別機)	殘 留 者	備 考
사 우 디	4,980	1,452 (1,272)	3,528	※特派員 5名 取材活動中
이 라 크	96	85 (37)	11 (現代所屬 10 公館雇傭員 1)	
쿠 웨 이 트	9	0	9 (個人事業上 殘留希望)	
요 르 단	66	45 (16)	21	※特派員11名 取材活動中
바 레 인	335	102 (48)	233	
카 타 르	82	16	66	
U. A. E	650	227	423	
이 스 라 엘	113	54	59	※特派員14名 取材活動中
總 8 個 國	6,331	1,981 (1,373)	4,350	

0145

政府綜合廳舍 810號   電話：730-8283/5, 730-2941.6.7.9, (구내)2331/4, 2337/8   Fax：730-8286

外務部 걸프事態 非常對策 本部

題 目:　사우디 殘留 僑民 現況　　　　　　　　　1991.　　.　　.

(91.2.9. 09 時　現在)

總 員 (91.1.5.)		殘 留 者	備 考
地 域 別	人 員		
東 北 部	1,121	227 (醫療要員 97名, 進出業體 16名, 現地就業者 및 家族 114名)	○ 2.5 現在 257名 에서 - 30名 西部地域 으로 待避 ○ 軍醫療支援團 154名 別途滯留
中 部	2,501	1,643	○ 2.5 現在 1,835名 에서 -192名 西部地域 으로 待避
西 部	1,358	1,658	○ 2.5 現在 1,891名 에서 - 中部地域으로 부터 192名流入 - 東北部地域으로 부터 30名流入 - 이중 455名出國 (KAL機便 413名)
計	4,980	3,528	

0146

政府綜合廳舍 810號　電話:730-8283/5, 730-2941.6.7.9, (구내)2331/4, 2337/8　Fax:730-8286

外務部 걸프事態 非常對策 本部

題 目: 걸프地域 滯留僑民 撤收現況   1991.   ·   ·

('91.2.11. 09 時 現在)

國 別	總 員 (91.1.5)	旣撤收者 (括弧는 KAL特別機)	殘 留 者	備 考
사 우 디	4,980	1,452 (1,272)	3,528	※特派員 5名 取材活動中
이 라 크	96	85 (37)	11 (現代所屬 10 公館雇傭員 1)	
쿠 웨 이 트	9	0	9 (個人事業上 殘留希望)	
요 르 단	66	45 (16)	21	※特派員 11名 取材活動中
바 레 인	335	102 (48)	233	
카 타 르	82	16	66	
U. A. E	650	227	423	
이 스 라 엘	113	54	59	※特派員 14名 取材活動中
總 8 個國	6,331	1,981 (1,373)	4,350	

0147

政府綜合廳舍 810號   電話: 730-8283/5, 730-2941.6.7.9, (구내)2331/4, 2337/8   Fax: 730-8286

外務部 걸프事態 非常對策 本部

題 目:　사우디 殘留 僑民 現況　　　　　　　　　　1991.　　・　　・

（91.2.11. 69 時　現在）

總　員（91.1.5.）		殘 留 者	備　考
地 域 別	人 員		
東 北 部	1,121	227 （醫療要員 97名, 進出業體 16名, 現地就業者 및 家族 114名）	○ 2.5 現在 257名 　에서 　- 30名 西部地域 　　으로 待避 ○ 軍醫療支援團 　154名 別途滯留
中 部	2,501	1,643	○ 2.5 現在 1,835名 　에서 　-192名 西部地域 　　으로 待避
西 部	1,358	1,658	○ 2.5 現在 1,891名 　에서 　- 中部地域으로 　　부터 192名 流入 　- 東北部地域으로 　　부터 30名 流入 　- 이중 455名 出國 　　（KAL機便 413名）
計	4,980	3,528	

0148

政府綜合廳舍 810號　　電話：730-8283/5, 730-2941.6.7.9, (구내)2331/4, 2337/8　　Fax：730-8286

外務部 걸프事態 非常對策 本部

題 目 : 걸프地域 滯留僑民 撤收現況

1991.

（91.2.11. 16 時 現在）

國 別	總 員 （91.1.5）	既撤收者 （括弧는 KAL特別機）	殘 留 者	備 考
사 우 디	4,980	1,534 （1,272）	3,446	※僑民 82名 個別 出國 ※特派員 5名 取材活動中
이 라 크	96	85 （37）	11 （現代所屬 10 公館雇傭員 1）	
쿠 웨 이 트	9	0	9 （個人事業上 殘留希望）	
요 르 단	66	45 （16）	21	※特派員 11名 取材活動中
바 레 인	335	102 （48）	233	
카 타 르	82	16	66	
U. A. E	650	227	423	
이 스 라 엘	113	54	59	※特派員 14名 取材活動中
總 8 個國	6,331	2,063 （1,373）	4,268	

0149

政府綜合廳舍 810號   電話 : 730-8283/5, 730-2941.6.7.9, (구내)2331/4, 2337/8   Fax : 730-8286

外務部 걸프事態 非常對策 本部

題 目: 걸프地域 滯留僑民 撤收現況

1991.

(91.2.12. 11 時 現在)

國 別	總 員 (91.1.5)	既撤收者 (括弧는 KAL特別機)	殘 留 者	備 考
사 우 디	4,980	1,534 (1,272)	3,446	※特派員 17名 取材活動中
이 라 크	96	88 (37)	8 (現代所屬 7 公館雇傭員 1)	※2.11. 現代 所屬 3名이란 으로撤收(子女 2名同伴撤收, 子女1名 別途殘留
쿠 웨 이 트	9	0	9 (個人事業上 殘留希望)	
요 르 단	66	45 (16)	21	※特派員 8名 取材活動中
바 레 인	335	102 (48)	233	
카 타 르	82	16	66	
U. A. E	650	227	423	
이 스 라 엘	113	54	59	※特派員 12名 取材活動中
總 8 個國	6,331	2,066 (1,373)	4,265	

0150

政府綜合廳舍 810號   電話: 730-8283/5, 730-2941. 6. 7. 9, (구내) 2331/4, 2337/8   Fax: 730-8286

外務部 걸프事態 非常對策 本部

題 目: 사우디 殘留 僑民 現況   1991.

(91.2.12. 11 時 現在)

總　員 (91.1.5.)		殘 留 者	備 　考
地　域　別	人　員		
東　北　部	1,121	240 (醫療要員 97名, 進出業體 29名, 現地就業者 및 家族 114名)	○ 軍醫療支援團 154명 別途殘留
中　部	2,501	1,575	
西　部	1,358	1,631	
計	4,980	3,446	

0151

政府綜合廳舍 810號   電話:730-8283/5, 730-2941.6.7.9, (구내)2331/4, 2337/8   Fax:730-8286

外務部 걸프事態 非常對策 本部

題 目 :　걸프地域 滯留僑民 撤收現況　　　　　　　　1991.

(91.2.12. 18 時 現在)

國　　別	總　員 (91.1.5)	既撤收者 (括弧는 KAL特別機)	殘　留　者	備　考
사 우 디	4,980	1,534 (1,272)	3,446	※特派員 17名 取材活動中
이 라 크	96	88 (37)	8 (現代所屬 7 公館雇傭員 1)	※2.11. 現代 所屬 3名 이란 으로 撤收(子女 2名同伴撤收, 子女 1名 別途殘留
쿠 웨 이 트	9	0	9 (個人事業上 殘留希望)	
요 르 단	66	45 (16)	21	※特派員 12名 取材活動中
바 레 인	335	102 (48)	233	
카 타 르	82	16	66	
U. A. E	650	227	423	
이 스 라 엘	113	54	59	※特派員 12名 取材活動中
總 8 個 國	6,331	2,066 (1,373)	4,265	

0152

政府綜合廳舍 810號　　電話 : 730-8283/5, 730-2941. 6. 7. 9, (구내) 2331/4, 2337/8　Fax : 730-8286

外務部 걸프事態 非常對策 本部

題 目 : 걸프地域 滯留僑民 撤收現況

1991.

(91.2.13. 09 時 現在)

國 別	總 員 (91.1.5)	旣撤收者 (括弧는 KAL特別機)	殘 留 者	備 考
사 우 디	4,980	1,534 (1,272)	3,446	※特派員 17名 取材活動中
이 라 크	96	88 (37)	8 (現代所屬 7 公館雇傭員 1)	※2.11. 現代 所屬 3名이란 으로撤收(子女 2名同伴撤收, 子女2名 別途殘留
쿠 웨 이 트	9	0	9 (個人事業上 殘留希望)	
요 르 단	66	45 (16)	21	※特派員 12名 取材活動中
바 레 인	335	102 (48)	233	
카 타 르	82	16	66	
U. A. E	650	227	423	
이 스 라 엘	113	54	59	※特派員 12名 取材活動中
總 8 個國	6,331	2,066 (1,373)	4,265	

政府綜合廳舍 810號   電話 : 730-8283/5, 730-2941. 6. 7. 9, (구내) 2331/4, 2337/8   Fax : 730-8286

0153

外務部 걸프事態 非常對策 本部

題 目:　걸프地域 滯留僑民 撤收現況　　　　　　　1991.　　·　　·

國　別	總 員 (91.1.5)	旣撤收者 (括弧는 KAL特別機)	殘 留 者	備 考
사 우 디	4,980	1,557 (1,272)	3,423	※僑民 23名 　個別 出國 ※特派員 17名 　取材活動中
이 라 크	96	88 (37)	8 (現代所屬 7 公館雇備員 1)	※現代所屬職員 　子女 2名 　別途 殘留
쿠 웨 이 트	9	0	9 (個人事業上 殘留希望)	
요 르 단	66	45 (16)	21	※特派員 i2名 　取材活動中
바 레 인	335	102 (48)	233	
카 타 르	82	16	66	
U. A. E	650	227	423	
이 스 라 엘	113	54	59	※特派員 3名 　取材活動中
總 8 個國	6,331	2,089 (1,373)	4,242	

0154

政府綜合廳舍 810號　　電話:730-8283/5, 730-2941.6.7.9, (구내)2331/4, 2337/8　　Fax:730-8286

外務部 걸프事態 非常對策 本部

題 目: 사우디 殘留 僑民 現況

1991.   .   .

(91.2.13. 13時 現在)

總　員 (91.1.5.)		殘留者	備　考
地 域 別	人　員		
東 北 部	1,121	241 (醫療要員 97名, 進出業體 30名, 現地就業者 및 家族 114名)	○ 2.12. 現在 240名 에서 - 1名 西部地域 으로부터 流入
中　部	2,501	1,577	○ 2.12.現在 1,575 名에서 - 2名 西部地域 으로부터 流入

西　部	1,358	1,605	○ 2.12.現在 1,631
			名에서
			 - 2名 中部, 1名
			   東北部地域으로
			   移動
			○ 이중 23名 個別
			   出國

計	4,980	3,423	

0155

政府綜合廳舍 810號　　電話:730-8283/5, 730-2941.6.7.9, (구내)2331/4, 2337/8　Fax:730-8286

外務部 걸프事態 非常對策 本部

題 目 : 걸프地域 滯留僑民 撤收現況　　　　　　　　　1991.

(91.2.13. 19 時 現在)

國　別	總　員 (91.1.5)	既撤收者 (括弧는 KAL特別機)	殘 留 者	備　考
사 우 디	4,980	1,557 (1,272)	3,423	※特派員 17名 取材活動中
이 라 크	96	88 (37)	8 (現代所屬 7 公館冕備員 1)	※現代職員 子女　2名 別途 殘留
쿠 웨 이 트	9	0	9 (個人事業上 殘留希望)	
요 르 단	66	45 (16)	21	※特派員 12名 取材活動中
바 레 인	335	102 (48)	233	
카 타 르	82	16	66	
U. A. E	650	227	423	
이 스 라 엘	113	54	59	※特派員　3名 取材活動中
總 8 個國	6,331	2,089 (1,373)	4,242	

0156

政府綜合廳舍 810號　　電話 : 730-8283/5, 730-2941.6.7.9, (구내)2331/4, 2337/8　　Fax : 730-8286

外務部 걸프事態 非常對策 本部

題 目: 사우디 殘留 僑民 現況   1991.   .   .

(91.2.13. 19 時 現在)

總 員 (91.1.5.)		殘 留 者	備 考
地 域 別	人 員		
東 北 部	1,121	241 (醫療要員 97名, 進出業體 30名, 現地就業者 및 家族 114名)	○ 2.12. 現在 240名 에서 - 1名 西部地域 으로부터 流入
中 部	2,501	1,577	○ 2.12.現在 1,575 名에서 - 2名 西部地域 으로부터 流入

西 部	1,358	1,605	○ 2.12.現在1,631
			名에서
			 - 2名 中部, 1名
			   東北部地域으로
			   移動
			○ 이중 23名 個別
			   出國

計	4,980	3,423	

0157

政府綜合廳舍 810號   電話 : 730-8283/5, 730-2941.6.7.9, (구내)2331/4, 2337/8   Fax : 730-8286

外務部 걸프事態 非常對策 本部

題 目 : 걸프事態 滯留僑民 撤收現況   1991.

(91.2.15. 07:00 時 現在)

國 別	總 員 (91. 1.5)	旣撤收者 (括弧는 KAL特別機)	殘 留 者	備 考
사 우 디	4,980	1,636 (1,272)	3,344	※79名 個別撤收 ※特派員 17名 取材 活動中
이 라 크	96	88 (37)	8 (現代 所屬 7 公館雇傭員 1)	※現代 職員 子女 2名 別途 殘留
쿠웨이트	9	0	9 (個人事業上 殘留 希望)	
요 르 단	66	45 (16)	21	※特派員 13名 取材活動中
바 레 인	335	102 (48)	233	
카 타 르	82	16	66	
U.A.E	650	227	423	
이스라엘	113	54	59	※特派員 3名 取材活動中
總 8 個國	6,331	2,168 (1,373)	4,163	

0158

政府綜合廳舍 810號   電話:730-8283/5. 730-2941.6.7.9. (子내)2331/4. 2337/8 Fax:730-8286

外務部 걸프事態 非常對策 本部

題 目: 사우디 殘留 僑民 現況   1991.

(91.2.15. 07:00 時 現在)

地 域 別	總　員(91.1.5) 人　員	殘 留 者	備 考
東 北 部	1.121	241 (醫療要員 97名, 進出業體 30名, 現地就業者 및 家族 114名)	○2.14. 現在 240名 에서 　- 1名 西部地域 　　으로부터 流入
中 部	2.501	1.578	○2.14. 現在 1.575 名에서 　- 3名 西部地域 　　으로부터 流入
西 部	1.358	1.525	○2.14. 현재1.605 名에서 　- 1名 中部 지역 　　으로 移動 ○이중 79名 個別 　出國
計	4.980	3.344	

0159

政府綜合廳舍 810號   電話:730-8283/5, 730-2941.6.7.9. (구내)2331/4, 2337/8 Fax:730-8286

外務部 걸프事態 非常對策 本部

題 目 :　걸프地域 滯留僑民 撤收現況　　　　　　　1991.

(91.2.16. 09 時 現在)

國　別	總　員 (91.1.5)	旣撤收者 (括弧는 KAL特別機)	殘留者	備　考
사 우 디	4,980	1,636 (1,272)	3,344	※特派員 17名 取材活動中
이 라 크	96	88 (37)	8 (現代所屬 7 公館雇備員 1)	※現代職員 子女　2名 別途 殘留
쿠 웨 이 트	9	0	9 (個人事業上 殘留希望)	
요 르 단	66	45 (16)	21	※特派員 15名 取材活動中
바 레 인	335	102 (48)	233	
카 타 르	82	16	66	
U. A. E	650	227	423	
이 스 라 엘	113	54	59	※特派員　3名 取材活動中
總 8 個國	6,331	2,168 (1,373)	4,163	

政府綜合廳舍 810號　電話 : 730-8283/5, 730-2941.6.7.9, (구내) 2331/4, 2337/8　Fax : 730-8286

外務部 걸프事態 非常對策 本部

題 目 :   사우디 殘留 僑民 現況

1991.

總 員 (91.1.5.)		殘 留 者	備 考
地 域 別	人 員		
東 北 部	1,121	241 (醫療要員 97名, 進出業體 30名, 現地就業者 및 家族 114名)	○ 2.12. 現在 240名 에서 - 1名 西部地域 　으로부터 流入
中 部	2,501	1,578 (公館30, 教師3, 進出業體897, 醫療要員133,現地 就業等 其他515)	○ 2.12.現在 1,575 名에서 - 3名 西部地域 　으로부터 流入
西 部	1,358	1,475 (公館23, 教師10, 進出業體 320, 醫療要員93,現地 就業等 其他529)	○ 2.15.現在1,525 名에서 - 50名 個別出國
計	4,980	3,294	

0161

政府綜合廳舍 810號   電話 : 730-8283/5, 730-2941.6.7.9, (구내)2331/4, 2337/8   Fax : 730-8286

外務部 걸프事態 非常對策 本部

題 目 : 걸프地域 滯留僑民 撤收現況   1991.

(91.2.19. 09 時 現在)

國 別	總 員 (91.1.5)	旣撤收者 (括弧는KAL特別機)	殘 留 者	備 考
사 우 디	4,980	1,771 (1,272)	3,209	※特派員 13名 取材活動中
이 라 크	96	88 (37)	8 (現代所屬 7 公館雇傭員 1)	※現代職員 子女 2名 別途 殘留
쿠 웨 이 트	9	0	9 (個人事業上 殘留希望)	
요 르 단	66	45 (16)	21	※特派員 14名 取材活動中
바 레 인	335	102 (48)	233	
카 타 르	82	16	66	
U. A. E	650	227	423	
이 스 라 엘	113	56	57	※特派員 3名 取材活動中
總 8 個國	6,331	2,305 (1,373)	4,026	

0162

政府綜合廳舍 810號   電話 : 730-8283/5, 730-2941.6.7.9, (구내)2331/4, 2337/8   Fax : 730-8286

外務部 걸프事態 非常對策 本部

題 目: 걸프地域 滯留僑民 撤收現況   1991.

(91.2.23. 07 時 現在)

國 別	總 員 (91.1.5)	既撤收者 (括弧는KAL特別機)	殘 留 者	備 考
사 우 디	4,980	1,941 (1,272)	3,039	※僑民170名 個別撤收 ※特派員13名 取材活動中
이 라 크	96	88 (37)	8 (現代所屬 7 公館雇傭員 1)	※現代職員 子女 2名 別途 殘留
쿠 웨 이 트	9	0	9 (個人事業上 殘留希望)	
요 르 단	66	45 (16)	21	※特派員12名 取材活動中
바 레 인	335	102 (48)	233	
카 타 르	82	16	66	
U. A. E	650	227	423	
이 스 라 엘	113	56	57	※特派員6名 取材活動中
總 8 個國	6,331	2,475 (1,373)	3,856	

0163

政府綜合廳舍 810號   電話：730-8283/5, 730-2941.6.7.9, (구내)2331/4, 2337/8   Fax：730-8286

外務部 걸프事態 非常對策 本部

題 目 : 사우디 殘留 僑民 現況   1991.

總 員 (91.1.5.)		殘 留 者	備 考
地 域 別	人 員		
東 北 部	1,121	241 (醫療要員 97名, 進出業體 30名, 現地就業者 및 家族 114名)	
中 部	2,501	1,412	○ 2.19.現在 1,600 名에서 -188名 西部地域 으로 待避
西 部	1,358	1,386	○ 2.19.現在 1,368 名에서 -188名 中部地域 으로부터 流入 ○ 이중 170名 個別 出國
計	4,980	3,039	

0164

政府綜合廳舍 810號   電話 : 730-8283/5, 730-2941.6.7.9, (구내) 2331/4, 2337/8   Fax : 730-8286

外務部 걸프事態 非常對策 本部

題 目: 걸프地域 滯留僑民 撤收現況

1991.

國 別	總 員 (91.1.5)	旣撤收者 (括弧는KAL特別機)	殘 留 者	備 考
사 우 디	4,980	1,941 (1,272)	3,039	※特派員13名 取材活動中
이 라 크	96	88 (37)	8 (現代所屬 7 公館雇傭員 1)	※現代職員 子女 2名 別途 殘留
쿠 웨 이 트	9	0	9 (個人事業上 殘留希望)	-
요 르 단	66	45 (16)	21	※特派員12名 取材活動中
바 레 인	335	102 (48)	233	
카 타 르	82	16	66	
U. A. E	650	227	423	
이 스 라 엘	113	56	57	※特派員6名 取材活動中
總 8 個國	6,331	2,475 (1,373)	3,856	

0165

政府綜合廳舍 810號   電話:730-8283/5, 730-2941.6.7.9, (구내)2331/4, 2337/8   Fax:730-8286

外務部 걸프事態 非常對策 本部

題 目 :   사우디 殘留 僑民 現況

1991.

(91.2.24. 09 時　現在)

總　員 (91.1.5.)		殘　留　者	備　考
地　域　別	人　員		
東　北　部	1,121	241 (醫療要員 97名, 進出業體 30名, 現地就業者 및 家族 114名)	
中　部	2,501	1,412	ㅇ 2.19.現在 1,600 　名에서 　-188名 西部地域 　　으로 待避
西　部	1,358	1,386	ㅇ 2.19.現在1,368 　名에서 　-188名 中部地域 　　으로부터 流入 ㅇ 이중 170名 個別 　出國
計	4,980	3,039	

0166

政府綜合廳舍 810號　電話 : 730-8283/5, 730-2941. 6. 7. 9, (구내)2331/4, 2337/8　Fax : 730-8286

外務部 걸프事態 非常對策 本部

題 目: 사우디 殘留 僑民 現況

1991.

(91.2.25. 09 時 現在)

總 員 (91.1.5.)		殘 留 者	備 考
地 域 別	人 員		
東 北 部	1,121	245 (敎師 2名, 醫療 要員 97名, 進出 業體 32名, 現地 就業者 및 家族 114名)	ㅇ 2.24. 現在 241 名에서 - 4名 中部地域 으로부터 流入
中 部	2,501	1,393	ㅇ 2.24.現在 1,412 名에서 -15名 西部地域 으로 待避 - 4名 東北部 地域으로移動
西 部	1,358	1,384	ㅇ 2.24.現在1,386 名에서 -15名 中部地域 으로부터 流入 ㅇ 이중 17名 個別 出國
計	4,980	3,022	

0167

政府綜合廳舍 810號　　電話: 730-8283/5, 730-2941.6.7.9, (구내)2331/4, 2337/8　　Fax: 730-8286

外務部 걸프事態 非常對策 本部

題 目 : 걸프地域 滯留僑民 撤收現況   1991.

(91.2.26. 18 時 現在)

國 別	總 員 (91.1.5)	既撤收者 (括弧는 KAL特別機)	殘 留 者	備 考
사 우 디	4,980	1,958 (1,272)	3,022	※僑民 17名 個別撤收 ※特派員19名 取材活動中
이 라 크	96	88 (37)	8 (現代所屬 7 公館雇傭員 1)	※現代職員 子女 2名 別途 殘留
쿠 웨 이 트	9	0	9 (個人事業上 殘留希望)	
요 르 단	66	45 (16)	21	※特派員13名 取材活動中
바 레 인	335	102 (48)	233	
카 타 르	82	16	66	
U. A. E	650	227	423	
이 스 라 엘	113	56	57	※特派員5名 取材活動中
總 8 個國	6,331	2,492 (1,373)	3,839	

0168

政府綜合廳舍 810號   電話 : 730-8283/5, 730-2941.6.7.9, (구내)2331/4, 2337/8   Fax : 730-8286

外務部 걸프事態 非常對策 本部

題 目:　사우디 殘留 僑民 現況

1991.

（91.2.26. 23時 現在）

地 域 別	總 員 人 員	殘 留 者	備 考
東 北 部	1,121	245 (教師 2名, 醫療 要員 97名, 進出 業體 32名, 現地 就業者 및 家族 114名)	○ 2.24. 現在 241 　名에서 　- 4名 中部地域 　　으로부터 流入
中 部	2,501	1,393	○ 2.24. 現在 1,412 　名에서 　-15名 西部地域 　　으로 待避 　- 4名 東北部 　　地域으로移動
西 部	1,358	1,384	○ 2.24. 現在 1,386 　名에서 　-15名 中部地域 　　으로부터 流入 ○ 이중 17名 個別 　出國
計	4,980	3,022	

0169

政府綜合廳舍 810號　電話：730-8283/5, 730-2941.6.7.9, (구내)2331/4, 2337/8　Fax：730-8286

外務部 걸프事態 非常對策 本部

題 目:　걸프地域 滯留僑民 撤收現況　　　　　　　　1991.

(91.2.26. 18 時 現在)

國　別	總　員 (91.1.5)	旣撤收者 (括弧는KAL特別機)	殘　留　者	備　考
사 우 디	4,980	1,958 (1,272)	3,022	※特派員19名 取材活動中
이 라 크	96	88 (37)	8 (現代所屬 7 公館雇傭員 1)	※現代職員 子女 2名 別途 殘留
쿠 웨 이 트	9	0	9 (個人事業上 殘留希望)	
요 르 단	66	45 (16)	21	※特派員13名 取材活動中
바 레 인	335	102 (48)	233	
카 타 르	82	16	66	
U. A. E	650	227	423	
이 스 라 엘	113	56	57	※特派員5名 取材活動中
總 8 個國	6,331	2,492 (1,373)	3,839	

政府綜合廳舍 810號　　電話：730-8283/5, 730-2941. 6. 7. 9, (구내)2331/4, 2337/8　Fax：730-8286

0170

外務部 걸프事態 非常對策 本部

題 目: 걸프地域 滯留僑民 撤收現況

1991.

(91.2.27. 09 時 現在)

國 別	總 員 (91.1.5)	旣撤收者 (括弧는 KAL特別機)	殘 留 者	備 考
사 우 디	4,980	1,951 (1,271)	3,022	※特派員 19名 取材活動中
이 라 크	96	88 (37)	8 (現代所屬 7 公館雇傭員 1)	※現代職員 子女 2名 別途 殘留
쿠 웨 이 트	9	0	9 (個人事業上 殘留希望)	
요 르 단	66	45	21	※特派員 13名 取材活動中
바 레 인	335	102 (48)	233	
카 타 르	82	16	66	
U. A. E	650	227	423	
이 스 라 엘	113	56	57	※特派員 5名 取材活動中
總 8 個國	6,331	2,492 (1,373)	3,839	

0171

政府綜合廳舍 810號 電話:730-8283/5, 730-2941. 6. 7. 9, (구내)2331/4, 2337/8 Fax:730-8286

外務部 걸프事態 非常對策 本部

題 目: 걸프地域 滯留僑民 撤收現況　　　　　　　1991.

13.1.18

(S1.2.28. 20 時 現在)

國　別	總　員 (91.1.5)	旣撤收者 (括弧는 KAL特別機)	殘留者	備　考
사 우 디	4,980	1,999 (1,272)	2,981	※特派員 19名 取材活動中
이 라 크	96	88 (37)	8 (現代所屬 7 公館雇傭員 1)	※現代職員 子女 2名 別途 殘留
쿠 웨 이 트	9	0	9 (個人事業上 殘留希望)	
요 르 단	66	45 (16)	21	※特派員 13名 取材活動中
바 레 인	335	102 (48)	233	
카 타 르	82	16	66	
U. A. E	650	227	423	
이 스 라 엘	113	56	57	※特派員 5名 取材活動中
總 8 個國	6,331	2,533 (1,373)	3,798	

0172

政府綜合廳舍 810號　　電話: 730-8283/5, 730-2941. 6. 7. 9, (구내) 2331/4, 2337/8　Fax: 730-8286

정 리 보 존 문 서 목 록						
기록물종류	일반공문서철	**등록번호**	2020120202	**등록일자**	2020-12-28	
분류번호	721.1	**국가코드**	XF	**보존기간**	영구	
명 칭	걸프사태 : 재외동포 철수 및 보호, 1990-91. 전14권					
생 산 과	북미1과/중동1과	**생산년도**	1990~1991	**담당그룹**		
권 차 명	V.11 사우디아라비아					
내용목차	1. 동포 철수 및 보호 2. 동포 사망 문제 *사우디 취업 의료요원 문제 포함 * 재외동포 철수 및 비상철수계획 수립 등					

0001

걸프사태 : 재외동포 철수 및 보호, 1990-91. 전14권 (V.11 사우디아라비아) 429

1. 동포 철수 및 보호

0002

| 관리
번호 | 90/760 |

	분류번호	보존기간

발 신 전 보

WSB-0284   900805 2336 DN   종별: 긴급

		WAE -0147	WQT -0078
		WBH -0090	WOM -0112

번   호 :

수   신 : 주   수신처 참조 //대사// 총영사

발   신 : 장 관   대리 (중근동)

제   목 : 교민 보호 철저

1. 이라크군의 쿠웨이트 공격과 관련, 만일의 사태에 대비키 위해
교민과 근로자 보호에 만전을 기하기 바람.

2. 아울러 비상시에 대처키 위해 대피 계획 수립및 바상식량 및 연료
비축에도 유의하기 바람.   끝.

(중동아국장   이 두 복)

예 고 : 90.12.31. 일반

수신처 : 주 사우디, UAE, 카타르, 바레인 대사

1990. 12.31. 애 예고문에
의거 일반문서로 재 분류됨.

	보 안 통 제	
	외신과통제	

암 고 재	90 년 8 월 5 일	중근동 과	기안자 성 명		과 장		국 장		차 관	장 관	

0003

외 무 부

종 별 :

번 호 : SBW-0572   일   시 : 90 0805 1450

수 신 : 장 관(경협,중근동,노동부,국방부,기정)

발 신 : 주 사우디 대사

제 목 : 근로자 안전대책강구

　　1. 90.8.5 현재 쿠웨이트.사우디국경 인접지역에서 취업중인 아국근로자는 없으며,
쿠웨이트국경으로부터 동남방 333 KM 지점인 주재국의 동부 쥬베일지역에
482명(신화건설등 8개현장), 423 KM 인 담맘에 255명(구일산업등 4개현장), 437 KM 인
다하란에 146명(극 동등3현장)도합 883명(15개소)이 취업중임.

　　2.동지역은 주재국의 석유화학분야 및 산업의 전진기지로 매우 중요한
지역으로당관에서는 만약의 사태에 대비하여 동지역에 취업중인 아국근로자의 신변
안전 대책을 각현장별로 수립시행토록 지시함은 물론, 특히 당분간 휴일 및시간외
외출등을 자재토록 조치하였음.끝

　　(대사 주병국-국장)

경제국　　1차보　　중아국　　안기부　　국방부　　노동부

90.08.06　　01:05 DN

외신 1과 통제관

0004

관리	PO	
번호	813	

원 본

외 무 부

종 별 : 지 급

번 호 : SBW-0596 　　　　　　　　　　일 시 : 90 0808 1500

수 신 : 장 관(중근동,정일,기정,국방부)

발 신 : 주 사우디 대사

제 목 : 주재국정세(2) (자음 50호)

주재국정세와 관련하여 각계로부터 입수한 내용 아래 보고함.

1. 주재국, 전군비상은 아니나 방공, 포병, 공군 및 NATIONAL GUARD 는 비상 대기 근무상태임.

2. 동부지역 사령부 및 NATIONAL GUARD 소속부대가 국경지역으로 이동

3. 주재국 체류, 특히 동부지역체류 미국인 및 영국인등은 미국 및 영국정부의 권고에 따라 업무관련 필수요원을 제외하고 가족과 함께 출국시작. 끝

(대사 주병국-국장)

예고:90.12.31 일반

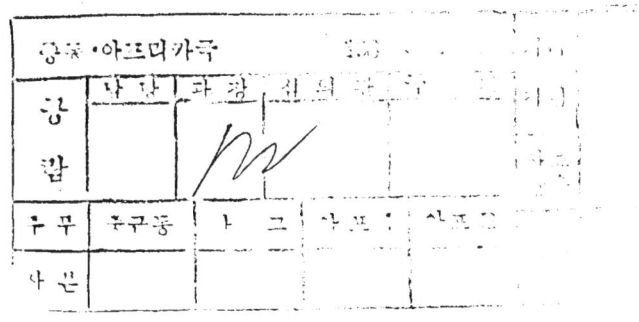

1990. 12.31. 이 예고문에 의거 일반문서로 재 분류함.

중아국　　　장관　　　차관　　　1차보　　　정문국　　　청와대　　　안기부　　　국방부

원 본

관리
번호 PO/12B3

외 무 부

종 별 : 지 급

번 호 : SBW-0598

일 시 : 90 0808 1520

수 신 : 장 관(중근동,노동부,건설부,국방부)

발 신 : 주 사우디 대사

제 목 : 주재국 아국민 체류자수

90.8.8 현재 하기와 같음

구분,

대사관(고용원, 교사포함), 상사, 은행주재원, 근로자, 기타, 계 (순서)

리야드, 담맘(동중부), 132 명, 133 명, 2966 명, 1400 명, 4631 명

젯다등(서부), 41 명, 92 명, 890 명, 437 명, 1460 명

총계 6091 명

(대사 주병국-국장)

예고:90.12.31 까지

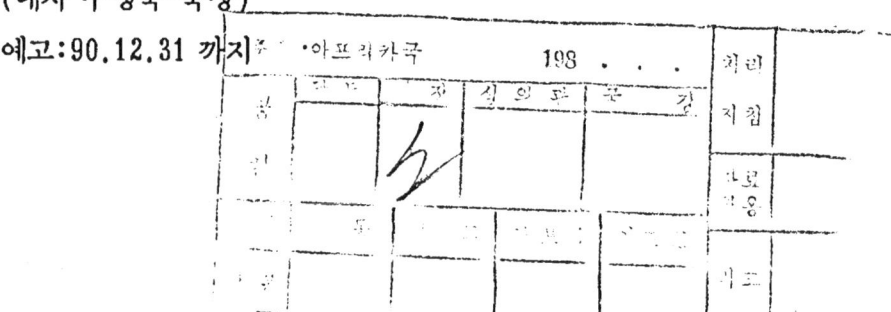

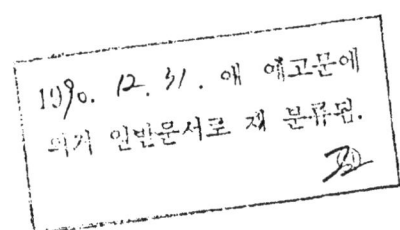

1990. 12. 31. 애 예고문에
의거 일반문서로 재 분류됨.

중아국   차관   1차보   2차보   국방부   건설부   노동부

관리 번호	90/ 2010			원　　본

외　무　부

종　별 : 긴급

번　호 : SBW-0624

일　시 : 90 0811 1620

수　신 : 장관(중근동, 건설부, 국방부)

발　신 : 주 사우디 대사

제　목 : 이락-쿠웨이트 사태관련 대책

1. 대:WSB-0323 (90.8.10)

2. 이락, 쿠웨이트 사태관련 아래와같이 보고함.

가. 정보수집활동.

-사태관련 군사외교등 정세 추이에 대한 정보 수집활동은 당관 무관, 정무, 노무관실등 각 부서별로 언론, TV, 라디오등 정보수집 가능한 모든채널을 통하여 이를 수집하여 의견을 종합 이에 대응한 적절한 대책을 수립 중이며,

-특히 건설관실과 각 건설업체 지사 및 현장간에는 90.8.5 동부, 서부, 5 개지역별로 비상연락망(전화 및 책임자 지정)을 구축하여 현지정보를 수시로 보고 받고 필요한 대책지시 또는 지원을 강화하고 있음. (5 개지역 73 개 연락망)

-쿠웨이트 국경과 접한 동부지역(쥬베일, 담망)소재 25 개업체는 24 시간 비상 근무중이며 수시 건설관실과 정보교환과 적절한 대처를 하고있음.

-현 건설현장 상황은 동부지역의 경우 11 개 시공현장 8 개업체는 사태를 예의 주시하면서 일단 유사시 제다 또는 리야드지역 아국업체 CAMP 로 철수 상황진전에 따라 귀국등 필요조치를 할 계획이며 동부지역의 외국업체(미, 영, 일, 이태리등)는 동가족과 국민들에게 철수를 권유중에 있으며 아국업체의 가족(현20 세대 51 명)은 모두 귀국조치중에 있음.

나. 동사태가 주재국 해외건설진출에 미칠 영향 및 대책

(1) 영향

-동사태 발생으로 진출 건설업체의 수주활동은 공사 발주물량은 감소와 현지 업체의 경쟁력강화 및 근로자 확보의 어려움등으로 계속 약화되어 오던중금번 불안요인이 겹쳐 앞으로 수주전망이 더욱 어려워질것이 확실시 되고 있음.

-동사태가 악화될경우 근로자(제 3 국포함)의 현장 철수 및 귀국과 콘설탄트등

중아국	장관	차관	1차보	2차보	정문국	정와대	안기부	국방부
건설부								

감독관의 철수가 불가피하게 될것으로 공사가 중단될수밖에 없을것임.

이경우 각업체보유 장비, 자재의 처분 불가능, 공사 미수금 및 유보금 수령CLAIM 제기 및 대금 정산중인 공사등이 문제점 해결이 더 어렵게되어 막대한 공사 손실을 초래하게 될것임.

-만일 사태가 호전되어 공사가 재개되는 경우 천재지변으로 인한 타절준공인정 거부로 발주처와의 논쟁여지가 있을것임.

-업체가 완전 철수해버리는 경우는 발주처 당국과 관계 악화로 향후 중단된공사의 재개.신규 공사의 수주에 많은 제약을 받게될것임.

(2)대책

-위험 지역인 동부지역 공사현장은 사태가 악화될경우 타절준공하고 일단 리야드, 제다등 후방지역으로 철수하고 사태가 장기화 될전망일때는에는 귀국조치함. 이경우 발주처 당국과 관계 유지를 위해 급박한 경우외에는 필수요원의 잔류 방안을 본사차원에서 검토를 요함.

-현장 철수시 앞으로의 공사재개에 대비 발주처 감독관과 협의, 반드시 계약서 조건상의 천재지변의 불가피의 불가피한 사정임을 정식문서(LETTER)로 남기도록함(각업체에 기지시 되어 있음)

-잔류하게되는 필수요원은 당관 관계관(건설관, 재무관, 노무관등)과 긴밀한협조, 발주처 당국과 계속 접촉등 관계유지에 필요한 방안을 강구토록함.

라. 사태의 장기화 또는 악화시 당국 진출 건설업체 지원 가능성 및 방안 검토

-쿠웨이트및 이라크 진출 건설업체 지원가능성 및 방안은 현재로서는 당관에서 입수한 정보가 없어 그검토가 어려우나 앞으로 정보수립하는대로 지원가능성과 방안을 보고 하겠음.

-사우디 진출 건설업체에 대하여는 직원및 근로자철수가 불가피한 경우는 일차로 동부지역 약 900 명 인력의 KAL 기 탑승이 가능토록하는 방안검토가 필요함(트리폴리노선의 수송능력 제고 및 전세기등을 KAL 본사와 협의요망)

-잔류하는 각업체 필수요원과 당관 관계관으로 구성하는 진출건설업체 지원반(가칭)을 당관에 설치하여 당관.진출업체 본사 및 본부간에 유기적인 연락 및 협조 체재를 유지토록 하고 필요한 지원사항 및 정보교환 활동을 하로록 함. 끝

(대사 주병국-국장)

예고:90.12.31까지

관리
번호 90/
1551

발 신 전 보

번   호 : WSB-0305   900812 1850 DO   종별 : 지급

	WBH-0098	WQT-0082
	WAE-0159	WJO-0157

수   신 : 주 수신처 참조   대사·총영사

발   신 : 장 관   (중근동)

제   목 : 비필수 요원 철수

  이라크, 쿠웨이트 사태가 장기화될 가능성에 대비하여 주요 국가들이 교민중 필수 요원이 아닌 가족, 단기 체류자등은 조속 철수를 종용하고 있는 것으로 파악되고 있음. 귀지 주요 우방국 공관 및 관계 기관등과 긴밀히 협조하여 비필수 교민이 조속 철수하도록 지도하기 바랍. 끝.

(중동아국장 이두복)

예고 : 90.12.31. 일반

수신처 : 주사우디, 바레인, 카타르, UAE, 요르단 대사

1990 12. 31. 대 예고문에
의거 일반문서로 재 분류됨.

보 안 통 제	

앙고재	90년 8월 11일 중근동 과	기안자 성명		과 장		국 장		차 관	장 관	외신과통제

관리
번호 90/904

원 본

외 무 부

종 별 : 지급

번 호 : SBW-0628

일 시 : 90 0812 1530

수 신 : 장관(중근동)

발 신 : 주 사우디 대사

제 목 : 비필수요원 철수

대:WSB-0305

1. 당관은 지난 8.8 교민회보를 통해 당지주재 미.일등 우방 대사관의 조치에 맞춰 주재국 동.북부(다란, 담망등 이북지역)에 체류하는 아국민에 대하여 가족등 비필수요원이 조속 동지역을 철수하도록 권유한 바 있음.

2. 당지 미.일 대사관과 접촉, 파악한바에 따르면 동대사관에서는 중부 이남지역(리야드, 제다등)에 체류하는 교민에 대해서 아직까지 공식적으로 철수권유하고 있지않음.

3. 당관은 작금의 걸프만사태 추이를 예의 주시하면서, 미.일등 우방대사관과 긴밀히 연락하고 있는바, 추우 사태진전상황등을 보아가면서 필요한 조치를 취할 위계임.

(대사 주병국-대사)

예고:90.12.31 일반

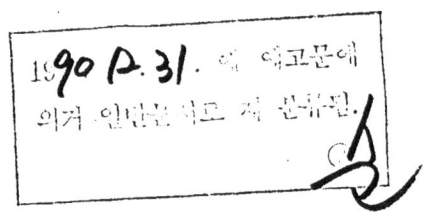

1990 12.31. 예 예고문에
의거 일반문서로 재 분류됨.

중아국   장관   차관   1차보   2차보   통상국   정문국   청와대   안기부

대책반

90.08.12   23:05

외신 2과 통제관 DO

0010

외 무 부

종 별 : 지급

번 호 : SBW-0633   일 시 : 90 0813 1400

수 신 : 장 관(경이,중근동,재무부,한은(참조:기획담당이사),국방부)

발 신 : 주 사우디 대사

제 목 : 중동사태관련 현지 동향

　　1.중동사태 이후 주제국의 각은행은 미달러화의수요급증으로 인한
현찰부족으로고객의교환요구에 응하지 못하고 있음, 특히 지난 8.8-9양일간 일부은행
및 환전상들이 공정환율보다높게 고객에게 교환해준 사실이 중앙은행에의하여
적발되어 제제조치를 받은 바 있음. 현재각은행은 1인당 5천불한도 T/C 를
발급하고있으며 중앙은행에대하여 보유외화의 매각을건의중에 있음.

　　2.주제국 정부는 긴급사태에 따른 일반적인우려와 달리 건설업체에 대한
공사대금을종전과 다름없이 지급하고 있음.

　　3.중동지역에 근무하는 각은행지점요원 및자금관리주제원의 동정은 아래와같음.

　　가.쿠웨이주제원은 8.3이후 통신두절로 상황파악이불가능함.

　　나.이락 주제원(2명)은 각은행본점의 지시에따라현재 귀국준비중임.

　　다.기타(사우디,바레인)주제원중외환은행(10명)은　　　　　　　　　　　가족을
런던에한일은행(6명)은가족을 서울로 철수중에 있고기타 은행주제원(6명)은 현재
사태를 관망하며본점과 협의중에 있음.끝

　　(대사 주병국-국장)

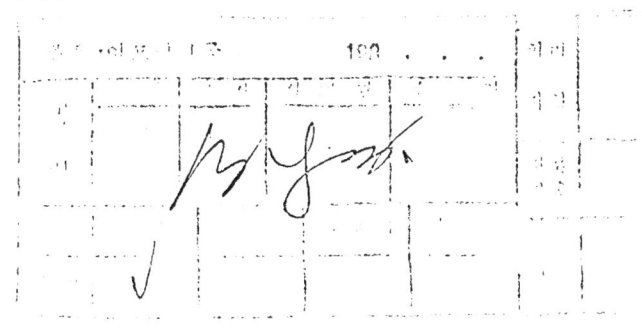

경제국　중아국　국방부　재무부　한은　장직실　1차신　2차신　장관실　안기부
자근
PAGE 1

90.08.13　21:29 CT
외신 1과 통제관

0011

걸프사태 : 재외동포 철수 및 보호, 1990-91. 전14권 (V.11 사우디아라비아) 439

관리
번호 90/1633

원 본

외 무 부

종 별 :

번 호 : SBW-0671

일 시 : 90 0817 1500

수 신 : 장관(중근동,기정,국방부,건설부,노동부)

발 신 : 주 사우디 대사

제 목 : 주재국의 협조요청사항

주재국 외무부는 금 8.18 본직을 포함한 주재국 주재 각국대사를 외무부로초치, 작금의 걸프만 긴장상태와 관련 아래와 같이 각국 정부의 협조를 요청했음을 보고함 (이슬람국장 AL-FAYEZ 대사가 설명)

1. 주재국 정부는 주재국에서 근무하는 근로자들의 신변안전보호를 보장하며, 각국 근로자들이 최근사태에 동요되어 출국하는일이 없도록 협조바람.

2. 동사태가 위급한경우, 동 근로자들의 철수에 따른 필요한 조치를 주재국은 강구할것임.

3. 각국 주재 사우디공관, 공관원 및 사우디 국민등에 대한 이라크의 테러행위등 위해가능성이 있으므로 이에 대비한 필요한 조치를 각국이 취해줄것을 협조요청함.

(대사 주병국-국장)

예고:90.12.31

1990 12 31. 에, 대고분이
의기 인반문제로 가 분다다.

중아국 노동부	장관 대책반	차관	1차보	2차보	청와대	안기부	국방부	건설부

PAGE 1

90.08.18   22:57

외신 2과   통제관 CF
0012

관리
번호 PO/1411

외 무 부

종 별 :

번 호 : JDW-0103

일 시 : 90 0819 1330

수 신 : 장관(중근동, 영재)

발 신 : 주 젯다 총영사

제 목 : 교민안전 대책

1. 걸프만 사태로 인하여 사우디와 이락간에 위기감이 고조됨에 따라 당관은 관내 아국교민의 안전대책을 강구하고있는바 8.18 까지 이와 관련해서 조치한 사항은 아래와 같음.

-8.5. 젯다주재 상사지사장들을 소집하여 사업전망을 토의한후 각자업무에 충실해줄 것을 요청.

-주사우디대사 지시에따라 8.8. 관내 각지역 교민대표및 기업대표들에게 비상식량을 준비하고 유사시에 대비한 마음의 준비를 갖출것을 전화로 통고.

-8.12. 직장별 지역별 교민비상연락망 작성완료.

-8.13. 교민회 이사진을 소집하여 대책협의.

-8.15. 비상연락망및 음료수를 준비함과 동시에 마음의 준비를 갖출것과 미등록교민의 재외국민등록을 촉구하는 내용의 소직명의 서한을 전교민에게 발송.

-독까스살포시 대처요령을 요약해서 배포.

-8.17 부터 주 2 회 중동사태에관한 벽보소식을 제작, 교민회게시판에 게시.

2. 대체적으로 당지교민은 젯다지역이 사우디의 최후방이라고 생각하면서 큰동요를 보이지않고 있으나 일부인사들은 가족을 본국또는 제 3 국으로 대피시키고있음. 특히 아국상사지사직원들의 반응은 민감하여 5 개상사직원은 가족과함께 대피하고 10 개상사지사도 직원가족을 대피시키고있음. 끝.

(총영사 김문경-국장)

예고:91.6.30 일반

1990. 12. 31 에
의거 일반문서로 재 분류 함.

중아국	장관	차관	1차보	2차보	통상국	정문국	영교국	대책반

원 본

외 무 부

종 별 :

번 호 : SBW-0711

일 시 : 90 0822 1630

수 신 : 장 관(중근동, 경이, 노동부, 기정, 국방부)

발 신 : 주 사우디 대사

제 목 : 근로자 동향보고

대: WSB-344

1. 8.20 현재 아국업체의 근로자는 21개업체에 3,296명으로써 8.8일자 3,401명에 비하여 105명이 감소하였으나, 이는 근로계약만료, 공사종료 등에의한 귀국임. (업체별 현황은 8.22 파편보고),

2. 금번 폐만사태와 관련 주재국에 진출한 아국업체의 현장은 별다른 동요없이정상작업에 임하고 있으며, 대호관련 일일 현황보고는 특이사항없는 경우에는 매주 주보로 하고자 하니 양지하시기 바람. 끝

(대사 주병국-국장)

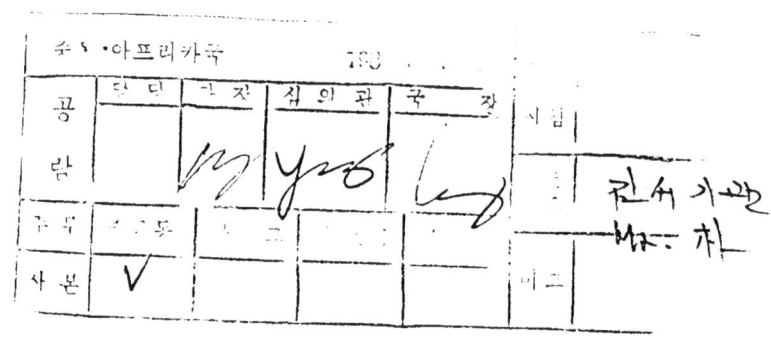

종아국   경제국   안기부   국방부   노동부

PAGE 1

원 본

외 무 부

종 별 :

번 호 : SBW-0720   일 지 : 90 0825 1510

수 신 : 장 관(중근동, 경이, 건설부, 노동부, 기정, 국방부)

발 신 : 주 사우디 대사

제 목 : 진출 건설업체 직원 및 가족 신변안전 조치

대: WSB-348

1. 중동사태 발생 즉시 전 건설업체 직원, 근로자 및 가족의 신변안전을 위해 각건설업체와 대사관(건설관, 노무과)간에 비상연락망을 유지하고 계속 비상근무중에 있으며 유사시 대비 대사관에서 하달한 안전대책수립지침(사우디(건)90-506)에 의거 업체별로 철수, 공사 마무리 계획등 필요한 제반준비를 완료하여, 수시 각종정보를 긴밀히 교환하고 있고, 일단 유사시에는 비상연락 체계에 의하여 지체없이 안전지대로 대피할 수 있도록 만전을 기하고 있으며

2. 현재 주재국에는 현대건설등 29개사 총9,708명(아국직원 1,101. 근로자1,921. 삼국인6,686)이 근무하고 있으며 직원가족은 총 71세대 190명중 30가구 73명이 귀국하였고 잔여가족(41세대117명)은 귀국 준비중에 있음.

3. 특히 쿠웨이트 국경에 인접해 있는 동부지역의 극동, 대림, 삼성, 유원, 풍림, 현대산업, 신화등 7개사 16개 공사현장에는 2,182명(한국인 687명)이 근무하고 있는데 유사시 리야드 제다등 안전지역으로 긴급 대피할 수 있도록 계획을 수립 신변안전에 만전을 기하고 있음.

(대사 주병국-국장

중아국 대책반	차관 미주국	1차보	2차보	경제국	안기부	국방부	건설부	노동부

PAGE 1   90.08.25   23:09 CG

외신 1과 통제관
0015

외 무 부

종 별 :

번 호 : JDW-0107

일 시 : 90 0825 1600

수 신 : 장관(중근동, 영재)

발 신 : 주 젯 다 총영사

제 목 : 교민동태보고

1. 당관관내 사우디 남서부지역 예멘 국경인접 카미스, 아브하 거주 교민중 7 세대가 그가족 13 명을 8.25 젯다발 KAL 기편 대피목적으로 귀국시킴. 대피이유는 사우디, 예멘국경에서의 긴장상태 때문이라함. 이와관련, 당관은 동국경지역거주교민들에게 총성이 들린다든가 무력충돌의 징후가 보이면 즉시 차량편으로젯다로 대피토록 안내하고 있음.

2. 동국경지역에는 사우디 육군이 주둔하고 있을뿐만아니라 미공군 600 명, 미육군 300 명도 주둔하고 있으며 동지역 거주교민 제보에 의하면 8.19 에는 전차대열이 약두시간동안 카미스, 아브하를 지나 남하했다함. 한편, 예멘에는 수송기등 이라크 공군기 수십대가 대기중이라는 설도있고 8.2 이라크의 쿠웨이트점령직후 포탄 2 발이 예멘측에서 부착하여 사우디영내에서 폭발한 사실도 있음.

3. 그러나 동국경지역에서 크게 멀지않은 아브하지방의 인터콘티넨탈호텔(해발 3,000M 산 정상에 위치)에 쿠웨이트왕이 피신하고 있고, 주유엔 예멘대사가예멘이 대이라크 경제제재 조치를 지지한다고 발언한 사실 및 예멘내 친사우디세력의 비중과 남북예멘이 봉합한지 일천하여 국내문제에 몰두해야하는 현실에비추어볼때 현상황하에서는 사우디, 예멘간의 무력충돌이 발생해서 아국교민이 대피해야하는 사태로까지 발전할 가능성은 크지않은 것으로 보임. 끝.

(총영사 김문경-국장)

예고:90.12.31 까지)

영사교민국	년월일	담 당	계 장	과 장	관리관	국 장
				16		

중아국 대책반	장관	차관	1차보	2차보	정문국	영교국	청와대	안기부

| 관리 | PO/1481 |
| 번호 | |

외　　　무　　　부

종　　별 :

번　　호 : SBW-0730 ✓　　　　　　　　　　　일　　시 : 90 0826 1400

수　　신 : 장관(봉일,중근동,재무부,상공부,노동부,건설부)

발　　신 : 주 사우디 대사

제　　목 : 아국 상사 지사 동향과 건의사항

　　　걸프만사태와 관련, 주재국내 아국 상사 지사들의 동향과 건의사항을 다음과같이 보고하니 적의조치바람.

　　1. 동향

　　가. 주재국내 아국 상사 지사들은 8.26 현재 주재원 가족들을 전원 귀국조치한가운데 (한국중공업제외)정상업무를 수행하고 있음. 다만 (주)유성, 럭키금성, 금성사, 대한전선 등은 주재원모두귀국함.

　　나. 상사 지사의 수출활동은 방독면, 군복등 일부품목의 신규주문을 받고 있으나 국내 재고량의 부족과 생산물량의 미흡으로 아직 큰실적은 없음.

　　다. 주재국의 은행, 봉관 및 일반 상거래 활동등은 정상적으로 운영되고 있으며 생필품등의 유통도 원활히 이루어지고 있음. 다만 신용거래의 위축과 현금거래 요구 사례의 증가로 일반 상거래의 경우 운영자금 경색과 거래 물량 감소가나타나고 있어 수출 활동이 다소 저조함.

　　2. 건의사항

　　가. 아국 상사 지사들에 의하면 우리나라 은행들이 이번 사태와 관련하여 L/C 네고를 지연하거나 네고시에 지급보증서(L/G)첨부를 요구하는 사례가 많아 수주활동에 애로가 있다고 하는바, 주재국 내의 은행들이 정상 업무를하고 있는점을감안 L/C 네고가 원활히 이루어 지도록 조치바람.

　　나. 또한 각 상사 지사의 본사에서 수출 물량 에 대한 선적지연 사례도 많다고 하는바, 적기 선적이 이루어 지도록 조치바람. 끝

　　(대사 주병국-국장)

　　예고:90.12.31. 일반

| 통상국 | 차관 | 1차보 | 2차보 | 중아국 | 안기부 | 재무부 | 상공부 | 건설부 |
| 노동부 | 대책반 | | | | | | | |

외 무 부

종 별 : 지 급

번 호 : SBW-0731   일 시 : 90 0826 1410

수 신 : 장 관 (경이,중근동,노동부,건설부,기정)

발 신 : 주 사우디 대사

제 목 : 근로자 대피보고

1. 주재국에서 주베일-리야드간 송수관공사를 하고있는 현대산업개발 (소장:
박기원)에서는 주베일 산업공단에 가까운 고속도로부근에 주캠프를 설치하고
있었는바, 쿠웨이트사태로 인한 긴장이 고조됨에 따라 본사의 지시에 의하여,
총근로자 379명 (아국인 122, 삼국인 257) 중동캠프를 사용하고 있던 근로자 120명
(아 44, 삼 76)을 90.8.24.밤 리야드부근 캠프로 대피시켰음을 보고함.

2. 동현장은 84.2.22 착공한 123,593천불 규모의 공사로써 7월말 공정은
87.5프로임.끝

(대사 주병국-국장)

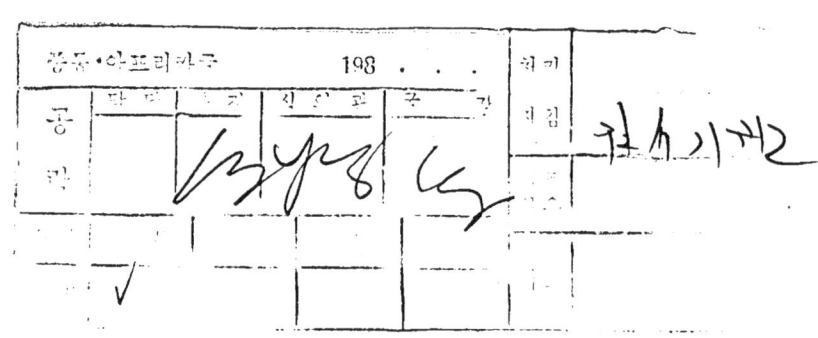

| 경제국 | 중아국 | 안기부 | 건설부 | 노동부 | | | | | |

PAGE 1   90.08.26   22:06 FC

외신 1과 통제관

0018

원 본

외 무 부

종 별 :

번 호 : SBW-0736   일 시 : 90 0827 1420

수 신 : 장 관(중근동, 경이, 건설부, 노동부, 기정)

발 신 : 주 사우디 대사

제 목 : 중동사태관련 업무동향 보고

    주재국 진출 건설업체인 동산토건 지사(차장 정영균외 5명)가 90.8.27 카이로 동산토건지사로 잠정 철수함.끝

    (대사 주병국-국장)

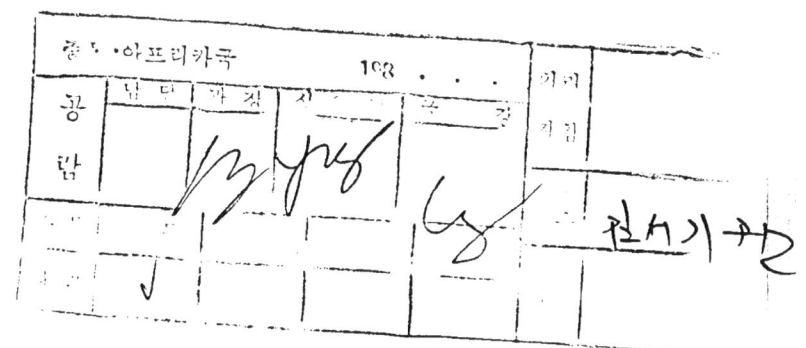

중아국   1차보   경제국   정문국   안기부   건설부   노동부

외 무 부

종 별 :

번 호 : SBW-0742   일 시 : 90 0828 1000

수 신 : 장 관(경이,중근동,노동부,건설부,기정)

발 신 : 주 사우디 대사

제 목 : 근로자 현황

    연: SBW-711

    8.27 현재 주재국에 진출한 아국업체의 아국인은 모두 3,112 명으로서, 8.20보다
184명 감소, 동산토건지사 (6명)가 카이로에 있는 지사로 대피한 외에는 근로
계약만료, 공사 종료에 따른 귀국자임 (업체별 현황 파편송부). 끝

    (대사 주병국-국장)

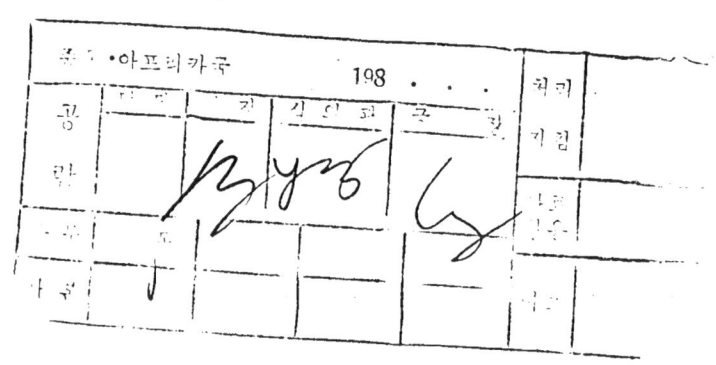

경제국   중아국   안기부   건설부   노동부   미주국 통상국 대책반 1차반 2차반

PAGE 1   90.08.28   23:20 DA

발 신 전 보

	분류번호	보존기간

번   호 : WSB-0364   900829 1425 DP   종별 : 지급

수 신 : 주   사우디   대사. /총영사 (노무)

발 신 : 장 관   (중근동)

제 목 : 현지 취업자 귀국 문제

        귀지 BALLAST NEDAM 에 취업중인 윤수원의 국내 가족이 당부에 찾아와
동인이 시급히 귀국코자 하나 현지 회사측에서 출국을 불허하고 있다 하며,
가능하면 대사관에서 스폰서와 접촉 동인의 귀국을 도와줄 것을 요소/확망하여 왔는바,
확인후 동인이 가급적 조속 귀국 가능토록 조치하고 결과 보고 바람.   끝.

연락처 : BALLAST NEDAM
                 윤수원 (S.W.YOON)
                 SUPERVISOR
                 MAINTENANCE AFF PROJECT P.O.BOX 292 KHAMIS MUSHAYT, SAUDI
                 TEL. 07-222-3372
                     (OFF) 222-3124
                     (RES) 2233339

                                   (중동아프리카국장   이 두 복)

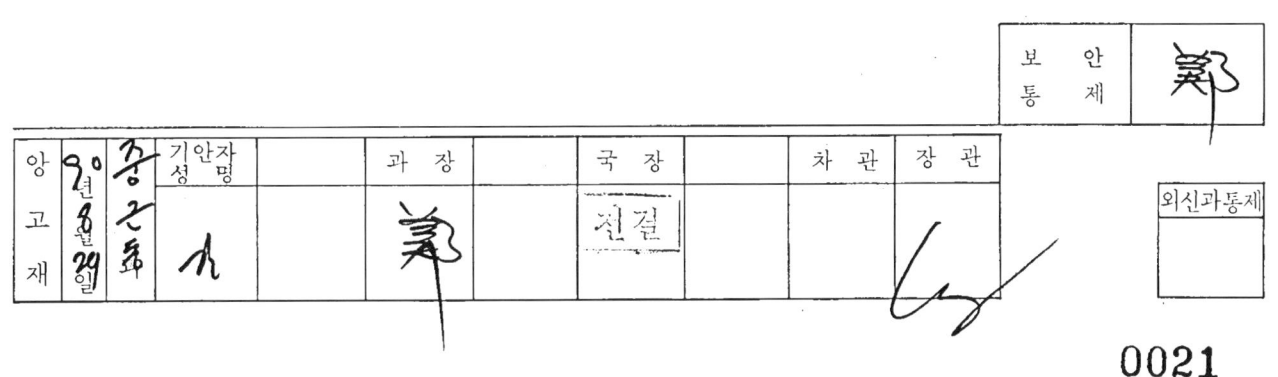

		기안자 성명		과 장		국 장		차 관	장 관	
앙고고재	90년 8월 29일 중근표	A				전결				보안통제
										외신과통제

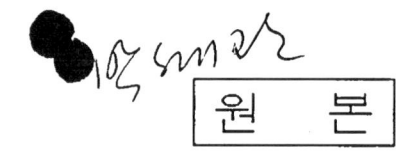

외 무 부

종 별 : 지 급

번 호 : SBW-0767   일 시 : 90 0901 1410

수 신 : 장 관(중근동)

발 신 : 주 사우디 대사

제 목 : 현지취업자 귀국문제

대: WSB-364

　　대호 윤수원과 전화통화한바, 동인은 스폰서의 출국불허로 귀국하지 못하고 있는것이 아니고, 본인의 의사에따라 계속 현직장에 머므르고있다고함. 동인은 국내가족이 최근 걸프만사태로 인한 염려에서 대호와같이 진정을 했을것으로 본다고 하면서, 오는 9.29 정기휴가로 귀국예정이라고함. 끝

　　(대사 주병국-국장)

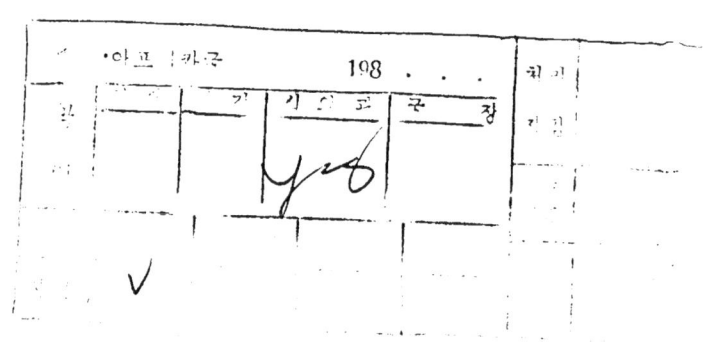

중아국　　　영교국　　　대책반

PAGE 1

90.09.01　　20:33 DN

외신 1과　통제관

0022

외 무 부

원 본

종 별 :

번 호 : SBW-0766   일 시 : 90 0901 1400

수 신 : 장 관(중근동,경이,노동부,건설부,기정)

발 신 : 주 사우디 대사

제 목 : 인원현황

　　8.31 현재 주재국에 진출한 아국 근로자수는 (총 4,989명) (제다지역 포함)이며,진출업체 3,093명, 의료요원 412명, 현지업체 (가족포함) 1,484명임. 이중 동부지역에는 진출업체 802명, 의료요원 29명, 현지업체 203명, 총 1,034명이 있음.

　　끝

　(대사 주병국-국장)

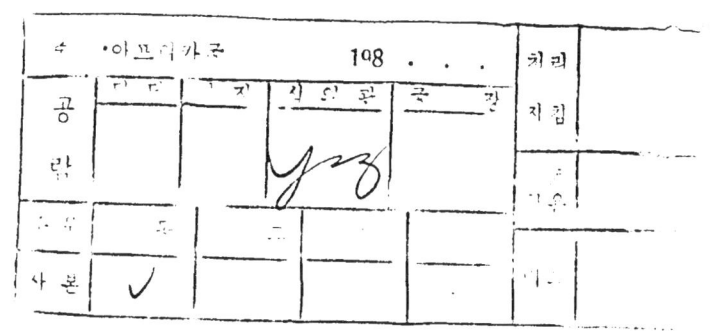

중아국　　경제국　　안기부　　건설부　　노동부

PAGE 1   90.09.01　21:10 DA

외신 1과 통제관

0023

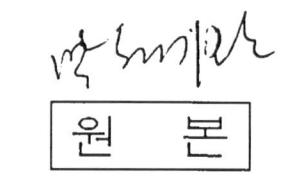

원 본

외 무 부

종 별 :

번 호 : SBW-0769

일 시 : 90 0901 1500

수 신 : 장 관(중근동, 경이, 노동부, 건설부, 기정, 국방부)

발 신 : 주 사우디 대사

제 목 : 현대산업개발 동향보고

연: SBW-731

8.24 리야드 부근으로 대피하였던 현대산업개발주 베일현장 근로자 120명은 8.29 12:00-18:00간 다시 현장에 투입되어 8.30부터 정상작업에 임함. 특히사항없음

(대사 주병국-국장)

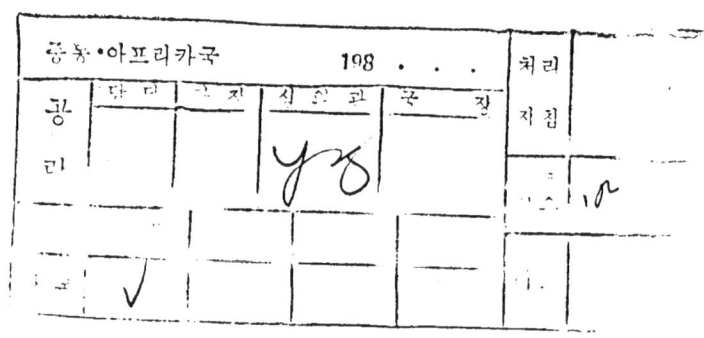

중아국	1차보	경제국	정문국	안기부	국방부	건설부	노동부	대책반

관리 901
번호 2001

발 신 전 보

분류번호	보존기간

번 호 : WSB-0375   900902 1143 FD   종별 : 지급

수 신 : 주 사우디 대사. 총영사

발 신 : 장 관 (중근동)

제 목 : 현지 취업자 관련 민원

연 : WSB - 0364

1. 귀지 QAIS UM MAH AIRPORT 에서 기상관측 요원으로 취업중인 권영익의 (화기주소) 국내가족이 당부로 민원서신을 보내 돌발사태 발생시 동인의 귀국을 도와줄 것을 호소하여 왔는바, 귀관의 고민 비상 철수 계획 수립시 동인을 포함하는 등 필요 조치바람. 민원이 있으니 위념바람

2. 권영익은 12여년간 귀지에서 근무중인바, 최근 사표를 제출하고 귀국키로 하였으나 금번사태로 계속 근무중이라 하며, 동인 주소는 다음과 같음(서울가족은 전화번호는 모른다고 함.)

KWON YOUNG IK

MET-OFFICE

QAIS UM MAH AITPORT

POSTAL CODE 31922. 끝.

1990.12.31. 에 예고문에 의거 일반문서로 재 분류(중동아프리카국장 이 두 복)

보 안	
통 제	

양 고 재	10 년 월 일	중근동 과	기안자 성명		과 장	심의관	국 장		차 관	장 관		외신과통제
							전YW					

0025

원 본

외 무 부

종 별 :

번 호 : SBW-0816

일 시 : 90 0910 1610

수 신 : 장 관(중근동,경이,노동부,건설부)

발 신 : 주 사우디 대사

제 목 : 인원 현황

9.10 현재 3,051명, 9.4일에 비해 16명 증가함.

(대사 주병국-국장)

중아국   경제국   건설부   노동부

PAGE 1

원 본

외 무 부

종   별 :

번   호 : JDW-0117

일   시 : 90 0924 1410

수   신 : 장관(영재, 중근동)

발   신 : 주 젯 다총영사

제   목 : 교민동태보고

연:(1)JDW-0103(90.8.19)

(2)JDW-0107(90.8.25)

1. 걸프만 사태로 인하여 본국 또는 제3국으로 일시 대피했던 당지 거주 아국 교민 및 상사직원 상당수가 다시 돌아오고있는 추세임.

2. 그러나 9.19 사우디정부(내무성)의 예멘인에대한 사우디 거주 자격에대한 우대 조치 철폐에따른 예멘정부 및 사우디내 예멘사회의 반발, 9.22 사우디 주재 이라크, 예멘 및 요르단 외교관 추방 조치 발표, 홍해 건너편 수단 영내 이라크 군사 고문단 7,000 여명 주둔설, 독일의 신형 독가스 및 고성능 대포 이라크판매에관한 보도등으로 인하여 교민 일부가 다시 대피 준비를 하는등 다소 동요의 빛을 보이고있음.

3. 이와관련, 당관은 현재 사우디내 요소에 미군을 주축으로한 다국적군이 이라크측 공격에 대비하고있고, 최근 불란서의 외인부대등 지상병력이 젯다와 350KM 상거한 얀부에 도착, 진지를 구축하는점등에 비추어 젯다지역에 대한 공격가능성은 크지않은것으로 판단, 당관의 비상사태시 교민안전 및 대피계획에 따라 교민을 지도하고있으며 연호(1)의 대교민 조치가 계속 유효하고, 특히 예멘 및 요르단 국경 인접지역 거주 교민들에게는 만약의 사태발생시 즉각 젯다등 안전지역으로 대피토록 계도하고있음. 끝.

(총영사 김문경-국장)

예고:1990.12.31 까지

영사교민국	년인인	담 당	계 장	과 장	관리관	국 장

영교국   중아국   대책반

주 젯다(영) 20830 - 31   1990. 11. 14.

수 신 : 장 관

참 조 : 중동아프리카국장, 영사교민국장

제 목 : 교민보호

검 토 필 1991. 6. 30.

1991. 12. 3/ 에 예고문에
의거 인반군서로 개 분류집

연 : JDW - 0117 (90. 9. 24)

표제건에 관하여 아래와 같이 보고합니다.

1. 연호 보고후 당지의 교민사회는 대체적으로 안정되고 있으며 페르시아만 사태와 관련하여 가장 민감하게 가족을 대피시키고 자신들도(일부) 대피한 적이 있었던 상사 주재원들은 전원복귀하여 영업행위를 하고 있음. 그러나 이락이 쿠웨이트로부터 자진철수치 않음으로 인한 전쟁발발 가능성이 배제 되지 않음에 따라 다수 교민들이 불안해하고 있는바, 이 불안은 전쟁시 이락의 젯다지역 공격, 재사우디 예멘인의 소요 가능성, 수단에 대한 경계심 등에서 연유하고 있음.

2. 사우디·이락간의 전쟁시에도 젯다지역은 이락으로부터 1,500 Km 거리에 있고 회교 성지인 메카 북방 40 Km 에 위치하여 사우디 서부지방에 대해서 폭격 또는 포격을 받을 가능성이 적다고 함. 사우디와 그 지원국가들이 제공권 및 홍해의 제해권을 장악하고 있음을 감안할 때는 이 피폭 가능성이 더욱 적어짐. 그러므로 젯다지역내에 소요사태가 발생치 않는 한 전쟁시 비교적 안전할 수 있는 최후방 이라고 볼 수 있스며, 하계휴가 기간이 지난 현재에도 사우디 국왕은 리야드로 귀환치 않고 젯다소재 "Al-Salam" 궁에서 집무하고 있고 쿠웨이트의 망명 정부가 젯다에서 남쪽으로 200 Km상거한 Taif 에 소재하고 있다는 사실이 이를 입증한다고 주장하는 사람들이 적지 않음. 그러나 전쟁발발시 특히 그

4646

0028

초전에서 이락의 미사일공격 또는 공군기의 기습을 받을 가능성은 배제되지 않음 .

3. 사우디의 서남부지역 (카미스, 아브하, 지잔)은 원래 북예멘 영토였으나 사우디가 무력으로 이를 병합했다는 사실로 인하여 북예멘내에서는 이 영토에 대한 Irreden- tism 이 주장되어 왔으며 사우디는 이러한 북예멘의 영토회복주의를 무마하여 왔음 · 즉 예멘에 대해서 사우디는 꾸준히 경제원조를 하여왔고 특히 북예멘인에 대해서는 다른 외국인과 달리 사우디내에서 사우디인 보증인의 보증 없이 체류 허가를 받고 자기명의로 상행위를 자유로 할 수 있는 권리를 부여했었음 · 타 외국인들이 사우디에서 거주 하려면 사우디인 보증하에 체류 허가를 득하여야 하며 사우디인 보증인 명의로만 상행위를 할 수 있도록 규제하고 있음을 감안 하면 북예멘인들이 사우디내에서 향유 했던 권리 (남예멘인은 타 외국인과 동일히 대우)는 대단한 특권이었음 ·

그러나 90. 9. 19 사우디 내무성은 사우디에 체류 하려는 모든 외국인은 금후 예외 없이 사우디 보증인의 보증하에 외국인 체류 허가를 득해야 하며 기히 보증 없이 체류 허가를 득하고 있는 자는 사우디 보증인의 보증을 득하여 금후 1 개월 이내에 새로이 체류 허가를 받아야 하고 사우디내에서 상행위를 하려는 자는 보증인 명의로 영업을 하고 새로이 사우디에 입국하려는 외국인은 동인이 거주 하는 국가 주재 사우디 공관에서 입국사증을 받아야 한다는 내용의 포고문을 발표하여 상기 북예멘인의 특권을 철폐했음 · 이 특권철폐의 논거로 사우디측은 사정변경 사실 (구체적으로 언급치 않음)과 재사우디 전 외국인에 대한 평등한 대우 원칙 실천을 들고 있으나 그 저의는 8.2 이락의 쿠웨이트 침공후 친이락 적인 예멘에 대해 불만을 표시하고 제재를 가함과 동시에 사우디내에서 상당한 상권을 장악하고 있는 예멘인으로부터의 상권을 회복하고 이번 사태를 계기로 북예멘인에게 허여되었던 특권을 철폐하고 불순 예멘인을 추방하려는데 있는 것으로 보임 ·

- 2 -

0029

상기 포고문 발표 이후 이미 50만 명의 예멘인이 퇴거했으며 재사우디 예멘인 재등록 마감일인 90.11.19까지 50만 명이 추가로 예멘으로 귀환할 것으로 관측되고 있음.

그러나 급작히 재사우디 예멘인이 대거 귀환함에 따라 주택 및 실업자문제 등으로 당황한 예멘정부는 사우디 당국을 맹렬히 비난함과 동시에 재사우디 예멘인에 대한 당초의 사우디 보증인 보증하의 체류허가 신청거부 및 보증인 명의의 영업활동 거부 지시를 사실상 철회하고 주젯다 예멘총영사관은 90.10 중순 사우디측 재등록 요구에 호응해도 가하다는 내용의 전단을 자국 교민에게 배포했음.

90.8.2 이전에 사우디에는 200만 명의 예멘인이 거주(절대다수가 서부지역 거주)하고 있었는데 전기와 같이 100만 명이 예멘으로 귀국하게 되고 100만 명은 사우디에서 사우디 보증인 보증하에 외국인 등록을 필하고 거주하든지 또는 귀화할 것으로 보임.

이상과 같이 예멘인이 기득권을 박탈당함에 따라 본국으로 추방 또는 귀환한 자는 그들 나름대로, 사우디내에 체류하게 되는 자는 또한 그들 나름으로 사우디 당국에 대한 불만이 큼. 예멘으로 추방 또는 귀환한 자들이 사우디에 대한 불만을 가지고 사우디.예멘간에 전쟁이 일어나면 최선봉에 서겠다고 반감을 토로하고 있다하며, 사우디체류 예멘인들은 기득권 박탈에 대한 불만이 커서 사우디내에서 예멘인들의 조직적인 소요사태가 발생할 경우 이에 가담할 가능성이 있음.

예멘인의 소요사태에 대한 예방조처로써 사우디 경찰은 도처에서 부정예멘인 색출을 목적으로 검문을 하고 있으며, 동검문은 동시에 쿠웨이트 피난민으로 가장하여 사우디에 침투한 이락 첩자 색출에도 그 목적이 있다함. 당지에서는 이락의 사주에 의한 예멘인의 소요도 우려되고 있음.

여하간 금번 걸프만사태로 인하여 과거에 어색하게 안정되어 있던 사우디.

0030

예멘 관계는 악화되어 긴장이 고조되고 있는바, 이 양국이 우호관계를 회복하기 위해서는 상당히 긴 세월이 소요될 것으로 보임.

예멘인의 대거 퇴거에 따라 사우디 경제는 적지 않은 영향을 받고 있음. 즉 지금까지 비교적 부지런하고 정확한 북예멘인들이 대체적으로 자영업 또는 취업형태로 유통분야 및 기술분야에 종사하면서 자신들의 이익을 추구함과 동시에 사우디 경제에도 공헌해 왔음. 그러나 짧은 기간내에 100만 명 가까운 예멘인이 퇴거함에 따라 사우디 경제의 유통분야 및 기술분야의 하부구조가 마비되는 증세가 나타나고 있는바, 다수의 소규모 소매상이 폐업을 하고 각종 업소가 인력난에 봉착하고 있음이 이를 말해주고 있음. 부족한 인력은 금후 애급인, 파키스탄인, 비율빈인, 인도인, 방글라인 등으로 충당할 것으로 보이나 시일이 소요될 것이며 노동생산성면에서는 언어등 문제로 인해 그들이 예멘인 만큼 생산적일 지는 의문임. 아국인력은 그 고임금으로 인하여 많이 진출할 가능성은 현재는 없음.

4. 수단은 250 Km의 폭을 가진 홍해를 사이에 두고 사우디와 이웃하고 있는바, 현재의 수단 군사정부가 집권하고 난 후 더욱 이락과 관계를 강화하여 수단에는 7,000명 가까운 이락의 군사고문과 미사일 및 전투기가 배치되어 있다는 설이 당지에 유포되어 있음. 그래서 당지에서는 사우디와 이락간에 전쟁이 발발했을 경우 수단으로부터의 젯다지역 미사일 공격 또는 공군기의 폭격 가능성을 우려 하고 있음.

이러한 우려를 뒷받침이라도 하듯, 90.9월 사우디 메카에서 개최된 친사우디적 아랍성직자 회의에 수단은 대표를 파견치 않고 요르단에서 개최된 친이락적 회의에 대표를 파견하여 친이락적 성향을 보였음. 이와 같은 수단의 태도에 따라 사우디는 수단을 경계하고 한발구호 원조를 하지 않고 있으며 애급은 대수단 경고를 발했음. 물론 수단은 남부의 반란단체와 대치하고 있고

0031

유사시에는 애급, 소말리아 및 사우디로부터 협공을 받을 가능성이 있어
사우디를 선제공격할 가능성이 희박하다고들 하나 수단에 있는 이락인에
의한 직접적 또는 간접적 젯다지역 미사일 공격 또는 공군기 폭격 가능성이
완전 배제되지 않음.

5. 위와 같이 이락의 젯다지역 공격 가능성, 사우디 서부지역에서의 예멘인의
소요 가능성 및 수단의 공격 가능성이 모두 크지는 않으나 그렇다고 해서 그
가능성이 완전 배제되지도 않음.

   이러한 상황하에서 어떠한 위급한 사태가 발생하면 당관은 관내 교민
들에게 그 사태 초기에는 식량과 음료수를 준비하고 불필요한 외출을 자제할
것을 권유하고, 사태가 악화될 경우에는 관내 남부지역거주 교민의 젯다에로의
북상과 북부지역거주 교민의 젯다에로의 남하를 지시하여 당관 자체계획에 따라
유사시에는 젯다로부터 교민을 철수시킬 계획임. 끝.

예 고 : '91. 12. 31일반

주 젯 다 총 영
소득은 정당하게 소비는 알뜰하게

0032

관리
번호

외 무 부

종   별 :

번   호 : JDW-0146   일   시 : 90 1215 1530

수   신 : 장관(경협일,중근동,노동부)사본:사우디대사

발   신 : 주 젯 다총영사

제   목 : 중동사태관련 근로자안전대책회의 개최

1. 당관은 관내진출 아국건설업체 대표자를 참석토록하여 아래와같이 중동사태관련 근로자안전대책회의를 개최하였기 보고함.

    가. 일시 : 90.12.12 10:30-12:00

    나. 참석자 : 관내진출 아국건설업체 7 개소

    다. 내용 : -걸프만정세의 원인, 배경및 현황등 개요설명

    -걸프만사태전망

    -근로자안전대책 시달 : 비상대피계획 수립.식량, 식수, 연료등 비상물자비축. 근로자에 신속한 상황설명. 비상시 외출자제 및 통제. 공관과의 긴밀한 연락체계유지.젯다이외지역 철수시 개인취업자 동반철수

2. 당관은 각회사 자력으로 당해 고용근로자를 철수시키는 것을 원칙으로하되 회사의 자력철수조치가 불가능한 경우 총영사관에서 지원할 계획임을 주지시켰으며, 상기 참석자들로 부터는 비상사태로 인한 철수시 근로자들이 단체로 사우디출국비자를 받을 수 있도록 지원하여 줄 것을 요청하는 건의가 있었음. 끝

(총영사 김문경-국장)

예고:91.6.30 까지   198 . . .

경제국   장관   차관   1차보   2차보   중아국   정문국   노동부   대책반

┌──────────┬────────┐
│ 분류번호 │보존기간│
├──────────┼────────┤
│   │   │
└──────────┴────────┘

발 신 전 보

WMEM-0040   901221 18:28   CG   종별 :

번   호 : _____

수   신 : 주 수신처 참조 //대사//총영사//

발   신 : 장   관 (중근동)

제   목 : 체류 교민 자진 철수 종용

1. 미.이락 직접협상 가능성이 ~~희박해짐에~~ 행동책임에 따라 영국에 이어 태국, 아일랜드, 덴마크가 걸프지역에서 자국민 철수를 권유하고 있다는바, ~~귀지 체류~~ 이란도 ~~교민이 조속히 자진 철수토록 종용 바라며,~~ 돌발적 사태 발생에 대비한 교민 긴급 비상 철수 계획 수립등 만반의 사전 준비를 다하기 바람. ~~(모리타니아의 경우는 12.20. 자 WEM-0039 참조)~~

2. 본부 작성 비상대책안은 정파편(또는 특파편) 송부 위계임.

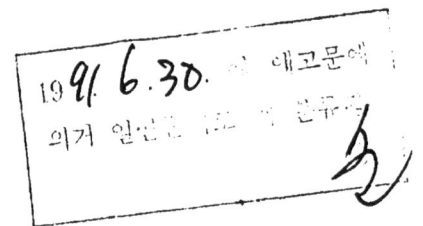

(중동아국장 이행순)
(차관 위종하)

예   고 : 91. 6. 30. 일반

수신처 : 주 바레인, 사우디, UAE, 이란, 이락 카타르, 오만, 요르단, 예멘 대사,
         주 젯다 총영사)

사   본 : 중동공관중 수신처 제외

1991. 6. 30. 대고문에
의거 일반 ___ 분류

┌──┬────┬────┬────┬────┬────┬────┬────┐
│앙 │80년│기안│   │과장│심의관│국장│1차보│차관│장관│
│고 │12월│자 성│   │   │   │   │   │   │   │
│재 │21일│명 │   │   │   │   │   │   │   │
└──┴────┴────┴────┴────┴────┴────┴────┴────┘

2차보

┌────┐
│보 안│
│통 제│
└────┘

┌──────────┐
│외신과통제 │
└──────────┘

원 본

관리
번호

외 무 부

종 별 :

번 호 : YMW-0422

일 시 : 90 1224 1400

수 신 : 장 관(중근동,마그)

발 신 : 주 예멘 대사

제 목 : 교민 보호

대:WMEM-0039,40

연:YMW-0279

1. 주재국 및 주재국내 PLO 조직은 금번 다국적군에 대한 외국의 지원도 마대한 아국의 지원도 미국측의 요청에 의한 조치로 인식되고 있어 현재로서 아국인의 인질 가능성은 희박하며 교민에게 철수를 권유할 상황은 아닌것으로 판단됨.

2. 주재국은 걸프 사태로 중동 지역에 미군이 주둔한 이래 반미 감정이 지속되고 있는 가운데 미 대사관은 이미 가족을 철수시킨 상태이나 현지 미국 석유회사인 HUNT OIL CO. 인력은 그대로 잔류하고 있는것으로 파악되고 있음.

3. 이에 당관은 연호 비상 대책 상황 1 에 준하여 비상 연락망을 점검하고 교민들에 대하여 만일의 사태에 대비 비상 식량 비축을 권유하는 한편 근로자 및가족들의 외출을 자제해 줄것을 요청하였으며,91.1.15. 일 전후한 사태의 추이를 보아 적이 대처코저함. 끝.

(대사 류 지호-국장)

예고:91.6.30. 까지

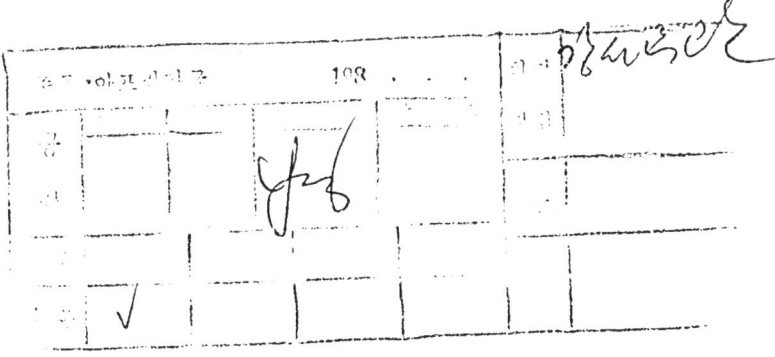

중아국	차관	1차보	2차보	중아국	청와대	안기부

90.12.26   20:55

외신 2과 몽제관 CH

0035

	분류번호	보존기간

발 신 전 보

WBH-0184   901227 1813   DP

번   호 :   종별 :

수   신 : 주 수신처 참조 ///대사//총영사 (사본 : 주이라크 대사)

WSB -0604	WAE -0292
WQT -0488	WQT -0147
WOM -0181	WJO -0559
WYM -0285	WJD -0142
WBG -0628	

발   신 : 장 관 (중근동)

제   목 : 교민 자진 철수 권유

연 : WMEM-0040

1. 미.이라크 직접협상 ~~결렬로~~ (난항으로) 걸프지역에 전쟁 위험이 높아짐에 따라
영국, 덴마크등 여러나라가 동 지역 체재 자국인에 대해 자진 철수를 권유하고
있는 상황에 비추어 아국도 전쟁 발발에 대비 교민 안전을위한 조치를 취하여야
할것으로 판단되니 ~~귀지 체류 교민이~~ 가능한한 자진 철수~~를 할 수 있도록 권유~~바람.
관련단에따라 ~~하고~~ 현지 실정에 적합한 조치를 ~~취하여~~ 주시기 바람.

2. 상기 관련 진출 근로자나 업체의 지나친 동요가 없도록 각별히
유념 바람. 끝.

(차 관 유종하)

예 고 : 91.6.~~X~~30.까지

수신처 : 주 바레인, 사우디, UAE, 이란, 카타르, 오만, 요르단, 예멘 대사,
주 젯다 총영사

제2차보년
영사교민국장

	보 안	
	통 제	

앙 고 재	90년 12월 27일	중근동 과	기안자 성명		과장 심의관		국장 제1차관보		차관	장관
									전결	

외신과통제

관리
번호 80/1734

원 본

외 무 부

종 별 : 지급

번 호 : SBW-1221   일 시 : 90 1229 1100

수 신 : 장 관(중근동,노동부,건설부)

발 신 : 주 사우디 대사대리

제 목 : 체류자 교민 자진철수 권유

대:WMEM-40

대호 당관은 최근의 걸프만사태 추이를 감안 12.26 전쟁발발시 직접 피해가예상되는 다란, 담맘, 쥬베일등 동북부 지역에 거주하는 체류자 가족등 비필수인원의 철수를 권유하는 안내문을 지난 8.8 일에 이어 두번째로 동지역에 배포하였음

(대사대리 박명준-국장)

예고:91.6.30 일반

1991. 6.30. 에 대고문에 의거 일반문서로 재 분류됨.

중아국   건설부   노동부

PAGE 1   90.12.29   20:52

건 설 부

해건 30600-784 　　　　　　(503-7416)　　　　　　1991. 1. 11.

수신　외무부장관　　　　　　　　　　　　　　　　　　(1년)

제목　해외건설업체 근로자안전대책

　　　페만사태와 관련 미.이라크 협상이 결렬됨에 따라 페만지역에
긴장이 고조되고 있어 유사시 위험이 예상되는바, 사우디국에 진출하고
있는 아국 해외건설업체 근로자에 대하여 정확한 지역별, 업체별 인원
(직원, 근로자구분) 현황과 안전대책 및 유사시 철수계획을 보고토록
긴급 훈령하여 주시기 바랍니다.

건　설　부　장

| 건설경제국장 | 전결 |

1241

0038

FAX : 739~8286

건 설 부

(500-2907)   1991. 1.15

해 건 30600-

수 신   외무부장관 (비상대책반)   (1년)

제 목   페만사태 관련보고

　　　1. 사우디 진출업체 보고에 의하면 현지공관으로 부터 사우디 동부지역
현장근로자를 1.15 오후 1시까지 리야드 등으로 이동 대피토록 구두 통보를
받았으나 당해업체들은 발주처가 현 상황을 대피상황으로 인정하지 않고 있어
일방 대피에는 애로가 있으므로 공관이 문서로 지시해 줄 것과 대사명의의
대발주처 협조공문을 요청하였던바 공관에서는 본국의 훈령이 없어 불가능
하다는 통보가 있었다고 합니다.

　　　2. 따라서 현지공관에 위 내용에 대하여 면밀히 분석검토 후 필요한
조치를 할 수 있도록 훈령하여 주시기 바랍니다.

건 설 부 장 관

건 설 경 제 국 장 전결

기춘치

0039

원 본

관리
번호 91-220

외 무 부

종 별 : 초긴급

번 호 : SBW-0092

일 시 : 91 0115 1200

수 신 : 장 관(중근동,노동부,건설부,국방부,기정)

발 신 : 교민철수및 안전대책

제 목 : 대:WSB-89

1. 대호 1.14 까지 당관에 특별기편 귀국을 희망해온 인원은 총 337 명으로파악되고 있으나, 향후 걸프만 사태추이, 정기항공기 이용 출국등 가변요소 감안시 상당폭의 증감이 있을것으로 판단됨

2. 당관은 걸프만사태관련 만일의 비상사태발생시 가장 위험시되는 담맘, 다란, 주베일등 동북부지역에 거주하고 있는 교민 약 1,121 명(아국업체소속 근로자 731 명, 개인취업자등 기타 390 명,90.12.31 현재)의 개인별현황을 파악, 비상연락망을 작성, 사태에 대비하고 있으며, 기 2 차에 걸쳐 가족등 비필수인원의 안전지대로의 대피 또는 본국 귀국을 권유한바 있음

3. 지난,1.14 특별기등으로 동북부지역에 거주하고있는 가족등 비필수인원 약 140 명중 약 70 여명이 안전지대로 이동하거나, 본국으로 귀국한것으로 파악되고 있으며, 아국업체소속 근로자 대피계획 상세는 아래와같음

　가. 인원철수

　-14 개 건설업체 및 3 개 진출업체, 리야드, 제다등 일차 안전지역으로 기철수 및 철수계획준비 완료

　-철수완료: 동산 4, 풍림 9, 경남 2, 공영토건 2, 국제 13, 삼환 2 은 전원리야드 또는 제다지역으로 철수

　-20 명 내외의 필수요원 잔류후 리야드, 제다등으로 철수 및 철수중인 업체:극동 32, 현대산업개발 100, 현대 26, 유원 10, 구일산업 10, 대림 48

　-유사시 철수계획업체: 신성 37, 신화 160, 삼성 45, 한진 46, 한국강관 34

　나. 방독면 등 방호장비 확보

　-동지역 잔류인원에 방독면 지지급(일부업체 지급준비중)

　-방공후, 방공대피시설등 준비

중아국 건설부	장관 노동부	차관	1차보	2차보	청와대	총리실	안기부	국방부

PAGE 1

91.01.15　18:43

외신 2과　통제관 BA

0040

다.   유사시   동지역   교민의   리야드   대피에대비,   임시숙소(건설업체 캠프등)준비완료. 끝
    (대사 주병국-국장)
    예고:91.12.31. 일반

19%. 6. 5. 에 예고문에
 의거 일반문서로 저 감군건.

관리번호 91 -114

외 무 부

종 별 : 초긴급

번 호 : SBW-0095   일 시 : 91 0115 1520

수 신 : 장관(중근도,노동부,건설부,기정)

발 신 : 주 사우디 대사

제 목 : 근로자안전대책

대:SBW-0096

1. 주재국내 진출업체 근로자현황

업체명 계 동부 중부 서부

업체계 2,599 521 1,413 665

경남기업 61 0 61 0

공영토건 4 0 4 0

극동건설 45 12 33 0

국제종합 13 13 0 0

남광토건 6 0 6 0

대림건설 203 91 0 112

동산토건 4 0 0 4

라이프주 1 0 1 0

럭키개발 41 0 33 8

동부건설 41 0 41 0

삼부토건 3 0 3 0

삼성종합 43 43 0 0

삼호주택 18 0 18 0

삼환기업 65 0 12 53

신성 240 37 77 126

신화건설 179 160 19 0

유원건설 78 17 61 0

구일산업 119 26 0 93

1991. 6. 30. 이 어고문서 의거 일반문서로 지 분류됨.

노동부 안기부	장관 건설부	차관 대박밤	1차보	2차보	중아국	정와대	종리실	안기부

PAGE 1   91.01.15   23:30

풍림산업 9 0 9 0

현대산업 96 14 82 0

한신공영 1 0 1 0

한일개발 281 0 110 171

한양 52 0 52 0

한국중공 18 0 18 0

한국강관 33 32 1 0

현대건설 899 30 776 93

한진 46 46 0 0

2. 기타사항 SBW-92 참조.끝

(대사 주병국 -국장)

예고:91.6.30 일반

| 관리
번호 | 91/2?0 | | | | 원 본 |

외 무 부

종 별 : 초긴급

번 호 : SBW-0095   일 시 : 91 0115 1520

수 신 : 장관(중근동,노동부,건설부,기정)

발 신 : 주 사우디 대사

제 목 : 근로자안전대책

대:SBW-0096

1. 주재국내 진출업체 근로자현황

업체명 계 동부 중부 서부

업체계 2,599 521 1,413 665

경남기업 61 0 61 0

공영토건 4 0 4 0

극동건설 45 12 33 0

국제종합 13 13 0 0

남광토건 6 0 6 0

대림건설 203 91 0 112

동산토건 4 0 0 4

라이프주 1 0 1 0

럭키개발 41 0 33 8

동부건설 41 0 41 0

삼부토건 3 0 3 0

삼성종합 43 43 0 0

삼호주택 18 0 18 0

삼환기업 65 0 12 53

신성 240 37 77 126

신화건설 179 160 19 0

유원건설 78 17 61 0

구일산업 119 26 0 93

1991. 6 .3ㄱ. 애 여고문에
의거 일반문서로 저 분류됨.

노동부	장관	차관	1차보	2차보	중아국	청와대	총리실	안기부
안기부	건설부	대책반						

풍림산업 9 0 9 0

현대산업 96 14 82 0

한신공영 1 0 1 0

한일개발 281 0 110 171

한양 52 0 52 0

한국중공 18 0 18 0

한국강관 33 32 1 0

현대건설 899 30 776 93

한진 46 46 0 0

2. 기타사항 SBW-92 참조.끝

(대사 주병국 -국장)

예고:91.6.30 일반

관리
번호 미
-118

외 무 부

종 별 :

번 호 : JDW-0013 일 시 : 91 0116 1200

수 신 : 장관(중근동, 사본:주 사우디대사-본부중계필)

발 신 : 주 젯 다총영사

제 목 : 교민동태보고

연:JDW-0012

　1. 1.14 리야드 도착 특별기편으로 당지교민 10 여명이 귀국했으며 당관은 현재 귀국희망자를 계속 조사중임.대다수 당지교민들의 의식속에는 젯다지역이 이락과 쿠웨이트로부터 1,500KM 거리에 위치하여 사태가 악화되더라도 이락 포화의 사정권내에 들지않는다는 사고가 잠재하고 있기때문에 그들은 아직도 크게 긴박감을 느끼지 않고있음. 다른한편으로 그들은이락인, 예멘인, PLO 등의 테러가능성을 배제하지않고 이에대하여 민감함. 이러한 상황하에서 실제 전쟁이 발발할 경우 심리적변화가 생겨 귀국희망자는 늘어날 것으로 보임.

　2. 관내 최북단지역으로서 요르단 접경지인 "타북"에는 건설업체 근로자 95 명, 사우디기관등에의 개별취업자 21 명, 합계 116 명의 교민이 체류하고 있는 바,1.12 당관은 동인들이 조속히 젯다로 대피하여 사태가 호전될때까지 대기하되사업형편상 전원대피가 불가능할때에는 최소한 필요한 인원만 잔류시키고 잔류인원의 안전을위해 철수교통수단, 식량및 음료수, 방독장비등을 준비해 주도록 지도했음. 그러나 건설업체 근로자들은 공사발주기관의 대피불허, 현지에서 공사중인 건설업체간의 대피합의 미달, 공사속행의 필요성등으로 인해 즉시 대피치 못하고 대책을 숙의중임.개별취업자들에게는 자력으로 대피치 못할경우 삼환기업,한일개발등의 건설업체현장에 연락하여 동반 철수토록 작년 11 월부터 지도해오고 있음.

　3. 일부 개별취업자및 상사지사원등은 현재에도 SV 항공편(1.16 20 여명탑승), MH 항공편등을 이용, 가족을 대피시키고 있음. 사우디동부지역에서 근무중이던 건설업체 사원등이 젯다로 대피해오고 있으나 관내 교민총수는 감소하여 현재 1,200 명선임.끝.

　(총영사 김문경-국장)

　예고:91.6.30 까지

중아국	장관	차관	1차보	2차보	영교국	정와대	총리실	안기부

관리
번호 `91/178`

원 본

외 무 부

종 별 : 긴 급

번 호 : SBW-0150

일 시 : 91 0118 1150

수 신 : 장관(중근동,노동부,대책반,기정)

발 신 : 주 사우디 대사

제 목 : 동부지역 인원 현황

기록 필

91.118 07:00 현재 주재국 <u>동북부지방 지역별 잔류 인원 현황</u>임

구분 계 업체 의료요원 현지업체및가족

계 473/163/99/211

동부 321/150/0/173

카심 111/0/78/33

호프프 39/13/21/5

동부-주베일, 다란, 담맘

끝

(대사 주병국-국장)

예고:91.6.30 일반

1991. 6.30. 에 대고공여
의거 일반문서로 재 분류됨.

중아국   장관   차관   1차보   2차보   청와대   안기부   노동부

관리
번호 91/240

원　본

외　무　부

종　별 : 지　급

번　호 : SBW-0157

일　시 : 91 0118 2330

수　신 : 장　관(중근동,노동부)

발　신 : 주 사우디 대사

제　목 : 한진근로자 대피

연:SBW-111

　　주재국 동부지역 담맘항에서 ADTC 사의 하청을 받아 하역을 하던 한진근로자 44
명은 당관의 주선으로 담맘을 출발 1.18 02:00 리야드에 도착 현재 리야드한인
연합교회에 수용중임

　　동근로자들은 1.19 09:00 경 계열사인 한일개발 캠프가 있는 타이프로 향발할
예정임

　　(대사 주병국-국장)

　　예고:91.6.30 일반

1991. 6. 30. 예 예고문에
의거 일반문서로 재 분류됨.

중아국　　2차보　　노동부

PAGE 1

91.01.19　　06:02

외신 2과　통제관 BW

0048

발 신 전 보

분류번호 | 보존기간

번   호 : WMEM-0010 910118 1602 DA종별 : _____

수   신 : 주 전중동지역 공관장 대사!//총영사

발   신 : 장 관 (페만 비상대책 본부장)

제   목 : 페망 전쟁 관련

교민 안전 여부 및 전황에 대해 수시 (2시간 마다) 보고 바람.

끝.

예고 : 독후 파기

보안통제 78

양고재	91년 월 일 과	기안자 성명	과 장	국 장	차 관	장 관
			78	후결1		

외신과통제

0049

외 무 부

종 별 :

번 호 : JDW-0017

일 시 : 91 0118 1345

수 신 : 장관(대책반)

발 신 : 주 젯 다총영사

제 목 : 페만전쟁(2)

　　대:WMEM-0010, WJD-0026
　　연:JDW-0015

　　1. 현재 당지 교민사회는 동요없이 안정을 유지하고 있음. 당관은 1.17 전시안전에관한 연호 안내문을 전교민에게 배포 완료하였으며, 비상식량및 식수를 확보하는등 사태변화에 대비하고있음.

　　2. 당지는 계속 평온을 유지하고 있으나 평소에 비해 통행차량이 감소되었음.주민들은 1.18 새벽 이락의 이스라엘및 사우디 동부지방 미사일 공격에 대해서도 의외로 냉정하며 페만전쟁이 단기간내에 종식되기를 희망하면서도 적어도 2.30일간은 계속될 것으로 보는 사람들이 있음. 끝.

　　(총영사 김문경-페만비상대책본부장)

　　예고:91.6.30 일반

199. 6. 30 에 예고문에
의거 일반문서로 지 분되됨.

중아국　　장관　　차관　　1차보　　2차보　　청와대　　총리실　　안기부

원 본

외 무 부

종 별 : 긴 급

번 호 : SBW-0176

일 시 : 91 0119 1800

수 신 : 장 관(중근동,대책반,국방부,기정)

발 신 : 주 사우디 대사

제 목 : 걸프전

금 1.19 주다란 미총영사관은 사우디내 국제공항의 폐쇄로 인한 민간항공기의 취항중단을 감안, 철수를 희망하는 동부지역 거주 미국인을 미군용기편에 안전지역(구라파 예상)으로 대피시킬 계획이라고 밝힘 (항공료는 자담).

끝

(대사 주병국-국장)

중아국	장관	차관	1차보	미주국	중아국	정문국	청와대	총리실
안기부	국방부	대책반						

PAGE 1

91.01.20   00:29 DA

외신 1과 통제관

0051

관리 번호	91/290

원 본

외 무 부

종 별 : 초긴급

번 호 : SBW-0189

일 시 : 91 0120 1200

수 신 : 장관(중근동,국방부)

발 신 : 주 사우디 대사

제 목 : 교민비상철수

중근동

대:WSB-154

대호 군수송기의 이용을 희망하는 교민이 극소수에 불과한바, 동계획은 추진하지 않을 것이 좋을것으로 사료됨

(대사 주병국-국장)

예고:91.6.30 일반

1991. 6. 30 에 외교문서
여기 일반문서로 재 분류됨.

국방부에 사본
1부 송부요

1/20 20:00

중아국	장관	차관	1차보	2차보	청와대	안기부	국방부

관리
번호 91/293

원 본

외 무 부

종 별 : 지 급

번 호 : SBW-0190
일 시 : 91 0120 1220

수 신 : 장관(중근동,경이,노동부)

발 신 : 주 사우디 대사

제 목 : 인원대피현황

　　1. 1.19 동부지역에서 리야드로 대피한 인원은 총 50 명임, 진출업체 42, 현지업체 8 명임

　　2. 삼성종합건설은 7 명을 잔류시키고 전원 리야드로 대피하였고, 담맘에서 호프프로 일시 대피하였던 국제종합 13 명중 6 명이 리야드로 대피함

　　　(대사 주병국-국장)

　　　예고:91.6.310 일반

1991. 6.30. 에 예고문에 의거 일반문서로 재 분류됨.

중아국 노동부	장관	차관	1차보	2차보	경제국	정와대	총리실	안기부

PAGE 1

91.01.20　19:36

외신 2과 통제관 DO

0053

원 본

외 무 부

종 별 : 지 급

번 호 : SBW-0191   일 시 : 91 0120 1230

수 신 : 장관(중근동,경이,노동부)

발 신 : 주 사우디 대사

제 목 : 인원현황

   1. 1.20 0800 현재 주재국 체류하고있는 아국인은 총 4,697 명이며, 동북부 320,
중부 2,814, 서부 1,563 명임

   2. 동북부 체류자는 진출업체 52, 의료요원 99, 현지업체및 가족 169 명임
(대사 주병국-국장)

예고:91.6.30 일반

1091. 6.30. 일 예고문이
의거 일반문서로 재 분류됨.

중아국   장관   차관   1차보   2차보   경제국   청와대   총리실   안기부
노동부

PAGE 1   91.01.20   19:38
                                                 외신 2과 통제관 DO
                                                        0054

주사우디 대사 전화 보고

(1.21. 07:00)

o 사우디 리야드 지역에 대한 이라크측의 스쿠드 미사일 발사에 대항,
  다국적군은 11발의 요격 미사일 발사

o 동 리야드 지역, 공습 경보

외 무 부

종 별 : 초긴급

번 호 : SBW-0206

수 신 : 장 관(중근동, 국방부, 기정)

발 신 : 주 사우디 대사

제 목 : 걸프전쟁

일 시 : 91 0121 0400

연:SBW-202

1. 금 1.21 새벽 1시경 리야드지역에 수발의 스크우드미사일 공격과 이를
요격하기위한, PATRIOT미사일들의 발사가 목격되었으며, 당관의 창문이
흔들리는 정도의 폭발이 감지됨.

2. 새벽 3시경 아국교민들이 제보한바에 의하면, 시내공군기지에서
약 600M 정도떨어진 거리의 단독주택에 미사일 1발이 떨어졌으며, 인근 HAMADI
병원에는 2명의 중상자와 4명의 경상자가 치료를 받고 있다고 동병원에
근무하고있는 아국인 간호 기사가 당관에 확인하였으며, 다수의 사망자가
있다는 소문도있음.

3. 현장에 다녀온 아국 교민회장에의하면, 폭발현장에는 다수의 구경꾼들이
모여있으며, 경찰이 일반인의 접근을 통제하고있다함.

(대사 주병국-국장)

중아국 국방부	장관	차관	1차보	2차보	정문국	정와대	증리실	안기부

PAGE 1

91.01.21   10:52 FG

외신 1과 통제관

0056

題 目: 이라크의 대 사우디 미사일 공격   1991. 1. 21.
       (주사우디 대사관 전화보고 : 1. 21. 10 : 50)
       현지시간 1. 21. 06 : 50

o 다국적군 사령부 발표내용

1. 지난 24시간 동안 2차에 걸친 이라크의
   SCUD 미사일 공격이 사우디내에 있었음.

2. 모두 10개의 미사일이 공격하여 왔으며,
   다국적군은 그중에 9개를 타격했음

3. 처음 3개의 미사일이 사우디 현지시간
   1. 20. 21 : 15에 사우디 동부지역으로
   공격하여 왔고, 5개의 Patriot 요격
   미사일이 이 3개 미사일을 모두 파괴했음.

4. 그리고 1. 21. 02 : 45에 이라크는 7개의
   SCUD 미사일을 발사했으며, 이중
   4발이 리야드, 2발이 다란, 1발은
   동부의 해역에 떨어졌음.

0057

政府綜合廳舍 810號   電話 : 730-8283/5, 730-2941. 6. 7. 9, (구내) 2331/4, 2337/8   Fax : 730-8286

Patriot 요격 미사일이 이틀 6시을
파괴시켰으며, 바다에 떨어진 것은 공격할
필요가 없었음.

5. 이라크의 미사일 공격으로 인한 Damage
   나 Injury에 관한 보고는 없었음.

○ 참고사항

1. 대국적으로 다행인것은 브리핑후 ✓리야드 주택가에 기르가 질문한
   미사일이 떨어졌다는 설에 대하여는 병력이
   부정하지 않고 이에 대해 아는 것이 없다고
   답변함

2. 이와 관련 ~~대북조~~ ◉ 의료지원단 선발대를
   사우디에 파견코 인원 규모이 현장~~조~~
   답사후 보고에 따르며 미사일 공격이
   ~~대~~ 확실하다고 함.

0058

분류번호	보존기간

발 신 전 보

번   호 : WSB-0172   910121 1712 AO 종별 : 초긴급

WBH -0052	WAE -0063
WJO -0111	WQT -0041
WOM -0047	WIR -0071
WYM -0038	WTU -0034
WJD -0037	WCA -0071

수   신 : 주 수신처 참조 /////대사//총영사

발   신 : 장 관   (중근동)

제   목 : 교민 신변 안전 보호

각하께서는

대통령은 걸프전쟁의 확전 가능성에 대비, 전쟁 위험지역에 잔류중인
아국민의 보호 대책에 만전을 기하고 교민 철수 방안도 적극 강구하라는 지시가
있었는바 귀직은 귀직 책임하에 귀지에 잔류중인 아국민의 보호(철수 포함)에
만전을 기하기 바람. 끝.

(장관)

(중동국장 이 해 순)

수신처 : 주 사우디, 바레인, UAE, 요르단, 카타르, 오만, 이란, 예멘, 터키 대사
주 젯다 총영사 , 주카이로 총영사.

예 고 : 1991.6.30. 일반

본부장:

보안 통제	15

앙고재	91년1월21일 중근동과	기안자 성명 박종순		과장	심의관	국장		차관	장관		외신과통제

0059

원 본

외 무 부

관리번호 91/111

종 별 :

번 호 : JDW-0022

수 신 : 장관(대책반)

발 신 : 주 젯 다총영사

제 목 : 걸프전(4)

일 시 : 91 0121 1215

대:WMEM-0010

대:JDW-0020

1. 당지 한국인학교는 1.17 걸프전쟁 개전이래 잠정휴교중임.동교는 당지 각급학교의 휴교 및 교민대피현황 등 제반사정을 고려,1.21-2.19 간 동계방학을 조기실시예정임(학사일정상 방학일정 2.1-2.28). 한편, 사우디 동북부(다란)지역대림산업근로자 60 명이 1.20 젯다로 대피하였음.

2. 사우디 민항당국은 지난 1.20 밤 리야드, 다란지역에 대한 이락의 포격으로 인해 금 1.21 07:30 리야드향발예정이던 사우디항공편은 취소되었으나 14:30및 18:00 2 편은 계획대로 운항될 것이라 하며, 국제선 운항에는 아래 노선이 추가된다고 발표함.

-젯다-마닐라-젯다(주 2 회)

-젯다-뉴욕-워싱턴(주 1 회). 끝.

(주 젯다총영사-걸프전 대책반장)

예고:91.6.30 일반

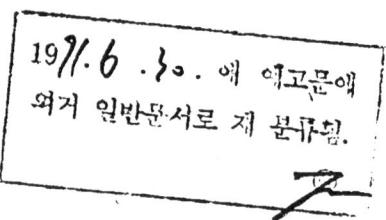

1991.6.30.에 예고문에 의거 일반문서로 재 분류됨.

대책반   차관   1차보   2차보   안기부

외 무 부

종 별 : 지 급

번 호 : SBW-0214

수 신 : 장관(기재,중근동)

발 신 : 주사우디대사

제 목 : 신변안전보험

일 시 : 91 0121 1810

대:WSB-126

대호 걸프전 관련, 걸프지역 소재 공관에 근무하는 아국인 고용원에 대하여도
신변안전보험을 체결하여 줄것을 건의함

(대사 주병국-국장)

기획실   중아국

원 본

관리번호 91-317

외 무 부

종 별 : 지 급

번 호 : SBW-0231　　　　　　　　　　　일 시 : 91 0122 1510

수 신 : 장관(중근동,경이,건설부,기정)

발 신 : 주 사우디 대사

제 목 : 인원 현황

1. 1.22 0800 현재주재국에 체류하고있는 아국인 4,697, 동북 313, 중부 2,721, 서부1,663 임

2. 동부지역 313 은 의료요원 99, 진출업체 45, 현지업체및가족 169 명, 동부지역별 현황

구분 계 업체 의료 현지취업

계 313 45 99 169

다란, 담맘, 주베일 169 38 0 131

카심 111 0 78 33

호프프 33 7 21 5, 끝

(대사 주병국-국장)

예고:91.6.30 일반

1991. 6.30 에 예고문에 의거 일반문서로 재 분류됨.

중아국　　차관　　1차보　　2차보　　경제국　　청와대　　안기부　　건설부

원 본

외 무 부

관리
번호 91/318

종 별 : 지 급

번 호 : SBW-0232   일 시 : 91 0122 1550

수 신 : 장관(중근동,노동부,건설,국방부,기정)

발 신 : 주 사우디 대사

제 목 : 인원 대피 현황

　　1. 주재국 동부지역에 잔류하고 있던 현대산업 2, 신화 3 명이 1.21 리야드로 대피

하였음, 동부지역 업체근로자는 현대 19, 대림 9, 극동 2, 삼성 7, 한진 1, 국제 7

명임

　　2. 리야드 소재 한일개발 근로자 45 명이 제다 인근지역인 와디로 대피, 삼환9 가

제다로 대피함

　　(대사 주병국-국장)

　　예고:91.6.30 일반

1991. 6. 30에 예고문에

의거 일반문서로 재 분류됨.

| 관리
번호 | 即/612 | | | 원 본 |

외 무 부

종 별 : 긴 급

번 호 : SBW-0233   일 시 : 91 0122 1600

수 신 : 장관(중근동,노동부,건설부,기정)

발 신 : 주 사우디 대사

제 목 : 교민 안전지역 대피 지시

대:WSB-172

1. 당관에서는 동부지역에 잔류근로자가 있는 진출업체(6 개 45 명)와 현지업체 취업자및 가족 136 명에게 동지역으로부터 대피토록 지시하였음

2. 동부로부터 대피자를 수용하기 위하여 리야드 한인연합교회 (150 명 수용가능)에 임시캠프를 마련하였으며 현재 12 가족 39 명이 수용되어 있음.

(대사 주병국-국장)

예고:91.6.30 일반

> 1991.6.30 에 예고문에 의거 일반문서로 재 분류됨.

| 중아국 | 장관 | 차관 | 1차보 | 2차보 | 청와대 | 안기부 | 건설부 | 노동부 |

관리	91/5 88
번호	

원 본

외 무 부

종 별 :

번 호 : JDW-0024   일 시 : 91 0122 1520

수 신 : 장관(중근동,노동부,건설부)

발 신 : 주 젯 다총영사

제 목 : 사우디 지역 잔류근로자 전쟁보험가입

대:WJD-0032(1.21)

    관내 아국건설업체에 대하여 만약의 사태에 대비한 잔류 아국근로자 전쟁보험
가입을 권유하였음을 보고함. 끝.

    (총영사 김문경-국장)

    예고:91.6.30 까지

외 무 부

원 본

종 별 : 지 급

번 호 : SBW-0250   일 시 : 91 0123 2200

수 신 : 장 관(중근동,재무부,기정)

발 신 : 주사우디 대사

제 목 : 금융기관 주재원 철수

　　1. 사우디 아라비아에 주재하는 금융기관 주재원 12명 (한국3, 외환, 한일,서울 각
2, 조흥, 상업, 제일 각1) 전원 및 잔류가족 9명은 1.25 특별기편에 탑승키위해 1.23
1000 제다로 출발완료함

　　2.이로서 걸프지역에 주재하는 금융기관 주재원은 바레인의 외환은 8명 및
한일4명뿐인바 이들도 출국이 가능한대로 책임자급을 제외한 모두 철수예정임.끝

　　(대사 주병국-국장)

중아국	장관	차관	1차보	2차보	중아국	정문국	영교국	청와대
총리실	안기부	재무부						

91.01.24   08:11 AQ

외신 1과   통제관

0066

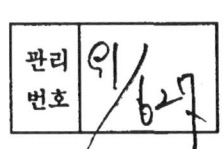

원 본

외 무 부

종 별 : 지 급

번 호 : SBW-0253

일 시 : 91 0123 2230

수 신 : 장관(중근동,노동부,건설부,기정)

발 신 : 주 사우디 대사

제 목 : 인원현황

1. 1.23 1500 현재 체류인원은 4,690 명(동북부 284, 중부 2,363, 서부 2,043명)

2. 동북부체류자는 의료 99, 진출업체 36, 현지취업자 및 가족 149 명임

(대사 주병국-국장)

예고 : 91.6.30 일반

1991. 6.30. 예 대고문에
이거 일반문서로 재 분류됨.

중아국   차관   2차보   안기부   건설부   노동부

관리
번호 91/624

원 본

외 무 부

종 별 : 지 급

번 호 : SBW-0254　　　　　　　　　일 시 : 91 0123 2240

수 신 : 장관(중근동,노동부,건설부,기정)

발 신 : 주 사우디 대사

제 목 : 진출업체대피현황

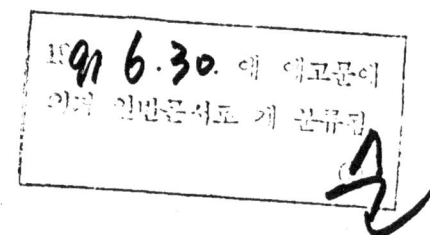

1. 리야드소재 럭키개발에서는 31 명중 26 명을 리야드에서 남쪽으로 600KM떨어진 와디로 대피시켰고, 삼호주택에서는 14 명중 11 명을 제다로 대피시킴

2. 제다로 이동한 동아건설 9 명중 7 명은 제다발 사우디항공편으로 카이로로 대피하였으며, 아테네를 거쳐 귀국할 예정임

(대사 주병국-국장)

예고:91.6.30 일반

91 6.30. 예 대고공대
아개 일반문서로 개 분류됨

중아국　　2차보　　안기부　　건설부　　노동부

PAGE 1　　　　　　　　　　　　　　　　91.01.24　07:37

원 본

관리
번호 91/628

외 무 부

종   별 : 초긴급

번   호 : SBW-0262   일   시 : 91 0124 1110

수   신 : 장관(중근동,노동부,건설부,기정)

발   신 : 주 사우디 대사

제   목 : 군수송기편 이용 교민비상철수

대:WSB-208

1. 대호 , 현재까지 동북부지역에 체류하는 교민대부분은 현사태에도 불구하고 계속 체류할 예정이거나 아직 출국준비가 되지않은 상태이므로 대호 수송기탑승희망자가 없음

2. 동지역에 거주하다가 리야드및 제다지역으로 피신하였거나, 리야드, 제다지역에 거주하는 교민중 귀국을 희망하는 교민은 대호 군수송기가 보험미가입으로 인한 사고시 위험부담 및 카라치도착이후 연결항공편이 확보가 않되 KAL 특별기 탑승을희망하고 있음

(대사 주병국-국장)

예고:91.6.30 일반

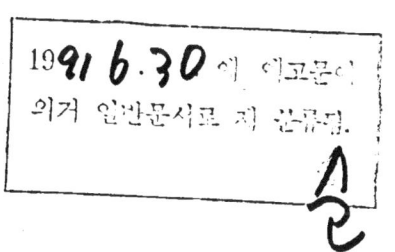

1991 6.30 에 예고문에 의거 일반문서로 지 분류됨.

중아국   차관   2차보   청와대   총리실   안기부   건설부   노동부

PAGE 1   91.01.24   18:08
                                              외신 2과 통제관 BA
                                                     0069

원 본

관리
번호 9/534

외 무 부

종 별 :

번 호 : JDW-0029
일 시 : 91 0124 1140

수 신 : 장관(중근동)

발 신 : 주 젯 다총영사

제 목 : 군수송기편 이용 교민철수

대:WJD-0047

대호, 당지와 다란간의 교봉난 및 전선지역인접등 사유로 당지 교민중 동수송기 탑승희망자는 없음. 끝.

(총영사 김문경-국장)

예고:91.6.30 일반

1991. 6. 30. 대 예고문에 의기 일반문서로 재 분류됨

중아국   차관   1차보   2차보

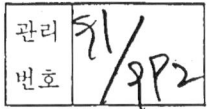
	분류번호	보존기간

발 신 전 보

WSB-0221   910124 1939 DA   종별 :

번   호 :

수   신 : 주 수신처 참조 /대사//총영사/

발   신 : 장   관   (중근동)

제   목 : 걸프사태에 따른 공사 관리

	WAE -0077	WBH -0063
	WQT -0047	WJD -0050
	WOM -0054	WYM -0054
	WIR -0093	

1. 건설부는 걸프사태에 장기화되고 이라크의 공격전이 확대되어감에 따라
   걸프지역에서 시공중인 아국업체의 공사에 대한 위험 발생에 대비,
   ~~근로자의 철수, 안전지역으로서 대파동~~ 진출 인력의 안전 조치와 공사
   관리 대책이 요구된다면서 현지 공관이 아래와 같이 대책을 수립 시행
   하도록 요청해옴.

   가. 근로자의 신변 안전에 최우선 역점을 둠.

   나. 손실을 최소화 할수 있도록 각현장별 공사 관리

~~2. 따라서, 진출 인력의 안전조치와 태 발주처 관계등의 계약관리, 기자재와~~
   ~~시설등의 공사 현장 관리등 종합적인 대책을 수립, 시행하고 그 내용을~~
   ~~보고 바람.   끝.~~

2. 이상은 이미 공관별로 대책을 수립, 시행하고 있는 사항이므로
   참고바라며, 금후 본건 관련보고는 사별로 건설부, 노동부에 송부바람. 끝
                            (중동아국장 이 해 순)

수신처 : 주사우디, UAE, 바레인, 카타르 대사, 주젯다 총영사

사   본 : 주오만, 예멘, 이란 대사

예   고 : 1991.6.30. 까지

1991. 6. 30. 에 예고문에
의거 일반문서로 재 분류됨.

보 안	
통 제	

		기안자 성 명		과 장	심의관	국 장		차 관	장 관	
앙 고 재	91 년 월 일 중 근 동화	박흥순			앙					

외신과통제

0071

관리
번호 91/807

분류번호	보존기간

발 신 전 보

WSB-0220   910124 1937 DA

번   호 : _____   종별 : _____

수   신 : 주   사 우 디   대사. ~~총영사~~

발   신 : 장   관   (중근동)

제   목 : 귀주재국 취업 아국 간호원 문제

　　　　　MBC 측은 동사 TV 의 어느 시청자가 아래사항을 자사에 알려 오면서,
정부를 강력히 비난하고 있다고 제보해온바, 동건 사실 진위 여부를 파악하고,
사실일 경우, 귀주재국 관계 당국과 교섭, 정부의 외교적 및 재정적 부담이
되지 않는 범위내에서 적의 대처하고 결과 보고 바람.

　　1. 귀주재국 동북부 '알가신' 지역 소재 '킹 파아드' 국립병원에 취업중인
　　　　아국 간호원들이 걸프전쟁에 따른 신변 위협을 느껴 본국 철수를 희망

　　2. 이들의 전항 철수 희망에도 불구, 귀주재국 당국에서 동인들의 철수를
　　　　불허

　　3. 귀관에서도 이들의 철수 의사를 받아들이지 않고 있으며, 이문제를
　　　　해결할 생각조차 않고 방관~~하고 왔다 함~~.　　끝.

　　　　　　　　　　　　　　　　　　　　　　(중동아국장 이 해 순)

예고 : 91.6.30. 일반

1991. 6. 30. 에 예고문에
의거 일반문서로 재 분류됨.

공보관 .中

보 안	
통 제	

앙고재	91년 중 근 동 과 7월 24일	기안자 성명 박종심		과 장 심의관 예	국 장 전결		차 관	장 관 191		외신과통제

0072

관리
번호 91/646

원 본

외 무 부

종 별 : 지 급

번 호 : SBW-0272

일 시 : 91 0124 2300

수 신 : 장관(중근동,노동부,기정,국방부,보사부)

발 신 : 주 사우디 대사

제 목 : 의료요원 출국제한

대:WSB-220

1. 주재국 보건성에서는 1.14 아국인을 포함한 모든 의료요원(간호사, 의사등)에 대하여 출국을 제한하고 계약기간 만료자 또는 휴가 예정자도 출국제한하고 있음

2. 당관에서는 1.16 보건성차관을 면담하고 귀국을 희망하는 아국의료요원이 출국할수 있도록 협조요청하였으나 주재국 의료요원의 80%이상이 외국인인점에 비추어 부득이한 조치라고 하므로, 이사실을 진정인이 근무하고 있는 병원의 아국인 대표에게도 이 설명을 한 바 있음

3. 참고로 당관에서는 진정인이 근무하는 카심지역 아국의료요원 전원에게 당관직원이 출장, 방독면을 지급하였음

(대사 주병국-국장)

예고:91.6.30 일반

1991. 6. 30에 예고문에 의거 일반문서로 재 분류됨.

장관 보고사항 작성
(사실 — 공보관실)

중아국 보사부	장관 노동부	차관	1차보	2차보	청와대	총리실	안기부	국방부

PAGE 1

91.01.25   05:38

외신 2과 통제관 DO

0073

관리
번호 91/3371
원 본

외 무 부

종   별 : 지 급

번   호 : SBW-0271   일   시 : 91 0124 2230

수   신 : 장관(중근동,노동부,건설부,기정)

발   신 : 주 사우디 대사

제   목 : 인원현황

1. 1.14 1500 현재 주재국에 체류인원은 4,690 명(동부 265, 중부 2,168, 서부 2,257 명)

2. 동부 265 명은 의료요원 99, 업체 19, 현지취업자및가족 147 명임

3. 동부, 중부지역에서 전세기탑승 및 대피를 위하여 제다지역으로 이동한 수는 1.23-24 양일간 513 명임

   (대사 주병국-국장)

   예고:91.6.30 일반

중아국 노동부	장관	차관	1차보	2차보	청와대	총리실	안기부	건설부

	분류번호	보존기간

번　호 : WSB-0229　　910125 1758　FG　종별 :

수　신 : 주사우디　　　　대사. //총영사　　젯다 총영사 (친전)　WJD-0051

발　신 : 장 관　(친 전)

제　목 :

최근 걸프사태와 관련하여 노고가 많으며 특히 이번의

교민 철수를 위한 특별기 두편의 이.착륙 허가와 국방부 의료 지원단

수행기자단의 입국 비자 획득을 위한 귀직 및 귀관원의 노고를 ~~진심으로~~ 치하 *하며,*

~~합니다. 끝.~~ *등*

*계속 건투있기 바랍니다.　　　　　*(장 관　이 상 옥)

-끝-

보안통제	2h

앙고재	91년 1월 24일	기성안자명		과장	심의관	국장	2차관보	차관	장관		외신과통제
	종근화	朴鐘淳									

0075

長 官 報 告 事 項

題 目 : 사우디 취업 아국 의료요원 출국 문제

> 걸프전쟁 발발에 따라 사우디에 취업중인 아국 의료요원들의 출국 문제가
> 제기되고 있는바, 관련사항을 다음과 같이 보고 드립니다.

1. 현 황

가. 사우디 현지 병원에 취업하고 있는 아국 의료요원들은 동북부(호프프,
   카심)99명, 중부(리야드) 134명, 서부지역(젯다, 카미스)96명등
   총 329명임.

나. 이들 대부분은 간호원이며, 이들중 동북부 체류 의료요원(99명)들이
   걸프전쟁에 따른 신변 안전을 이유로 귀국을 희망하고 있음.

2. 문제의 제기

가. 상기관련, 사우디 보건성 당국은 아국인을 포함 모든 의료요원(간호원,
   의사등)에 대해 출국을 제한하고 있고, 계약기간 만료자(또는 휴가 예정자)
   까지 그 제한 범위를 확대하고 있는 실정임.

나. 1.26. 주사우디 대사관은 주재국 보건성(차관)과 접촉, 귀국 희망 아국
   의료요원에 대한 출국 협조를 요청 하였으나, 사우디측은 사우디내
   의료요원의 80%이상이 외국인으로 구성되었다는점을 들어 출국제한은
   부득이한 조치라고 답변함에 따라, 이들의 출국 교섭이 문제로 재기됨.

3. 검토 의견

가. 사우디내 동북부지역(카심등)은 이라크의 대공 미사일 사정권내에
   위치함으로 전쟁 피해가 예상 되므로 이들의 신변 안전 보호대책이
   필요함.

0076

나. 사우디 병원측과 아국 의료진간의 취업 계약내용 및 전쟁상황하의
   관행 등을 들어 사우디 정부측에 강력 요청.

다. 이들을 위한 대 사우디 교섭 목표는
   - 사태이후, 이들의 재 취업보장 조건등을 주재국 당국에 제시하는
     방법으로 본국 철수 방안을 모색하고,
   - 본국 철수가 불가능할 경우, 유사시 긴급 대피가 가능할수
     있도록 당국과 협의, 사전 필요조치를 강구함.

4. 대 책

가. 주한 사우디 대사를 초치, 아국 의료요원의 출국 제한과 관련, 상기
   전쟁 위험지역인 동북부 체류 의료요원에 한해 특별한 신변 안전조치보장
   및 출국 희망자에 대해서는 출국에 협조해 줄것을 강력 요청

나. 주사우디 대사에게도 주재국 정부와 접촉, 상기 관련 협조를 재요청토록
   하고, 유사시 긴급 대피가 가능 토록 필요조치등 신변안전에 만전을 기할것을
   지시.   끝.

0077

관리
번호 P1/345 1347

외 무 부

원 본

종 별 : 긴 급
번 호 : SBW-0279   일 시 : 91 0125 2040
수 신 : 장관(중근동,노동부)
발 신 : 주 사우디 대사
제 목 : 간호사 귀국제한

연:SBW-272
대:WSB-220

1. 연호 보건성 지침과 관련, 지방보건청에 따라 제한의 정도에 차이가 있다고 하며, 진정인이 근무하고있는 "카심킹파드병원"의 아국인 대표"노성순"에 의하면 휴가자의 출국은 2 월까지 제한되었으나, 계약기간 만료자는 항공편이 있으면 출국이 가능하다고 함

2. 동병원에는 아국인 2 명이 1 월중에 계약기간이 만료되었으나, 본인들의요청에 의해 귀국이 연기되었다고 하며, 아직까지 아국 간호사가 노성순을 통하여 병원당국에 중도귀국 요청을 한사실은 없다고 함

3. 당관에서는 진정인의 신분이 밝혀지면, 진정인이 중도에 귀국할수있도록보건성 및 병원책임자와 협의할 계획이며, 아국인대표에게도 이사실을 통보하였음

4. 참고로 리야드 센트럴 병원에서는 병원장의 재량으로 계약 기간 만료자 11 명에 대하여 아국 전세기편으로 귀국을 허용하였으나, 이중 4 명만이 희망하여 1.25 귀국하였음

(대사 주병국-국장)
예고:91.6.30 일반

1991. 6. 30. 에 예고문이
의거 일반문서로 재 분류됨.

중아국   차관   2차보   안기부   노동부

PAGE 1   91.01.26   05:40
                                          외신 2과 통제관 BW
                                          0078

관리 번호	91/ 102

외 무 부

원 본

종 별 : 지 급

번 호 : SBW-0297

일 시 : 91 0126 2230

수 신 : 장관(중근동,노동부)

발 신 : 주 사우디 대사

제 목 : 의료요원 현황

연:SBW-272,279

대:WSB-220

대호관련

1. 동북부지역 병원:99 명

-호프프 킹파드:19 -카심킹파드:45

-부레이다 센트럴:22 -부레이다 모자:6

-우나아모자:3 -미드납:2

-부카리아:2

2. 중부지역 병원:134 명

-리야드 센트럴:112 -알야마마:7

-알하마디:11 -리야드보건청:2

-치과대학:2

3. 서부지역병원:96 명

-제다킹파드:22 -알타가르:5

-제다모자:2 -메디나킹파드:4

-타북킹칼리드:1 -쿠라이야트:4(요르단국경)

-하일킹칼리드:7 -타이프킹파이잘:4

-나즈란킹칼리드:6 -아시르센트럴:33

-아부하종합:7 -사라다비다:. 끝

(대사주병국-국장)

예고:91.6.30 일반

중아국	장관	차관	1차보	2차보	청와대	총리실	안기부	국방부
노동부								

長 官 報 告 事 項

報告畢

1991. 1.27.
中近東課

題 目 : 사우디 就業 我國 醫療要員 出國 問題

> 걸프戰爭勃發에 따른 사우디就業 我國醫療要員들의 出國問題와 關聯, 1.24
> 對策本部에 대한 MBC측 提報內容 및 關聯事項을 다음과 같이 報告드립니다.

1. MBC측 提報內容

- 사우디就業 我國醫療要員中 東北部滯留 看護士들이 歸國을 希望
  함에도 불구, 사우디 當局의 不許 및 駐사우디我國公館의 無誠意로
  歸國이 不可하다는 MBC 視聽者의 陳情이 있었음.

2. 現 況

- 사우디 現地病院에 就業하고있는 我國醫療要員들은 看護士,
  醫師, 醫療技士등 總 325名이며, 地域別로는 東北部(호프프, 카심)
  99名, 中部(리야드) 130名, 西部(젯다, 카미스)96名임.

3. 措置 事項

- 1.24 駐사우디大使에게 上記提報內容 通報하고 事實일境遇,
  사우디當局과 交涉 我國醫療要員 出國에 協助 토록 指示
- 同日 駐사우디大使館이, 사우디保健省 接觸, 同人들의 出國
  問題關聯 協助要請한데 대해 사우디측은 自國內 醫療要員 80%이상이
  外國人이므로 契約滿了者라도 出國制限이 不得已한 措置라고 일단
  答辯한바 있음.

0080

o 1.25 사우디 東北部地域 알 카심 所在 '킹파드' 病院에 勤務하는
 我國人 看護長(노성순)은 大使館 要請에 의해 病院側과 協議, 契約
 滿了者가 出國을 希望하면 病院측은 出國을 許容 하겠다는 約束을
 받았다 함. 다만 지금까지 出國을 希望한 我國 看護士는 없었다고 함.

o 駐 사우디 大使館은 契約 滿了者는 물론이고 契約 滿了以前이라도 中途
 歸國을 希望하는 我國 醫療人이있으면 出國을 위해 사우디 關係當局과
 協議 하겠다는 報告가 있었음.

o 參考로 리야드地域 '센트럴'病院就業 我國 醫療要員(契約滿了者)
 11名은 病院長裁量아래 歸國이 許容되어 이중 4名이 1.26 特別機에
 歸國한바 있음.

0081

원 본

관리
번호 91/1002

외 무 부

종 별 : 긴 급

번 호 : SBW-0303 일 시 : 91 0127 1600

수 신 : 장관(중근동,건설부,노동부)

발 신 : 주 사우디 대사

제 목 : 한진근로자 철수문제

대:WSB-111,237

1. 한진의 원청사인 ALIREZA-DELTA TRANSPORT CQ 는 지난 1.18 자 당관앞 서한을 통해 당관의 개입으로 미군수물자 하역작업에 종사하고있는 한진소속 근로자들이 전원 철수함으로써 미군수물자 수송에 심각한 차질이 초래되고 있다면서, 동건의 원만한 해결을 위한 협조를 요청하여 온바있음(주재국및 미군관계당국에 동건을 통보했다함)

2. 동사는 한진 소속 근로자들이 부두 하역 작업중 상당한 기술을 요구하는 운영과 정비 분야를 담당하고있어, 대체가능인력을 단기간내에 구할수없는 실정이고, 작업이 미군 군수물자 수송에 직접연관되어 있는점을 고려,10 여명의 필수인원만이라도 재투입하여 작업이 계속될수있도록하여 줄것을 요청하고있음

3. 주재국 출입국관련법상 동 원청사의 승인없이는 한진소속근로자들의 출국이 불가능하고, 금년 10 월에 종료되는 계약에 전쟁대비조항이 없는 점등을 감안 양당사자간에 협의하여 동건을 해결할수밖에 없을것임

(대사 주병국-국장)

예고:91.6.30 일반

10 91 6.30. 예 ...
...

중아국   차관   1차보   2차보   청와대   안기부   건설부   노동부

PAGE 1   91.01.27   22:51
                                                    외신 2과 통제관 CF

0082

관리번호 91/1000

원 본

외 무 부

종 별 : 긴 급

번 호 : SBW-0307   일 시 : 91 0127 2100

수 신 : 장관(중근동,노동부,경이,기정)

발 신 : 주 사우디 대사

제 목 : 의료요원 철수협의

연:SBW-279

당관 김원수노무관이 1.27 1100-1200 간 주재국 보건성 인사국장 SAUD MUBBARAK AL-RAFIAAH 를 면담하고 아국 의료요원의 철수와 임금인상 내용에 관하여 협의한 내용은 다음과 같음

1. 임금인상

-아국 의료요원의 임금을 미국.유럽과 동등한 수준으로 인상(100%인상효과)

-기취업한 자에 대하여는 계약 갱신시부터, 신규채용자는 채용시부터 적용

-경력수당 지급연한을 5 년에서 15 년으로 확대하고 수당도 1 년당 100 리얄에서 200 리얄로 인상

-임금 최고한도는 의료기사 6,900 리얄,3 년제대학졸업 7,500 리얄,4 년제대학졸업은 8,100 리얄임

-현재 초임은 의료기사 1,950, 3 년제대학졸업 2,250, 4 년제대학졸업 2,550리얄임

2. 조기귀국

-계약기간내의 중도귀국은 현상황을 감안할때 허용할수없으며, 대신 계약기간 만료자에 대하여는 귀국시키기로 함

-부득이한 사정이 있는 특정인에 대하여는 당관의 공식 요청을 받아 보건성장관의 승인을 거쳐 중도 귀국을 허용하겠다고함

3. 항공료 지급

-계약기간 만료자가 아국 전세기를 이용할 수있도록 항공료를 현금으로 지급하여 달라는 요청에 대하여는 사우디항공이 현재 리야드-제다-마닐라 노선에 취항중에 있고, 보건성에서 지급한 티켓 사용이 가능하므로 현금 지급은 불가하다고 함.

중아국	차관	1차보	2차보	경제국	청와대	안기부	노동부

PAGE 1

91.01.28   04:12

외신 2과 통제관 FI

0083

4. 인사국장은 가능한 빠른 시일내(전쟁중이라도)에 인상된 임금 수준으로 아국 의료요원을 구인하기를 희망함

    (대사 주병국-국장)

    예고:91.6.30 일반

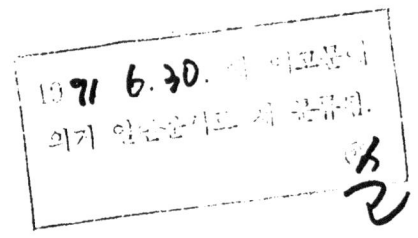

PAGE 2

0084

관리 번호	91/876

원 본

외 무 부

종 별 : 지급

번 호 : SBW-0308

일 시 : 91 0127 2100

수 신 : 장관(중근동,노동부,건설부) *서명* 중근동

발 신 : 주 사우디 대사

제 목 : 인원현황

1. 1.27 현재 교민총수 3,991 명(동부 271, 중부 1,910, 서부 1,810 명)

2. 동부에는 의료요원 99, 진출업체 25(현대 3, 신화 6, 극동 2, 삼성 7, 한진 1, 국제 6), 현지취업 및 가족 147 명

(대사 주병국-국장)

예고:91.6.30 일반

1991 6.30. 예 예고문에
의거 일반문서로 재 분류됨.

(handwritten note)

박세기관님!

1. 이라크 잔류근로자 (이희섭)의 아내비가 전화, 출국전화관리 잘못 되어 답답함 (1.27 23:00)

2. 제가 라킹님게 간곡히 드리고, 현대 (재하면반 긴박한 대리)에 전화, 출국비자에 문제가 있다면서 극한아라로 대사란 해낸고 접고 문제가 있다고 이야기함. 우리 관리사항은 박세기관 님(아 극.라킹님)게 이야기되도록 보정 참고하시기 바랍니다. 중근동 박병

중아국　　건설부　　노동부

관리 번호	91/006

원 본

외 무 부

종   별 :

번   호 : SBW-0316

일   시 : 91 0128 1630

수   신 : 장관(중근동,노동부,건설부,기정)

발   신 : 주 사우디 대사

제   목 : 교민현황

1. 1.28 현재 교민 3,991 명(동부 265, 중부 1,866, 서부 1,860 명)

2. 업체별, 현대 825, 현대산업 93, 대림 215, 유원 43, 신화 68, 극동 9, 삼성 22, 한국강관 23, 한진 45, 국제 6, 삼호 3, 구일 106, 신성 245, 경남 46, 남광 5, 동산 4, 동아 2, 럭키 39, 동부 33, 삼부 1, 삼환 69, 풍림 9, 한일 266, 한양 43, 한국중공업 9 임(총 2,229 명)

3. 한국강관 23 명은 1.27 제다로 대피하였고, 신화쥬베일 6 명 리야드로 대피함 (대사 주병국-국장)

예고:91.6.30 일반

1991. 6. 30 의 〔...〕
〔...〕 일반문서로 〔...〕

중아국   영교국   안기부   건설부   노동부

長 官 報 告 事 項

報 告 畢

1991. 1. 29.
中 近 東 課

題 目 : 現代建設所屬 歸國 職員 사우디 復歸 從容 關聯 新聞報道

2.3 朝鮮日報 報道에 의하면 現代建設은 휴가차 歸國한 自社所屬 職員 23名을 KAL特別機便을 이용, 사우디 工事現場에 復歸시킬 計劃이라 하는바, 關聯事項을 다음과 같이 보고합니다.

1. 報道 記事 內容

○ 戰爭 危險에도 불구, 現代建設側은 휴가나온 自社職員 23名에게 사우디, 리야드 工事 現場으로 復歸할 것을 從容함.

○ 現代側은 이들을 2.5 出發 젯다행 4차 KAL特別機便에 搭乘시켜, 리야드 킹 파드 메디칼 센타 工事現場으로 復歸, 正常 業務를 강행할 計劃임.

○ 동 現代側은 이들 職員들의 身分을 食糧 및 구호품 傳達과 現地事態 修習을 위해 特別 派遣하는 本社職員으로 當部에 보고하여, 當部의 同 特別機 搭乘 承認을 받은 것임.

○ 이같은 現代側의 歸國自社職員의 사우디 復歸 計劃에 대해, 該當職員들은 크게 반발하고 있음.

2. 措置 事項

○ 2.3. 09:00 中東阿局長이 KAL側 최원표 營業擔當 常務와 接觸, 同 報道 사실을 確認한 結果, KAL側은 상기 內容을 전혀 모르며, 現代側으로부터 상기 職員들의 特別機 搭乘에 대한 要請을 받은 사실이 없다함.

○ 現代側이 同 職員들의 特別機 搭乘에 대해 본 對策本部로 부터 辭典承認을 받았다는 報道 內容과 關聯, 本部는 現代側으로부터이같은 要請을 받은 사실이 없는바, 同社로 부터 이같은 要請을 받을 경우, 본 對策本部는 이를 承認치 않을 계획임.

0087

o KAL側에도 進出 建設 業體들로 부터 自社 職員의 特別機 搭乘 依賴 要請
   이 있을시, 本部와 事前 協議토록 措置 하였으며, 本部는 建設業體들의
   이같은 要請을 不許할 方針임.

걸프사태 관련 테러 대책 실무회의

운   유
~~12:00~~

~~1. 일   시 : 91. 2. 3.(일) 14:00~~
~~2. 장   소 : 내무부 회의실~~
~~3. 주   재 : 내무부 장관~~

0088

0089

帰国직원에 "사우디복귀" 종용

휴가 끝난 23명 리야드 現場근무 통고

現代건설

상 4명 구속

李仲燮등 미발표작 "속여"

投機붐 타고 인사洞 내다 팔아

판매책등 4명

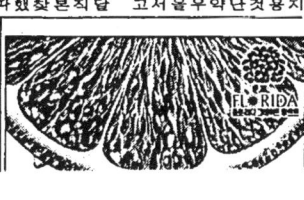

원 본

외 무 부

종 별 :

번 호 : SBW-0327

일 시 : 91 0129 1500

수 신 : 장관(중근동,기정,국방부)

발 신 : 주사우디대사

제 목 : 주재국 정세

1. 1.29 개최된 주재국 정례각의에서 HISHAM NAZER 석유광물 장관은 이라크가 1천백만 배럴 이상의 원유를 걸프만에 방출했으며, 동 기름유출이 현재는 멈춘 것으로보이나, 동 결과에 대한 완전한 분석이 이루어 지지 않았다고 말했음, 한편 주재국 정부는 대학교를 포함, 모든 학교의 방학을 2.16 까지 연장하기로 결정함

2. 제다소재 영국 항공(BA) 관계자는 1.28 동 항공이 1.30(수)부터 주2회 제다-런던간 운항을 재개한다고 발표했음

(대사 주병국-국장)

원 본

관리
번호 91/101

외 무 부

종 별 : 지 급

번 호 : SBW-0328

일 시 : 91 0129 1600

수 신 : 장관(중근동,노동부,기정)

발 신 : 주 사우디 대사

제 목 : 교민현황

1. 1.29 현재 총교민수는 3,990 명(동북부 263, 중부 1,865, 서부 1,862 명)

2. 동북부에는 업체 17(현대 3, 삼성 7, 한진 1, 국제 6 명), 의료 99, 현지업체및 가족 147 명

3. 동북부에서 전세기로 귀국, 안전지역 대피인원은 총 858 명임

(대사 주병국-국장)

예고:91.6.30 일반

19**91 6.30**. 의 예고문에 의거 일반문서로 재 분류됨.

중아국   장관   차관   1차보   2차보   청와대   총리실   안기부   노동부

PAGE 1

91.01.29   23:30

외신 2과 롱제관 CW

0091

수신: 주 사우디 대사

발신: 외무부 비상대책본부

㈜ 株式會社 韓進
HANJIN TRANSPORTATION CO.,LTD.

1991. 1. 30

수신: 외무부 걸프만사태 비상대책본부장

경유:

참조: 주사우디아라비아 대사관 귀하
      해운항만청 비상대책본부장
      노동부 해외지도과장

제목: 사우디아라비아 파견인력에 관한 조치결과 보고

1. 한진인재58호(91.1.16) 및 귀 인재83호(91.1.25)와 관련사항입니다.

2. 걸프만의 긴장사태와 관련하여, 그동안 깊은 관심으로 적극 지원하여 주신 귀부의 노고에 감사를 드리오며, 폐사 파견근로자의 신변보호 조치에 관한 결과 사항을 아래와 같이 보고합니다.

- 아 래 -

1. 사우디아라비아에 근로자 신변보호를 위한 정부 당국의 여러 대책과 긴급조치로, 담당소재 폐사 근로자들이 91.1.18 안전지대인 타이프로 대피한 이후, 귀정사인 ARAMCO가 중도에서 없으나 계속 기부함에 따라, 대피 근로자들의 현지생활이 어려운 상황에 처하게 되었습니다.

2. 이에 폐사는 사우디정부 및 귀정사들과의 여러 관계를 고려하여, 사태 추이를 계속한 결과, 다음과 같이 한정합의하고 관련조치를 취하고 있습니다.

1) 한 진 : 약1개월 예상으로 귀정사 현지 각경 인력의 교육에 필수 요원(19명) 제외

2) 귀정사 : 귀국대상 32명의 중국과 일시 잔류하는 교육요원의 제반 신변안전 및 본국 관련 조치에 협조

3. 위와 같은 조치는 현지의 제반 현실적 제약여건과 다수 안전의 확보를 위한 불가피한 조치로서 현재로 귀정사의 여러가지 요청이 계속되고 있습니다. 따라서, 1차 귀국대상자 32명의 교육에 지장 초치해도 없으신 배려를 부탁드리 바랍니다. - 끝 -

주식회사 한진
대표이사 회장 조 중 훈

001-966-1
FAX No. 488-1317

0092

원　본

판리
번호 91/839

외　무　부

종　별 :

번　호 : SBW-0342

일　시 : 91 0130 2100

수　신 : 장관(중근동,노동부,건설부,기정)

발　신 : 주 사우디 대사

제　목 : 교민현황

1. 1.30 현재 3,990 명(동부 245, 증부 1,869, 서부 1,876)

2. 동부지역 진출업체는 현대 3, 한진 1, 의료 99, 현지취업및 가족 142 명임

3. 삼성종합, 동부 잔류자 7 명 포함한 22 명과 국제 6 명도 제다로 대피함

(대사주병국-국장)

예고:91.6.30 일반

1991. 6.30. 에 예고문에
의거 일반문서로 재 분류됨.
㉑

종아국　　2차보　　청와대　　안기부　　건설부　　노동부

PAGE 1

91.01.31　　05:58

외신 2과　통제관 CA

0093

발 신 전 보

번   호 : WSB-0275   910201 1636 DP   종별 :

WJD -0067	WJO -0142
WBH -0075	WAE -0091
WOM -0060	WYM -0066
WIR -0133	WTU -0057

수   신 : 주수신처 참조 ////대사//총영사

발   신 : 장 관 (중근동)

제   목 : ICRC 설치 난민 캠프

　　　　주제네바 대사 보고에 의하면, 걸프전쟁과 관련 ICRC는 전쟁지역 난민
수용을 위해 총 30만명 수용이 가능한 캠프 및 야전병원을 설치할 계획 이라고
하는바, 유사시 귀 주재국 체류 아국교민이 동 ICRC 설치 캠프로 피난하는 방법도
고려될 수 있음을 참고 바람. 끝.

　　　　　　　　　　　　　　　　　　　(중동아국장　　　이 해 순)

수신처 : 주 사우디 대사, 주 젯다 총영사
사 본 : 주 요르단, 바레인, UAE, 오만, 예멘, 이란, 터키 대사
예 고 : 91. 6. 30. 일반

본부장 :

보안통제	74

	앙고재	91년 월 1일 중근동과	기안자성명	과장	국장 전결	차관	장관	외신과통제
				74				

0094

受信: 두 ??? 대사　Fax: ●488-1317.
発信: 外務部 걸프事態 非常對策 本部

題目: 사우디 체류 ??? 출국 문제
　　　(한겨레신문 2.1.자).　　　　1991. 2. 1.

이라크 지상군의 사우디아라비아 진격으로, 걸프전쟁의 충격이 확산되고 있는 가운데 사우디에 취업해 있는 간호사들이 현지 한국공관에서 출국을 만류하고 병원쪽으로부터 여권을 받지 못해 귀국하지 못하고 있다.

또한 이라크의 잦은 미사일공격으로 위험에 처해 있는 건설노동자 수백명도 회사쪽이 사표를 종용하는데도 항공편이 제대로 마련되지 않아 귀국할 엄두를 내지 못하고 있는 것으로 31일 확인됐다.

쿠웨이트 국경에서 승용차로 2시간 정도 거리에 있는 알가시내 3개 병원에 근무중인 간호사들의 경우 한국대사관쪽에서 "가능하면 귀국하지 말아달라"고 만류하고 있을 뿐만 아니라 병원쪽에서 공항에 있는 제다까지의 차편을 마련해주지 않아 이미 계약기간이 끝난 간호사 2명도 보름이 넘게 귀국하지 못하고 있어 정부의 대책이 시급한 실정이다.

알가시 소재 매터니티칠드런병원에 근무중인 간호사 박은순(29·여)씨에 따르면 이곳 3개 병원에 근무하는 간호사 28명 대다수가 귀국을 원하고 있으나 병원쪽이 "계약기간이 끝나지 않았다"며 여권을 내주지 않아 병원쪽과 간호사들간에 잦은 마찰이 빚어지고 있다는 것이다.

박씨는 이날 본사와의 국제전화를 통해 "교민수송 특별기 요금을 자비로 부담하면 사우디 보건부와 맺은 계약기간 만료전이라도 귀국할 수 있다는 말을 듣고 귀국신청을 했으나 지난 28일께 대사관으로부터 '특별한 경우가 아니면 출국할 수 없다'는 통보를 받았다"며 "이곳에 있는 78명 모두 여자들이라 전쟁이 확산되면 어떻게 해야 할지 막막하다"며 시급히 대책을 세워줄 것을 호소했다.

특히 이 병원에 근무중인 간호사 2명은 지난 13일 계약기간이 끝났는데도 병원쪽이 제다까지의 차편을 마련해 주지 않아 귀국하지 못하고 있다고 박씨는 전했다.

사우디에서는 회교 율법에 따라 여자가 운전하는 것을 금지하고 있다. 이와 함께 제다에서 출발하는 교민수송 특별기의 요금이 일반 항공료의 2배가 넘는 1천1백80달러(약 85만원)나 돼 월급 40만~50만원의 대부분을 고국으로 송금하고 있는 간호사들이 귀국을 포기하는 경우도 적지 않다는 것이다.

올 3월에 2년 계약이 끝나는 양수정(27·여·리야드 센트럴병원 근무)씨의 언니 인선(32·서울 동작구 흑석2동 50-40)씨는 "지난 주말 동생으로부터 '귀국하고 싶은데 병원쪽이 보내주지 않는다'는 전화를 받은 뒤 부모님 등 가족이 몹시 애를 태우고 있다"면서 "정부는 교민들의 귀국대책을 무엇보다 우선해 마련해야 할 것"이라고 말했다.

이 때문에 해외취업을 주선하는 한국해외개발공사쪽에는 간호사 가족들의 항의전화가 하루 평균 4~5통씩 잇따르고 있다.

이에 대해 외무부쪽은 "사우디 보건부와 계약기간 만료전이라도 본인이 원하면 출국시켜 주기로 합의는 돼 있으나, 외국인이 전체 의료요원의 80%를 차지하고 있어 한국 간호사들이 한꺼번에 빠져나오면 의료체계가 엉망이 될 것을 우려하기 때문에 사우디쪽이 안 보내주려는 것 같다"고 말했다. 현재 사우디에는 리야드에 1백36명, 알가 78명 등 11개 지역에 모두 3백28명의 한국간호사가 취업해 있다.

사우디아라비아에 취업중인 현대건설 노동자들도 이라크의 잦은 미사일 공격으로 작업을 거의 못하고 있는데도 귀국을 하면 사표를 내야 하고 항공편이 제대로 마련되지 않아 커다란 위험 속에 방치돼 있다.

사우디의 리멕스 건설현장에서 지난 26일 귀국한 노동자들과 현재 사우디에 남아 있는 노동자들에 따르면, 킹파드 종합병원 건설공사가 진행중인 리야드의 리멕스 건설현장에는 현대건설 직원 90여명, 기능공 60여명 등 한국인 1백50여명과 제3국인 8백여명이 머물고 있으나 공습에 대한 불안감으로 31일 현재 작업을 거의 하지 못하고 있다는 것이다.

실제로 지난 21일에는 현장에서 2km가량 떨어진 곳에 스커드 미사일 1기가 떨어져 숙소에 있던 노동자들이 지하대피소로 긴급 대피하는 등 생명의 직접적 위협까지 받고 있다고 노동자들은 전했다.

특히 이 건설현장은 2km 남짓 떨어진 곳에 사우디의 내무부·국방부 등 이라크의 주요 공격목표가 자리잡고 있어 4백여명의 노동자들이 야간공습을 피해 현장에서 60여km 떨어진 니디프현장에서 출퇴근하고 있다는 것이다.

그러나 기능공들의 경우 회사쪽과 1년 기한으로 계약을 맺고 있는데 회사쪽은 이를 빌미로 전쟁을 피해 귀국을 희망하는 노동자들에게 사표를 내고 계약을 해약하도록 요구하고 있어 우려한 노동자들이 귀국을 주저하고 있다는 것이다.

한편 사표를 낸 뒤 귀국을 서두르고 있는 일부 기능공들은 항공편 마련을 회사와 현지공관에 요구하고 있으나 전쟁의 와중에서 항공편이 여의치 않아 불안의 나날을 보내고 있다.

현대건설의 한 관계자는 "이 기능공들은 1년 기간의 계약관계가 이뤄져 있어 귀국시 계약을 해약하는 것은 어쩔 수 없는 일"이라면서 "귀국을 원하는 노동자들 가운데 항공편이 마련되지 않아 아직 귀국하지 못하고 있는 노동자가 있는 것은 사실"이라고 말했다. 현재 사우디아라비아에 남아 있는 현대건설 직원과 노동자는 리멕스 현장의 1백50여명 등 12개 지역에 7백90여명이다.

끝.

政府綜合廳舍 810號　電話: 730-8283/5, 730-2941. 6. 7. 9, (구내)2331/4, 2337/8　Fax: 730-8286

0095

분류번호	보존기간

발 신 전 보

WSB-0276   910201 1637 DP   종별: ~~<del>비밀</del>~~

WJD -0068

번   호 :

수   신 : 주 수신처 참조 //~~<del>대사</del>// //<del>총영사</del>//

발   신 : 장   관   (중근동)

제   목 : 귀 주재국 체류 의료요원 출국 문제

연 : WSB-220

대 : SBW-0272, 0279

　　　1. 2.1자 한겨레 신문 보도에 의하면, 대호 귀관 보고와는 달리 귀
주재국 체류 아국 간호사들이 귀관에서 출국을 만류하고, 취업중인 병원측
으로부터 여권을 받지못해 귀국하지 못하고 있으며, 또한 병원측에서 젯다까지
차량편을 제공치 않고있어 이미 계약 기간이 끝난 간호사 2명도 보름이 지나도록
귀국치 못하는등 이들 의료요원 328명의 위험을 방치하고 있다고 하는바, 현재도
<del>귀관 보고대로</del> 주재국 당국은 <ins>대호보고와같이</ins> 취업 아국 의료요원들중 계약 만료자가 언제든지
출국할수 <del>있도록</del> <del>허용하는자</del> <ins>였으며</ins> 어부와 취업중 특별한 사유가 있어 중도 귀국을 <ins>을경우 계약만료이전도,</ins>
<del>희망하는자를</del> 출국 <ins>이</ins> 가능<del>도록</del> 한<del>바</del>지 여부등을 파악 보고 바람.

　　　2. 이와관련, 공보관은 본부 출입기자들을 소집, 대호 귀관 보고대로
아래와 같이 보도 BRIEFING 을 가졌음을 참고 바람.

　　가. 취업 의료요원중 계약 만료자는 본인이 귀국을 희망할 경우 언제든지 출국할
수 있음.

/ 계속 ...

공보관: 본부장:

보안통제	

앙고재		기안자 성명		과 장	심의관	국 장		차 관	장 관		외신과통제
	91 년 2 월 1 일 중근동	박종순				전결					

0096

나. 또한 계약기간 만료 전이라도 중도 귀국을 희망하는자는 특별한 사유가
   있어 귀국을 희망할 경우 출국이 가능토록 귀 주재국 당국과 협의가 되어있음.

다. 귀국 희망 간호사들은 병원측에서 리야드-젯다까지 수송차량편을 제공치 않아
   젯다까지 갈수 없다는 내용의 보도와 관련, 교통편은 이들 본인 개인이 해결해야
   할 성질임.

라. 항공임은 수익자 부담 원칙으로 개인이 부담해야 함.

3. 상기 관련, 귀 동북부 및 중부지역(호프프, 카심, 리야드등)은 전쟁
피해가 클 것으로 예상되는바, 특히 동지역 취업 아국 의료요원등중 신변 위협을
느껴 중도 귀국을 희망하는자(기타지역 포함)가 늘어날 경우에 대비, 귀 주재국
당국과 교섭, 이들의 출국이 가능토록 사전 필요 조치를 취하기 바람.   끝.

                              (중동아국장   이 해 순)

수신처 : 주 사우디 대사, 주 젯다 총영사

예 고 : 91.6.30. 일반

                                                              0097

원 본

관리번호 91/1125

외 무 부

종 별 : 긴 급

번 호 : SBW-0364

일 시 : 91 0201 2200

수 신 : 장관(중근동,노동부,기정)

발 신 : 주 사우디 대사

제 목 : 의료요원 출국

대:WSB-272,276

연:SBW-297,307

1. 카심 킹파드병원 KOREAN COMMITTEE 회장 김성연 간호사에 의하면, 계약만료 귀국자에 추가하여 휴가자의 출국도 허용하고 있으며, 계약만료 귀국예정자는 SBW-279, 2 명 포함한 4 명(김선옥, 지미란, 정경남, 홍신선)이고, 박운순은 계약만료자가 아님

이중 김선옥, 지미란은 본인의 희망에 의하여 2.6 제다발 KAL 전세기에 탑승토록 조치되었고, 나머지 2 명은 유럽여행을 위한 항공편 예약관계로 출국을 연기하고 있음

2. 병원측에서는 항공편이 확정된 자에 대하여는 제다까지도 교통편을 제공한 예가 5 일전에도 있었다고 함, 김선옥, 지미란은 아직까지 병원측에 교통편문제는 당관에서 병원당국과 직접 협의할 계획이며, 리야드-제다간은 2.4 (주)한양버스로 동사 근로자와 함께 이동토록 조치되었음

3. 당관 노무관의 보건성 차관 및 인사국장 면담결과는 1.29-30 일간 주재국내 모든 병원 아국인에게 통보하였고, 동 병원에서는 1.30 저녁 아국의료요원 회의를 개최, 이사실을 설명하고, 소수인의 중도귀국으로 아국 의료요원 전원이 동요될수 있으므로 중도귀국은 자제하자는 자체의견은 있었다고 하나, 당관에서 중도귀국을 만류한 사실은 없음

4. 참고로 카심-리야드간은 병원제공 교통편외에도 고속버스와 영업용택시가 자유운행되고 있고, 사우디항공(참조:SBW-360)이 리야드-제다간 1 일 4 회, 국제선은 카이로, 런던, 파리, 싱가폴등에 주 45 회 운항하고 있으므로 보건성제공 항공편으로 귀국이 가능함

한편, 자비로 귀국하고 보건성 항공권을 반납하면, 소요 항공료의 50%를 환불해

중아국   차관   1차보   2차보   안기부   노동부

주는 제도가 있음

    5. 특별한 사유가 있을 경우의 중도귀국에 대하여는 SBW-307 참조바람. 끝

(대사 주병국-국장)

예고:91.6.30 일반

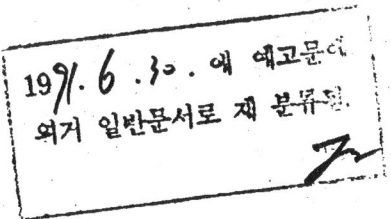

관리	91/
번호	1040

	분류번호	보존기간

발 신 전 보

번   호 : ㅤWSB-0287ㅤㅤ910202 1241ㅤCGㅤㅤㅤ종별 :

수   신 : 주 수신처 참조 ///대사//총영사/

발   신 : 장 관 (중근동)

제   목 : 화학전 대비 비상계획

WAE -0095	WBH -0077
WQT -0056	WJO -0145
WJD -0070	

　　　귀관이 이라크의 공습 및 화학무기 사용에 대비 수립한 공관 대피계획의
개요 보고 바람.　　　끝.

(중동아국장　　　이 해 순)

수신처 : 주 사우디 , UAE , 바레인, 카타르, 요르단　대사 , 주 젯다 총영사

예 고 : 91.6.30. 일반

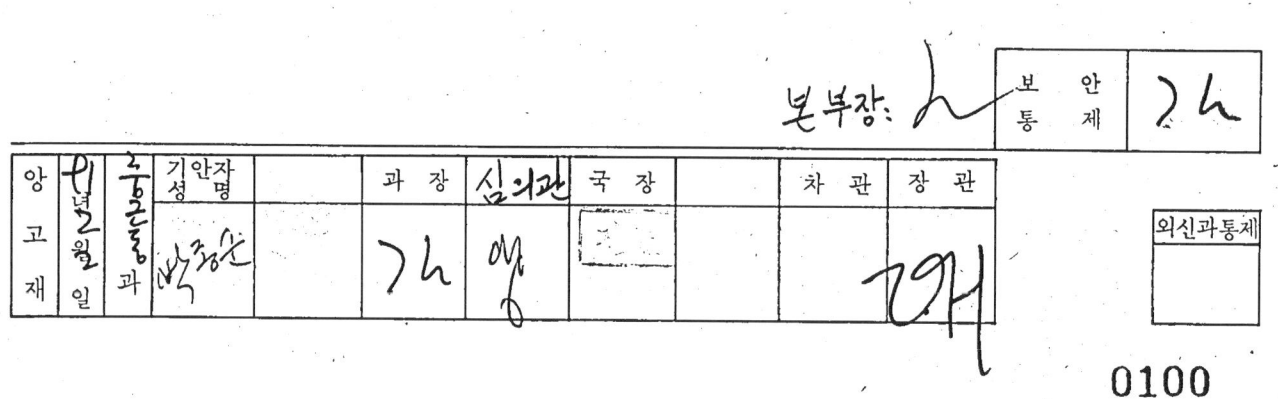

0100

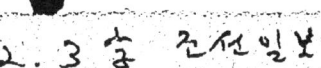

2.3자 조선일보

3日 日曜日 (陰曆 庚午 12月 19日 甲辰)

帰国직원에 "상우디복귀" 종용

휴가 끝난 23명 리야드 現場근무 통고

現代건설
0101

외무부엔 "식량·구호품 전달·特派직원" 보고

"外貨벌이 좋지만 戰場 내몰다니" 가족 반발

(본문 기사 – 판독 곤란)

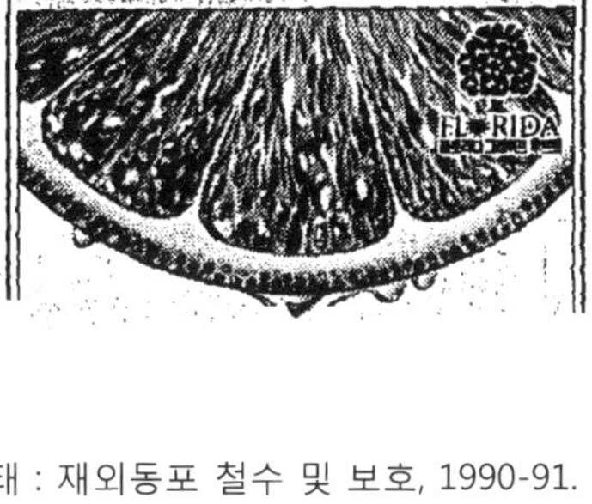

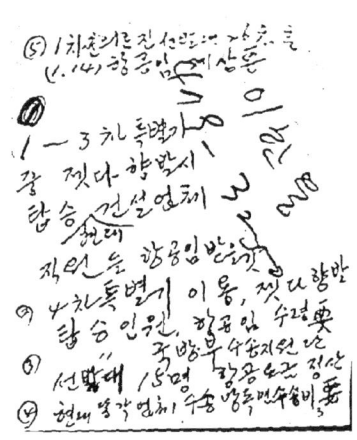

外務部 걸프事態 非常對策 本部

題 目: 朝鮮日報 現代建設 所屬 歸國 職員 사우디 復歸 報道   1991. 2. 3.

1. 報道 內容 (2.3)

- 現代建設은 戰爭 危險에도 불구 休暇나온 自社職員 23名에게 사우디, 리야드 工事 現場으로 復歸할 것을 從容함.

- 現代側은 이들을 2.5 出發 젯다행 4次 KAL特別機便에 搭乘시켜, 리야드 킹 파드 메디칼 센타 工事現場으로 復歸, 正常業務를 강행할 計劃임.

- 現代側은 이들 職員들의 身分을 食糧 및 구호품 傳達과 現地事態 수습을 위해 特別 派遣하는 本社職員으로 外務部에 보고, 外務部로 부터 特別機 搭乘 承認을 받은 것임.

- 이같은 現代側의 사우디로 부터 歸國한 自社職員의 復歸 計劃에 대해, 該當職員들은 크게 반발하고 있음.

2. 措置 事項

- 2.3. 09:00 中東阿局長이 KAL 최원표 營業擔當 常務와 接觸, 同 報道 사실을 確認한 結果, KAL側은 상기 內容을 전혀 모르며, 現代側으로부터 상기 職員들의 特別機 搭乘에 대한 要請을 받은 사실이 없다함.

- 現代側이 職員들의 特別機 搭乘을 위해 對策本部로 부터 事前承認을 받았다고 報道되었으나, 對策本部가 現代側으로부터 이같은 要請을 받은바 없으며, 同社로 부터 이같은 要請을 받을 경우 이를 承認치 않을 計劃임.

- KAL側에도 進出 建設業體들로 부터 自社 職員의 特別機 搭乘 依賴 要請 이 있을시, 本部와 事前 協議토록 措置 하였으며, 本部는 建設業體들의 이같은 要請을 不許할 方針임.

현대가 파견노무 의 사살철수

(720 - 005?)

o 라디오방송 현대건설 귀국 직원 사위
　현장 복귀 보도 있었음, ~~철수 확인 요청.~~

－ 현대건설측은 라디오 보낼려고 하는 사실
　이 있는지 여부

－ 현지 복귀를 궁금 바라는 직원들 데리고 어떤지 ?

＊ 내용이 명확하므로 보고하게 어려움.
　더 상세히 ~~파악하고~~ ~~~~ 연락해 주기 바람.

<답변> 11 개 현장 에 ~ 차장 과장 대리급 /3명 ＞ 휴가직원
　　　　　 － 사원　　　　　　　　　/0명　　복귀 ~~~~
　　　　　　　　　　　　　　　　　　　　　현지투입
　　　　　　　　　　　　　　　　　　（현장 별 업무계획
　　　　　　　　　　　　　　　　　　관리. 필수요원
　　　　　　　　　　　　　　　　　　임무교대 등）

a 동 복귀 예정 직원들, 본인
　　　희망 에 의거 추진中

o 외부부속, 동 특별기便 동승 불가 방침.

0103

사우디 滯留 我國 醫療要員 出國問題

o 사우디 現地 病院에 就業하고 있는 我國 醫療要員들은 총 325명으로 大部分이 看護士들이며 地域別로는 東北部(호프프, 카심)地域 99명, 中部(리야드)地域 126명, 그리고 西部(젯다, 타북등)地域 96명임.

o 이들 就業 醫療要員들중 契約 滿了者는 本人들이 歸國을 希望할 경우에는 언제든지 出國할 수 있으며, 歸國을 希望해도 사우디를 出國할수 없다는 一部 國內 言論報道는 事實과 다름.

o 또한 契約期間 滿了前이라도 特別한 事由가 있어 中途 歸國을 希望하는 경우 出國이 可能하도록 사우디 保健當局과 協議가 되어있으므로 이들 醫療要員들이 歸國을 希望할 경우 出國에는 問題가 없을것임. 다만 契約期間 滿了前에 歸國하는 境遇는 契約 中途 解約에 따른 不利益을 甘受하여야 할 것이며 이를 둘러싸고 病院側과 마찰 素地는 있을 것임.

o 이와관련, 앞으로 특히 사우디 東北部 및 中部地域은 戰爭 被害가 豫想되어, 이지역 就業 我國 醫療要員들중 身邊 危險을 느껴 中途 歸國을 希望하는자가 늘어날 것에 對備 사우디 政府와 交涉, 이들의 出國에 지장이 없도록 現地 公館에 訓令한바 있음.

<2. 3 현재>

서부지역 의료 요원 현황

○	젯 다	26명
○	카미스(아부하)	48명
○	타이프	6명
○	메디나	5명
○	나즈란	5명
○	타 북	1명
○	브라이어트	1명
○	카드 하일	4명

96.
~~98~~명

* 서부지역   96
* 동북지역 : PP
* 중북지역 : 135 명
      (4명 中 KAL기편 귀국)

─────────────────────

        계 : 325 명.

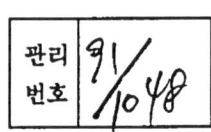

외　무　부

원　본

종　별 :

번　호 : SBW-0380　　　　　　　　　　일　시 : 91 0203 1410

수　신 : 장관(중근동,노동부)

발　신 : 주 사우디 대사

제　목 : 교민현황

1. 2. 3 현재 교민 3,983 명(동북부 257, 중부 1,835, 서부 1,891 명)

2. 동북부은 의료 99, 업체 16, 현지업체교민 142 명임

(대사 주병국-국장)

예고:91.6.30 일반 예고문에
의거 일반문서로 재 분류됨.

중아국　노동부

PAGE 1

관리
번호 91/1115

외　무　부

종　별 :

번　호 : JDW-0045　　　　　　　　　　　일　시 : 91 0203 1040

수　신 : 장관(중근동)

발　신 : 주 젯다총영사

제　목 : 화학전대비 비상철수계획 보고

대:WJD-0070

대호, 당관및 교민 안전 대피 계획의 개요를 아래 보고함.

1. 공관대피계획

가. 공관원 부분철수(사태진전에 따른 단계별)

1단계로 공관원가족및 고용원

공관장및 통신담당관이외의 공관원

나. 공관철수 전단계 조치

암호기자재 파기

비밀문서및 중요 일반문서파기

공관소유 정부재산관리인 선정

다. 공관원 철수 수단

민간항공편을 이용한 안전인접국으로의 1차철수

공항폐쇄시 선박에 승선 인접국으로 대피, 철수

아국또는 우방국(미국등)군용기편 철수

2. 교민대피계획

가. 사전 안전조치

교민의 업체, 업종및 지역별 비상연락망의 수시점검

국경인접지 거주교민의 안전지역(젯다) 대피방안 수립

나. 대피조치

초기단계에서의 비필수요원및 가족대피 추진

국경인접지 거주교민의 젯다에로의 대피조치

대피교민의 안전수용시설 운영(한국인학교)

중아국

교민철수를 위한 특별항공편 주선(본부 보고후 처리)

다. 비상철수

민항특별기 또는 군수송기를 이용한 철수교민 수송방안마련

공항폐쇄에 대비, 선편을 이용한 PORT SUDAN 또는 수에즈항으로의 대피책 모색(주수단 및 에집트 아국공관과 사전협조)

교민수송을 위한 아국적 선박의 젯다기항 추진

공관철수후 교민보호업무처리 대행자 사전 선정(주재국 유력인사, 잔류희망교민회 간부 또는 건설업체간부등)

잔류교민 명단작성 및 보관

(총영사 김문경-국장)

예고:91.6.30 일반

199. 6. 10. 에 예고문에
의거 일반문서로 재 분류됨.

원 본

관리
번호 기/113

외 무 부

종 별 : 지 급
번 호 : SBW-0378
수 신 : 장관(중근동)
발 신 : 주 사우디 대사
제 목 : 화학전대비 비상계획

일 시 : 91 0203 1200

대:WSB-287

1. 대호관련, 당관은 방독면 지급 가스전대비 대피요령 작성배포, 방공호 마련및 위급시 안전장소로의 대피권고 등을 한바 있으며, 대사관 지하실(100 여명수용가능)을 임시대피소로 마련해 두고 있음, 개인취업자의 경우 나름대로 자기주택에 임시대피할 수 있는 밀폐된 장소를 마련하고 있는것으로 파악됨

2. 일부 업체의 경우, 야간에는 안전지역으로 판단되는 교외 캠프를 근로자임시숙소로 사용하고 있고, 일부 교민들은 저녁마다 교외사막에 텐트를 치거나도시에서 상당거리 떨어진 마을에서 임시주택을 임차하여 대피하고 있는 실정임

또한 초기 이라크의 공격이 있었을 때는 일부 교민들은 대사관 지하실에 대피하여 온경우도 있었으나 최근에는 오지않고 있음

3. 당관 직원의 경우 이라크의 공습이 있을시 대피장소가 당관 지하실밖에 없으나, 동장소가 안전한곳은 아님, 화학전이 전개되는 최악의 경우에는 방독면을 착용, 일시 대피한후 안전지역으로 철수하는 방법외에 특별한 대책이 없는 실정임

(대사 주병국-국장)

예고:91.6.30 일반

1991.6.30. 대 예고문에
의거 일반문서로 재 분규됨.

중아국   장관   차관   1차보   2차보   안기부

PAGE 1

외 무 부

관리번호 : ₽1 -175닥

종 별 :

번 호 : JDW-0048

일 시 : 91 0204 1125

수 신 : 장관(영재,교육부)

발 신 : 주 젯 다총영사

제 목 : 한국인학교 교사귀임

대:WJD-0048

1. 당지 한국인학교 이대효교사는 2.6(수) 당지발 KAL 특별기편 본국귀임 예정임.

2. 동한국인학교는 걸프전 발발로인해 예정을 앞당겨 1.21-2.19 간 동계방학을 실시중임(학사일정상 방학기간 2.1-2.28). 현재 주재국의 전쟁상황하에서 상당수의 아국교민이 본국 또는 제 3 국으로 대피하고 있기는 하나, 당지소재 INTERNATIONAL SCHOOL, AMERICAN SCHOOL 을 비롯한 대부분의 외국인학교가 수업을계속하고 있는 현실을 고려, 더이상 사태가 악화되지 않는한 2.20 개학, 학사일정에 따라 수업을 개시할 예정임.

3. 따라서 후임교사가 개학전에 부임하여 학사일정에 따른 수업에 사전대비할 수 있도록 조치하여 주시기 바람. 끝.

(총영사 김문경=국장)

예고:91.6.30 까지 예고문에 의거 일반 문서로 재 분류됨.

검 토 필 (1991. 6. 30.)

영교국   차관   1차보   2차보   중아국   교육부

PAGE 1

91.02.04   19:19

외신 2과 통제관 BA

0110

538 걸프 사태 재외동포 철수 및 보호 3: 사우디아라비아, 철수 지원

관리번호 91/105

외 무 부

종 별 :

번 호 : SBW-0417　　　　　　　　　　　일 시 : 91 0206 2200

수 신 : 장관(중근동,노동부,건설부,기정)

발 신 : 주 사우디 대사

제 목 : 진출업체 인원현황

1.2.7 현재 주재국내 업체 인원은 총 1,918 명임,( )안은 중동부임 그외는 서부인원임

현대 총 754(577), 현대산업 73(73), 대림 215

유원 33(13), 신화 4(4), 극동 9(9)

한진 45, 국제 6, 삼호 2(2)

구일 104, 신성 216(97), 경남 35(35)

남광 5(5), 동아 2, 럭키 29(4)

동부 25(25), 삼환 61(3), 풍림 7

한일 252(87), 한양 35(35), 한국중공업 6

2. 동부지역 업체는 현대 3, 한진 13 명뿐임

(대사 주병국-국장)

예고:91.6.30 일반 고문에
의거 일반문서로 재 분류됨.

중아국　　2차보　　안기부　　건설부　　노동부

PAGE 1　　　　　　　　　　　　　　　　　91.02.07　06:36
　　　　　　　　　　　　　　　　　　　외신 2과 통제관 BW
　　　　　　　　　　　　　　　　　　　　0111

관리 번호	91(053)

원 본

외 무 부

종 별 :

번 호 : SBW-0418   일 시 : 91 0206 2230

수 신 : 장관(중근동,노동부)

발 신 : 주 사우디 대사

제 목 : 교민현황

1. 2.6 현재 교민수는 ~~3,552~~(동북부 227, 중부 1,643, 서부 ~~1,670~~명)   3528   1658

2. 2.6 국외 출국자는 총 ~~445~~ 명, KAL 전세기 413(유아 8 명포함), 두바이경유 귀국 21, 유럽경유귀국 11 명임   455

(대사 주병국-국장)

예고:91.6.30 일반문서로...

중아국   2차보   안기부   노동부

사우디 의료요원 실태 (해개공 보고 요약)

사별 → KSB
(요기)

1. 의료요원 현황 및 실태

   ○ 총 326명(중부 133, 동북부 97, 서부 96) 체류

   ○ 위험지역인 중부 및 동·북부 간호원 방독면 지급 완료

2. 사우디 보건성의 출국 지침

   ○ 계약 종료자의 경우, 항공편 확보자 출국 조치

   ○ 휴가자에 대하여는 전쟁 부상자 치료 필요성에 대비, 출국 보류

3. 중부 및 동북부 의료요원 귀국(예정)자

   ○ 의료요원 6명 (계약만료 3, 휴가 3)귀국

   ○ 계약 만료자 3명, 금명간 항공편 추가 귀국 예정

   ○ 2-3월중 계약 만료자는 38명, 휴가자는 14명(이중 상당수 추가 귀국 예상)

4. 한겨레 신문 보도에 관한 해명

   ○ "공관에서 의료요원들의 출국 만류" 보도 내용

     - 노무관, 해개공 지사장 공히 출국 만류 사실 없으며,

     - 이들에게 계약기간 종료후 출국가능하다는 사우디 보건성의 답변내용 안내

   ○ "병원측이 젯다행 차편 제공치 않아 귀국치 못하고 있다"는 보도 내용

     - 관계병원인 알 카심 및 브레이다 중앙병원에 조회결과 사실 무근

     - 병원측, 국적불문 항공편 예약후 젯다까지 차량 제공 확인

5. 계약 만료자의 출국시 문제점

   ○ 젯다 공항만이 개방된 현상태에서 출국자 쇄도로 좌석예약 어려움.

   ○ 사우디 항공 또는 KAL전세기 이용경우, 병원측의 항공임으로는 부족

6. 대 책

   ○ 전시 상황에 따라 젯다-방콕 노선 재개가 예상되는바, 동 경우 병원측이 제공한 항공권 만으로도 귀국이 가능하게 될 것임.

   ○ 특별한 사유로 계약 만료전 귀국 희망경우, 공관 및 해개공은 사우디 보건성과 협의, 출국 가능토록 최대 노력 예정.

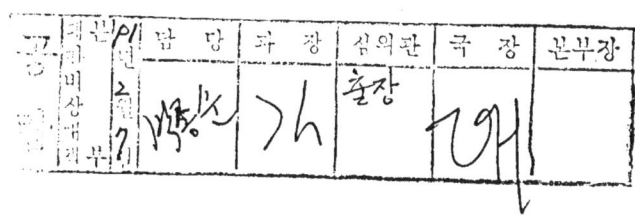

0113

산업평화 이룩하여 정착인후 이거래자

한 국 해 외 개 발 공 사

출국 8305-98.　　　　　　(764-0167)　　　　　　1991. 2. 5

수신　외무부장관

참조　걸프만 사태대책 반장

제목　사우디 의료요원 관리 실태보고

　　　1. 관련

　　　　ㅇ 걸프사태관련 한거례 신문기사 (91. 2. 1)

　　　　ㅇ 해개공 사우디지사 현지 실태보고 (사지 616-4 : 91.2.3)

　　　2. 상기호에 의거 91. 2.1자 한거례 신문기사 "사우디 의료요원
귀국길 막혀" 하는 내용에 대한 현지조사 및 사우디 근무 의료요원의
실태를 별첨과 같이 조사 보고하오니 걸프만 대책에 참고하시기
바랍니다.

　첨　부 :　해개공 사우디지사 보고서　사본 1부.

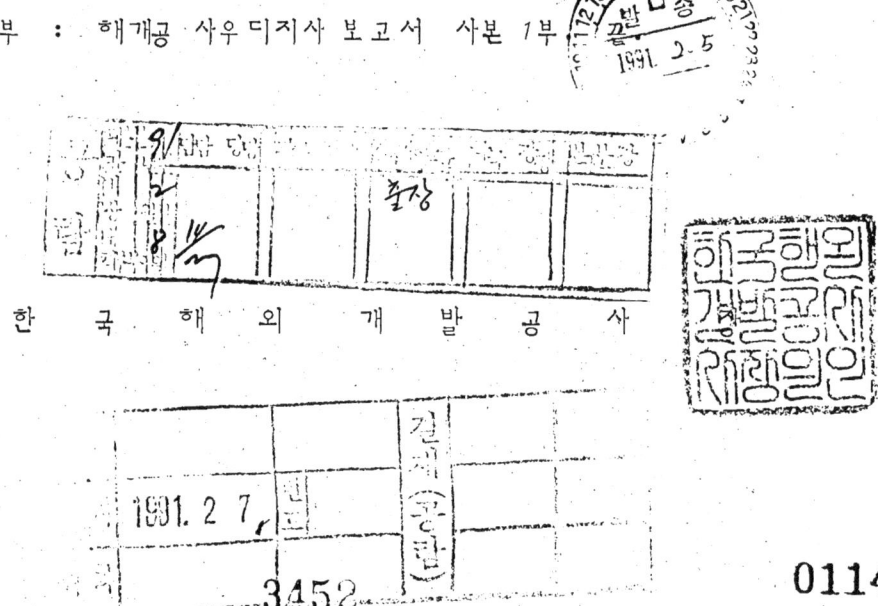

한 국 해 외 개 발 공 사

3452

0114

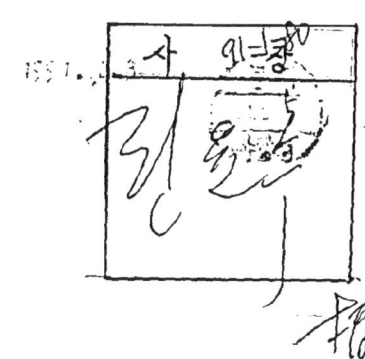

사지516- 4
수신 : 사장
참고 : 사업본부장
제목 : 사우디 취업 외료요원 출국관계

1. 관련 : 기사 건문 RUH 1-11-4, 1-14-6, 1-16-7, 1-17-8, 1-21-10,
   1-24-11, 1-30-13, 1-31-14.
   본사 전문 2-2-20 및 한거레신문 보도 ('91.2.1)

2. 'GULF WAR' 발발에 따른 사우디국 근무 아국인 의료요원의 출국
문제와 관련, 당 기사의 파악 및 긴급사항을 별첨과 같이 보고합니다.

첨부 : 사우디 취업 의료요원 출국문제 1부. 끝.

한국 해외개발공사 사우디지사장   오 세 철

                                   Sac C Oh

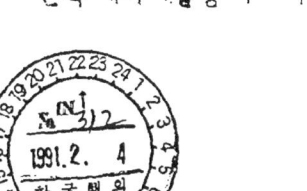

0115

-------- 차   례 --------

0116

(TEL: 488-2211 EXT. 122, TLX: 405858 GKSAUD SJ, FAX:486-1317)

1. 주재국내 아국의료원 근무현황

  - '91.1월말 현재 리아드보건청 133명, 알가심보건청 90명등 11개의
    보건청 산하 24개 병원에 모두 328명의 한국의료원이 취업, 근무중
    이며 이를 편의상 지역별로 구분하면 중부지역(리아드) 133명,
    동·북부(알가심, 알타사) 99명, 서부지역(젯다, 아시르 및 기타보건청)
    96명으로 분산되어 있음.

2. 안전성, 현지실정 및 근무실태

  - 상기 3개지역중 서부지역에 속한 도시들은 이라크, 구역이므로부터
    원거리에 격하 중·소요시들이므로 미국을 위시한 다국격군과 이라크군
    과의 본격적인 지상전이 전개되더라도 안전하다 할수 있으나, 여타
    2개지역인 리야드, 알가심, 알하사(호푸프시) 지방은 지리적으로
    이라크, 구역이므국과 가깝거나 (400-500 KM) 주재국의 수도 닥는
    점에서 위험지역이막 할수 있음.

  - 주재국내 아국의료요원들은 현재까지 아무런 피해없이 정상근무하고
    있으나 일부 소수간호사들이 최근 그릇된 정보를 듣고 동요한 사례가
    있어 지난 2.1자 한국택신문에 사우디의료원들의 실상이 삼동 보도
    된바 있었음.

  - 주재국 대사관은 리야드, 알가심, 알하사, 다북(1명근무), 하일
    (7명근무)에 근무하는 아국의료원들에게 개인별 1개씩 한국정부에서
    공수한 방독면을 기지급 하였으며 여타지역의 의료원들에게는 안전상
    위험지역이 아닌것으로 판단하여 미지급한 상태임.

3. 사우디보건성의 출국거침

  - 지난 1.14 사우디보건성은 한국인을 포함한 외국적 의료요원들의
    출국을 전면 중지토록 지시한바 있고, GULF WAR 가 계속중인 현재는
    직장을 바꿔 계약종료자들의 경우 항공편이 확보된자는 출국토록 하나,

                                                            0117

                          2

휴가자들에 대해서 전쟁으로 인한 부상자 치료 의료원 확보의 필요성에
대비키 위해 출국을 잠정적으로 연기시킴에 따라 휴가자들의 출국이
보류되고 있는 실정임.

4. 아국의료요원들의 최근 귀국현황

당 지사가 파악한 욕히 위험지역으로 구분된 리아드, 알가심, 알하시
지역을 중심으로한 아국인 계약만료 귀국자 및 귀국 예정자들의 현황은
다음과 같음.

가. 리아드보건청

1) 동청 산하 2개병원(리아드선수협, 알-야마마)중 리아드선수협
   병원은 1.25 KAL 교민수송 특별기편으로 4명(1명은 계약만료,
   3명은 휴가자)이 귀국하였으며 1중 3명 휴가자는 이미 전쟁전
   휴가승인을 받아놓은 사람들이었기에 출국이 적용되었다고 하며,
   또한 동 병원에는 2.3월에 만료자가 15명, 휴가자가 5명이
   있다고 함.

2) 알-야마마병원은 오는 3월에 만료자 1명, 휴가자 2명이 있음.

3) 사우디보건성 소속이 아닌 개인사립병원인 리아드시에 소재한
   알-함마디병원은 개인병원의 특성때문에 만료자, 휴가구분없이
   출국을 중단시키고 있다하며 오는 3월에 만료자가 1명 있다함.

나. 알가심보건청

1) 동청 산하 6개병원중 부라이다선수협병원 계약만료 간호사 2명
   (한겨레신문 보도기사에 언급된 2명임)은 당 지사및 공관의
   요청으로 병원측의 차량으로 내일(2.4) 오전까지 리아드 아국
   대사관에 태워다주면 대사관이 이들을 인수, 동일 오후 젯다로
   차량이동시켜 2.6 서울로 향발할 KAL 교민수송 특별기에
   탑승하여 귀국할 예정임. 동 병원에는 2.3월 만료자가 각각
   3명씩 있다고 함.

0118

2) 킹 화아드 스페셜리스트병원은 계약만료자가 2,3월에 각기
4명, 3명 있다고 함.

3) 부라이다보건병원은 만료자가 3월말 4명 있음.

4) 미드낟종합병원은 2명 간호사 공히 3월말 계약만료된다고 함.

다. 알퍼사보건성

동청 산하병원중 아국인이 유일하게 근무하고 있는 오주프시가
소재한 킹화아드병원은 현재 근무중인 아국간호사 15명중 오는
3월말에 계약만료자가 1명 있다고 함.

타. 아시르보건성

동청산하 5개병원중 아시프샌수말병원에 근무를 마치고 장공면이
었어 출국대기타였던 3명의 간호사는 당 기사석 1.31자 건문 보고와
같이 사우디항공편의 좌석이 확보되어 젯다로부터 오는 2.5, 3.9
각국 하남과, 런던을 거쳐 한국으로 귀국할 예정이며 아브하시에서
젯다까지는 병원측이 제공한 차량으로 이동한다고 함.

9. 한겨레신문 보도에 관한 해명

당 지사는 2.1자 쿰 신문 보도기사를 공관으로부터 입수, 법사관 노무관과
검토하였는바, 동 기사내용에 그못된 점이 있기에 이를 다음과 같이
해명코자 함.

가. 동 기사는 아국공관에서 의료원들의 출국을 만류하였다고 마나,
당 지사장이나 노무관 그 어느 누구도 의료원들의 출국을 만류한
적이 없었으며 단, 계약만료자가 아닌 이상 계약조건에 의거, 계약
기간이 종료된 후에야 출국할수 있다는 사우디보건성의 답변을
안내한 것이 전부임.

0119

나. 병원측이 젯다까지의 차편을 마련해주지 않아 귀국치 못하고
   있다는 기사와 관련, 이를 암가심지역 병원에 조회한 결과, 전혀
   사실무근으로 밝혀졌으며 병원측은 젯다에서 출발하는 당공편이
   예약(병원측에서 예약해 준다함)된 사람에겐 국적을 불문하고
   누구나 젯다까지의 차량을 제공하고 있다고 하며, 그 증거로
   상기 4의 나항에서 언급한 바와 같이 부라이다센추럴병원은
   부라이다시에서 리야드 아국 대사관까지 아국 간호사 2명을 2.4
   차량으로 이동시켜줄 예정으로 있음.

다. 또한, 당 기사는 2.2 부라이다센추럴병원의 간호사감독 '김성련'
   에게 동 기사사본을 FAX로 발송하여 이를 확인케 하였는바, 현지
   아국의료원들은 한겨레신문의 기사를 읽고 동 기사에 실린
   '박은순' 간호사의 그릇된 발언을 대신 사과하며, 정확한 정보및
   확인과정도 없이 현지사정도 파악치 않고 기사를 쓴 한겨레신문
   편집국에 항의 서한을 보내야 되겠다 할 정도로 공분을 갖고 있다
   하며, 특히 병원측이 차량을 제공치 않고 있다는 것은 전혀 사실과
   다르다고 재삼 강조하였음.

6. 계약만료 아국의료원 출국시 문제점

가. 현재 사우디는 전시로 인해 젯다공항만을 개방하고 외국항공사의
   운항이 중단된 상태에서 자국적기인 사우디항공만을 운항하고
   있는데 국내선은 젯다-리야드뿐 이고 국제선은 젯다에서 출발하는
   마닐라(주1회), 상가폴(주1회), 런던, 파리, 카이로, 카사브랑카,
   뉴욕, 카라치, 뉴우델리외 노선밖에 없으며 이들 노선 기수가
   좌석확보가 어려워 아국의료원 계약만료자들은 병원측의 편의보
   주로 마닐바, 상가폴까지의 구간을 예약코자 하고 있으나 출국자들의
   쇄도로 좌석예약에 어려움이 있는 실정임.

나. 가령, 주1파푼인 다닐락, 혹은 싱가폽 까지의 사우디항공편을 확보
   하였다 하더라도 그곳에서 서울까지 가려면 병원측이 제공하는
   항공임으로는 COVER 가 되지 않아 개인사비가 마닐라경우 약 500
   리얄, 싱가폽 경우 990리얄의 차액을 지불하여야 하므로 지출된다고
   함.

마. KAL 젯다직송에 의하면, 정부가 보내는 고린수송 KAL 특별기를
   젯다에서 이용하는 경우도, KAL 기가 전세기이기 때문에 아국의료원들이
   병원으로부터 제공받은 항공권으로는 탑승이 불가하고, 항공임으로
   1인당 미화 $ 1,180불을 자비로 부담하여야 함.(KAL 에 의하면
   특별기 정상요금은 미화 $ 2,250불로서 탑승객부 담금을 제한 차액 $,1,070불은
   아국정부가 경제기획원의 승인을 득한 사항으로 KAL 에 지불되고 있다함)

7. 대 책

가. 계약만료 아국의료원의 출국시 문제점은 상기 6항과 같이 사안의 성질상
   자력으로 타결할수 없는 불가항력의 것으로 그에 대한 대책은 없는 실정
   이나하나 최근의 사우디항공사 정보에 의하면, 전시상황에 따라 젯다 방콕
   노선이 재개될 예정으로 있어 그동안 동 노선을 가장 많이 이용하여오던
   아국의료원들은 병원측이 제공한 항공권만으로 개인비용 부담없이 동 노선
   및 방콕-서울노선을 탑승할수 있게될 것임.

나. 끝으로 계약만료전 이라도 중도귀국을 희망하는 의료원은 특별한 사유가
   있어 귀국을 희망할 경우, 당 지사장 및 주재국 공관은 사우디보건성
   당국과 협의하여 출국이 가능토록 최대한 노력을 할 것임.
   단, 이러한 사람들의 경우엔 사우디당국이 인정하고 납득할만한 충분한
   개인적 사유가 뒷받침되어야 할것으로 사료됨. 끝.

0121

발 신 전 보

번 호 : WSB-0329   910208 1733 CG   종별 :

WJD -0084

수 신 : 주 사우디, 젯다   대사.//텽/영사

발 신 : 장 관 (중근동)

제 목 : 귀주재국 취업 아국 의료요원 실태

연: WSB-0220
대: SBW-0279, 0307, 0364

    귀 주재국 취업 아국 의료요원 실태 관련, 귀지 주재 해외개발공사 지사 보고 요지를 아래와 같이 타전하니 참고 바람.

1. 의료요원 현황 및 실태
   - 총 326명(중부 133, 동북부 97, 서부 96) 체류
   - 위험지역인 중부 및 동.북부 간호원 방독면 지급 완료
2. 사우디 보건성의 출국 지침
   - 계약 종료자의 경우, 항공편 확보자 출국 조치
   - 휴가자에 대하여는 전쟁 부상자 치료 필요성에 대비, 출국 보류
3. 중부 및 동북부 의료요원 귀국(예정)자
   - 의료요원 6명 (계약만료 3, 휴가 3)귀국
   - 계약 만료자 3명, 금명간 항공편 추가 귀국 예정
   - 2-3월중 계약 만료자는 38명, 휴가자는 14명(이중 상당수 추가 귀국 예상)

/ 계속 . . .

보안
통제

앙고재	91년 2월 8일인 중근동과	기안자 성명		과 장	심의관 출장	국 장		차 관	장 관

외신과통제

0122

4. 한겨레 신문 보도에 관한 해명
   o "공관에서 의료요원들의 출국 만류" 보도 내용
      - 노무관, 해개공 지사장 공히 출국 만료 사실 없으며,
      - 이들에게 계약기간 종료후 출국가능하다는 사우디 보건성의 답변내용 안내
   o "병원측이 젯다행 차편 제공치 않아 귀국치 못하고 있다"는 보도 내용
      - 관계병원인 알 카심 및 브레이다 중앙병원에 조회결과 사실 무근
      - 병원측, 국적불문 항공편 예약후 젯다까지 차량 제공 확인
5. 계약 만료자의 출국시 문제점
   o 젯다 공항만이 개방된 현상태에서 출국자 쇄도로 좌석예약 어려움.
   o 사우디 항공 또는 KAL전세기 이용경우, 병원측의 항공임으로는 부족
6. 대 책
   o 전시 상황에 따라 젯다-방콕 노선 재개가 예상되는바, 동 경우
     병원측이 제공한 항공권 만으로도 귀국이 가능하게 될것임.
   o 특별한 사유로 계약 만료전 귀국 희망경우, 공관 및 해개공은
     사우디 보건성과 협의, 출국 가능토록 최대 노력 예정.

(중동아국장   이 해 순)

예 고 : 1991. 6. 30. 까지

0123

관리	
번호	

분류번호	보존기간

발 신 전 보

번 호 : WSB-0330   910208 1801 CG   종별 : 지급

WAE -0116   WBH -0084
WQT -0059   WJO -0164
WJD -0085

수 신 : 주 수신처 참조   //대사!//총영사

발 신 : 장 관 (중근동)

제 목 : 화학전 대비 계획

대 : SBW-0378, JDW-0045, QTW-0041,
BHW-0086, AEW-0083, JOW-0144

1.지상전이 발발하면, 이라크의 공습 및 화생학전 가능성이 많을 것으로
보이는 바 귀지 체류 아국교민등에게 대호 귀관이 수립한 교민 대피 및 철수 계획과
행동 요령을 구체적으로 사전 알려주어, 유사시 당황하지 않도록 현지실정에 맞게
필요 조치 바람.

2. 본부는 우리교민들이 공습 또는 화학전에 대비하여 필요한 안내를 현지공관
으로 부터 받도록 KBS국제 방송을 통해 수차 방송한바 있으니 참고 바람.끝.

(중동아프리카국장 이 해 순)

수신처 : 주 사우디, UAE, 바레인, 카타르, 요르단 대사
주 젯다 총영사

예 고 : 1991. 6. 30. 일반

보 안 통 제	ンム

앙 고 제	91년 월 일	기안자 성명 박종신	과 장 ンム	국 장	차 관	장 관	외신과통제

0124

원 본

관리
번호 91/106

외 무 부

종 별 :

번 호 : SBW-0441   일 시 : 91 0210 1420

수 신 : 장관(중근동,노동부,건설부,사본:주제다총영사)

발 신 : 주 사우디 대사

제 목 : 교민현황

1. 2.10 현재 교민수(기자, 의료진제외)는 3,446 명(동북부 227, 중부 1,575, 서부 1,644 명)

2. 2.9 현대 49, 신성 42 명이 두바이 경유 귀국하고, 삼환근로자 2 명이 사망한 반면, 입국자가 11 명임으로 교민감소는 82 명임

3. 동북부는 의료 97, 업체 16, 현지업체및가족 114 명, 중부는 공관 30, 교사 1, 국영기업 1, 의료 133, 업체 896, 현지취업및 가족 514 명

서부는 공관 23, 교사 및 가족 12, 국영기업 2, 상사 15, 의료 93, 업체 922, 현지취업및 가족 577 명임

(대사 주병국-국장)

예고:91.6.30 일반

중아국   차관   1차보   2차보   건설부   노동부

PAGE 1   91.02.11   03:10
                                      외신 2과 통제관 FI
                                      0125

관리
번호 키/1068

원 본

외 무 부

종   별 : 지 급

번   호 : SBW-0451

일   시 : 91 0211 1430

수   신 : 장관(중근동,노동부)

발   신 : 주 사우디 대사

제   목 : 교민현황

1. 2.11 현재 주재국교민은 3,446 명(동부 240, 중부 1,575, 서부 1,631 명)

2. 타이프에 대피중인 한진근로자 13 명이 추가로 담맘에 투입되었고, 나머지 19

명은 귀국

(대사 주재국-국장)

예고:91.6.30 일반. 예고문에

-1기 일반문서로 제 분규함.
Ⓘ

중아국   2차보   안기부   노동부

관리 번호	91/1090

외　무　부

종　　별 : 지 급

번　　호 : SBW-0462

수　　신 : 장관(중일,노동부)

발　　신 : 주 사우디 대사

제　　목 : 교민 현황

일　시 : 91 0212 1450

1. 2.12 현재 주재국 교민수는 3,423 명(동부 241, 중부 1,577, 서부 1,605, 기자 제외)

2. 동부는 의료요원 97, 진출업체 30(현대 3, 한진 26, 한국강관 1) 현지취업 및 가족 114 명

3. 아국 기자수는 17 명(KBS TV 9, MBC TV 6, 동아 2)임

(대사 주병국-국장)

예고:91.6.30. 일반

중아국　　영고국　　노동부

PAGE 1

원 본

외 무 부

종 별 : 지 급

번 호 : SBW-0470

일 시 : 91 0213 1110

수 신 : 장 관(중일,총인)

발 신 : 주 사우디 대사

제 목 : 가족귀임

1. 걸프전 발발직후 본국으로 철수한 당관 직원가족중 아래 직원가족이 당지 AMERICAN SCHOOL에 재학중인 자녀의 수업일수등을 고려, 당지로 귀임을 희망하고있는바, 항공료 지급등 필요한 조치를 건의하니 회시바람

    - 백기문 참사관 가족 : 처, 백정현, 백진현

    - 정우성 // : 처, 정유진, 정수진 (81.4.20생)

    - 안영기 상무관 가족 : 처, 안용찬, 안혜진 (79.6.22생)

2. 지난 1.26부터 수업을 계속중인 당지의 AMERICANSHOOL은 제3학기 성적취득을 위해서는 3.7까지는 등교해야 한다고함

    한편, 그동안 휴교중이던 당지의 각급하교는 2.15부터 개학예정이며, 한국학교도 2.12개학함

    (대사 주병국-국장)

중아국 총무과

PAGE 1

91.02.13 17:06 WG

외신 1과 통제관

0128

외 무 부

종 별 : 지 급

번 호 : SBW-0478

일 시 : 91 0213 2210

수 신 : 장 관(중근동,노동부,기정)

발 신 : 주 사우디 대사

제 목 : 근로자 동향

　　1. 2.13 현재 주재국 진출업체 근로자수 1,732명, 1,142,546명에 비해 32프로 감소하였음, 특이동향 없음

　　2. 2.15 구정을 맞아 각현장에서는 다음과 같이 휴무하고 현장별로 오락 또는 체육행사를 할 계획임

　　-15일 휴무 : 현대, 대림, 삼환, 한일, 유원

　　-15. 16일 휴무 : 경남, 한양, 신성, 동부

　　(대사 주병국-국장)

중아국　안기부　　노동부

91.02.14　　11:01 DQ

외신 1과 통제관 0129

| 관리
번호 | 91/1074 | | | | | 원 본 |

외 무 부

종 별 : 지급

번 호 : SBW-0479

일 시 : 91 0213 2220

수 신 : 장관(중일,노동부,기정)

발 신 : 주 사우디 대사

제 목 : 교민현황

1. 2.13 현재 교민수는 **3,344** 명(동부 241, 중부 1,578, 서부 1,525 명)

2. 이중 진출업체는 1,732 명(동부 30, 중부 896, 서부 806 명), 현지취업자 및
가족 1,205 명중 동부 114, 중부 514, 서부 577 명임

(대사 주병국-국장)

예고:91.6.30. 일반 대 예고문에
-기거 인반 시드 재 관하됨.

| 중아국 | 장관 | 차관 | 1차보 | 2차보 | 영교국 | 청와대 | 안기부 | 노동부 |

분류번호	보존기간

발 신 전 보

WSB-0361　　910214 1641　ER

번　　　호 :　_____　　　　　　종별 : _____（친전）

수　　신 :　주　　사우디　　대사 . 총영자

　　　　　　　　　（중동아국장）

발　　신 :　장　관
　　　　　　업　연

제　　　목 : _____

대 : SBW-0470

　　①. 대호관련, 직원자녀 수업관계로 그 가족들이 귀임을 해야할 형편임은 <u>이해하면서도</u>
~~검토하였으며, 전력상으로 참고할것을 검토중입니다.~~

　~~②.~~ (지상전이 곧 개시~~되어~~ 공습 및 화생방전 등 ~~~~) ~~~~ 긴박한 상황이 발생할 경우, 이들이 본국으로
다시 철수해야하는 문제가 있고, 체류고민 다수인원이 현재 본국으로 철수하고
있는 싯점에서 직원가족이 귀임하게될 경우, ~~~~고민들이 어떻게 생각할 것인가
~~~~ 여파가 염려되며, 또한 유사시 동인들이 다시 철수할
경우의 여비처리도 <u>만만치 않은문제가 될것</u> ~~~~ 끝.

갈습니다. 러희생각으로는 늦어도
3월초순까지는 지상전이 시작 될것 같
으므로 가족귀인은 그때가서 고려
하심이 좋을 것 같습니다.
예고 : 독후파기.

（중동아국장 이 해 순）

(귀임여비도 문제지만)

	보안통지	가

앙고재	91년 월 14일	중동1과	기안자 성명 박동순	과장 가	국장	차관 [서명]	장관	외신과통제

0131

발 신 전 보

	분류번호	보존기간

번 호 : _____ 종별 : _____

수 신 : 주 사우디 대사. 총영사
　　　　　　　　（중임）

발 신 : 장 관

제 목 : 가족귀임

　　　대 : SBW-0470

　　　연 : WSB-0061, 0335

　　1. 대호 관련, 지상전이 개시될 경우의 공습 및 화생방전 가능성에 대비한
귀관의 비상대책 마련과 2.15. 부터 휴교중인 귀지 각급학교가 개학될 예정인
상황아래 본국 철수 대호 귀관직원 가족이 귀지 American School 재학 자녀의
수업일수등을 고려 귀지 귀임을 희망하고 있는점등을 감안, 대호 귀관건의데로
양승함.

　　2. 걸프전이 계속되고 있어 현재도 다수인원의 귀 주재국 체류교민들이
본국으로 철수하고 있는 싯점에서 귀관 직원가족이 귀지로 귀임하게 됨을 유념,
유사시에 대비한 이들의 신변안전에 만전을 기하기 바람. 끝

　　　　　　　　　　　　　　（중동아국장 이 해 순）

		기안자 성명	과 장	국 장	차 관	장 관	보 안 통 제	
앙 고 재	91년 2월 14일 중동과						외신과통제	

0132

관리 번호	91/1075

원 본

외 무 부

종 별 : 지급

번 호 : SBW-0488   일 시 : 91 0215 1200

수 신 : 장관(중일,노동,사본:주제다총영사-중계필)

발 신 : 주 사우디 대사

제 목 : 교민현황

1. 2.15 현재 주재국 교민수 총 3,294 명(동부 241, 중부 1,578, 서부 1,475(기자의료진제외)

2. 중부는 공관 30, 교사 3, 국영기업 1, 상사 1, 의료 133, 업체 896, 현지취업 514, 서부는 공관 23, 교사 10, 국영기업 2, 상사 14, 의료 93, 업체 806, 현지취업 522, 동부 변동없음

3. 기자 17 명중 KBS-TV 기자 4 명이 2.14 출국하여 현재 13 명임

(대사 주병국-국장)

예고: 원본 91.6.30 일반

사본: 91.2.28 일반

중아국   차관   1차보   2차보   노동부

분류번호	보존기간

발 신 전 보

번   호 : WSB-0364   910215 1118 DZ 종별 : _____

수   신 : 주사우디   대사. //총영사

발   신 : 장 관 (중동일)

제   목 : 근로자 철수 관련 보도

　　　1. KBS TV 는 2월13일과 14일 21:00시 뉴스시간에 귀지에 특파된
박성범 앵커의 보도로 아국 건설 근로자들이 서둘러 철수하므로서 건설공사에
차질을 초래하고 있으며 이러한 사실이 귀지 언론에도 부정적으로 보도되어
금후 건설 진출에 나쁜 영향을 끼치게 될 것이라고 하였음.

　　　2. 특히, 현지에서는 큰 위험을 느끼지 않음에도 불구하고 철수를
서둘렀다고 함으로서 정부가 현지 사정을 정확히 판단하지 않았다는 인상을 주었음.

　　　3. 이상 보도에 대한 대응에 필요하니 그러한 보도를 하게된 배경, 귀지
언론의 관련보도 내용, 근로자 철수로 인해 업체별로 입은 피해와 앞으로 수주에
미칠 영향등 관련사항을 종합 보고 바람. 끝.

　　　　　　　　　　　　　　　　　　(중동아국장   이 해 순)

예 고 : 91. 12. 31. 까지

　　　　　　　　　　　　　검 토 필 (19 91 · 60 · 30 ·)

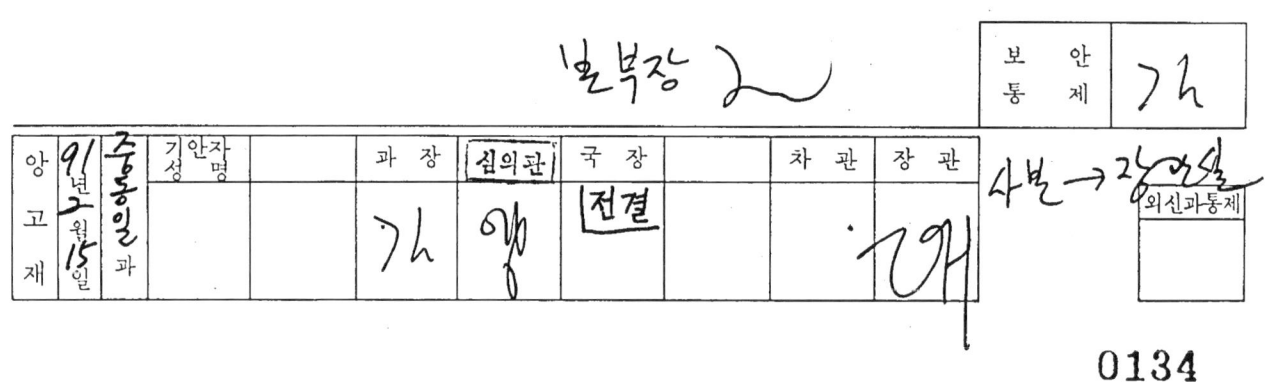

0134

<table>
<tr><td>관리
번호</td><td>91/
2072</td></tr>
</table>

원 본

외 무 부

종 별 :

번 호 : SBW-0497   일   시 : 91 0216 1400

수 신 : 장관(중일)

발 신 : 주 사우디 대사

제 목 : 근로자철수관련 보도

대:WSB-364

대호 보도관련 상황을 하기보고함

1. 보도배경

　-박 KBS 본부장은 보도의 방향을 서울에서 미리정하고 당지에 온것으로 보였으며, 따라서 뉴스제작과 관련하여 구체적인 사전협의 또는 자문등을 당관에 요청하지도 않았음

　2. 당지언론의 관련보도내용

　-아국 근로자 철수문제와 관련하여 당지언론이 보도한 사실은 전혀 없음

　-당지 체류중인 KBS 뉴스 기획부장은 2.12 자 ARAB NEWS 지에 게제된 일본등 아시아의 경제강국 및 중국이 걸프전쟁에 있어서는 정치적 영향력을 발휘하지못하고 있다는 내용의 2.11 자 동경발 AP 기사를 참고했다고 말하고 있음

　3. 근로자철수로 인해 업체별로 받은 피해 및 앞으로 수주에 미칠영향

　-전선과 인접한 주재국의 동부지역 공사현장은 근로자 철수로 인해 공사손실 발생이 불가피 할것으로 보이나, 이는 공사계약상 WAR RISK 에 해당되어 발주처와의 교섭 또는 클레임 청구를 통해 피해액에 대한 손실보상을 요구하게 될것임(업체별 피해액 산정은 현재로서는 불가능)

　-동부지역을 제외한 지역(시공잔액기준 전체의 약 85%)에서는 전쟁발발 이후 거의 정상적으로 공사시공을 하고있어 앞으로 수주에 미칠 영향은 크지않을것으로 판단됨

　(대사주병국-국장)

　예고:91.12.31 까지

검 토 필 (1991. 6. 30.)

중아국   2차보

PAGE 1

관리 번호	91/174

원 본

외 무 부

종 별 :

번 호 : SBW-0501　　　　　　　　　일 시 : 91 0216 1610

수 신 : 장관(중일,노동,건설,기정)

발 신 : 주 사우디 대사

제 목 : 인원현황

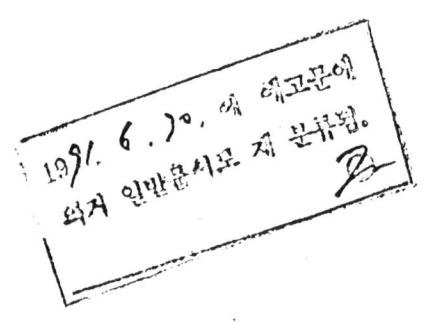

1. 2.16 현재 교민수는 총 3,209 명(동부 241, 중부 1,600, 서부 1,368 명)

2. 업체별 경남35, 구일 80, 국제 6, 극동 6, 남광 5, 대림 124, 동부 25, 동아 2, 럭키 29, 삼호 2, 신성 134, 신화 4, 유원 33, 풍림 7, 한중 6, 한양 35, 한진 45, 현대 711, 한일 226, 현대산업 73, 한국강관 1 임

(대사 주병국-국장)

예고:91.6.30 일반

1991. 6. 30. 에 예고문에
의거 일반문서로 재 분류됨.

중아국　　2차보　　2차보　　청와대　　안기부　　건설부　　노동부

외 무 부

원 본

종 별 :

번 호 : SBW-0522   일 시 : 91 0219 1710

수 신 : 장관(중일,노동부,건설부,사본:제다:중계필)

발 신 : 주 사우디 대사

제 목 : 인원현황

　　1. 2.19 주재국교민은 3,039 명(동부 241, 중부 1,412, 서부 1,386)

　　2. 업체는 22 개 1,478 명이고, 경남 28, 구일 55, 국제 5, 극동 9, 남광 5,대림 124, 동부 25, 동아 2, 럭키 13, 삼호 2, 삼환 59, 신성 134, 신화 4, 유원33, 풍림 7, 한중 6, 한양 31, 한진 26, 현대 664, 현대산업 19, 한국강관 1 명임

　　3. 상사는 대우 금호 한국타이어 효성 현대 대우자동차 선경(재입국)등 7 개업체 18 명임

　　(대사 주병국-국장)

　　예고:원본 91.6.30 일반

　　사본:91.2.28 일반

중아국　　2차보　　영교국　　안기부　　건설부　　노동부

現代建設株式會社
(746 - 2523)

21277

현건(외업) 제91-0085호   1991. 2. 20

수   신   외무부 중동 아프리카 과장

발   신   현대건설(주) 걸프대책본부장

제   목   걸프지역 인원현황

1. 폐사에서 사우디에 파견한 인원중 47명(직원 18, 근로자 29)이 하기와 같이
    귀국함을 보고합니다.

    리야드 - 두바이   2월 19일   버스편
    두바이 - 홍 콩   2월 20일   CX 750
    홍 콩 - 서 울   2월 21일   CX 420

2. 금일 현재 폐사의 걸프지역 인원현황은 별첨과 같습니다.

별   첨 : 걸프지역 인원현황   끝.

0138

외 무 부

종   별 :

번   호 : SBW-0532   일   시 : 91 0220 1800

수   신 : 장관(중일,총인)

발   신 : 주 사우디 대사

제   목 : 일시귀국

대:WSB-335

연: 주사(총)241-51

당관직원 부인인 하기인은 90 년 일시귀국하였으나, 걸프전으로 인하여 현재 까지
국내에 체류중임

    1. 본직 처 양소자

    2. 서주환 건설관처 이기자

    3. 김정규노무관처 정정희

    (대사 주병국-국장)

중아국   총무과

관리
번호 91/150

	분류번호	보존기간

발 신 전 보

번 호 : **WSB-0417** 910224 1158 FK 종별 : **긴급**

수 신 : 주 수신처 참조   대사//총영사//

발 신 : 장 관   (중동일)

WBH -0104	WJO -0199
WQT -0076	WAE -0170
WJD -0112	WCA -0164
WIR -0191	WYM -0090

제 목 : 대 이라크 지상전 개시

1. 2.24. 오전 04시(현지 한국시간)를 기해 다국적군의 대 이라크 지상전이
전면 개시 되었~~다국 외언론들이 일제 보도 하였~~는바, 만일의경우 대비하여 귀 주재국
체류 교민의 신변 안전에 만전을 기하도록 하고 이라크의 화생방전 가능성이 매우
름에 따라 체류교민들에게는 기지급된 방독면을 언제든지 착용할 수 있는 준비를
갖추도록 당부하고, 유사시 안전지대로 긴급대피 하는등 귀관이 현지 실정에
맞게 마련한 안전 대책을 차질없게 시행 바람.

2. 주 카이로 총영사는 이스라엘 체류 아국 교민들의 안전을 위해 상기와
같이 동일 조치 바람.   끝.

(중동아국장 이 해 순)

수신처 : 주 사우디, 바레인, 요르단, 카타르, UAE 대사, 주 젯다, 카이로 총영사

사 본 : 주 이란, 예멘 대사

예 고 : 91. 6. 30. 일반

1991. 6. 30. 에 예고문에
의거 일반문서로 재 분류됨.

보 안 통 제	13

사본→장관실

외신과통제

앙고재	91년2월24일	중동1과	기안자 성명		과 장		국 장		차 관	장 관	

0140

	분류번호	보존기간

발 신 전 보

번 호 :	WSB-0418　910224 1309　FK	종별: **긴급**	WBH -0105　WJO -0200
			WQT -0077　WAE -0171
수 신 :	주수신처 참조　~~대사//총영사~~		WJD -0113　WCA -0165
발 신 :	장 관　(중동일)		WIR -0192　WYM -0091
제 목 :	비상 근무 체재 유지		WOM -0079　WTU -0082

연: 하단참조

2.24. 오전 4시(현지시간)를 기해 다국적군의 대이라크 지상전이

전면 개시 되었는바, 귀관은 ~~24시간~~ 비상근무 체재를 운영하고 주요정세동향

수시 보고 바람.　끝.

1991. 6. 30. 애 예고문에
의거 일반문서로 재 분류됨.

(중동아국장　이 해 순)

예 고 : 91. 12. 31. 일반

수신처: 주 사우디, 바레인, 요르단, 카타르, UAE대사.
　　　　주 젯다, 카이로 총영사. 주 이란대사, 예멘 대사,
　　　　주 오만대사, 터키대사.

연 : WSB-0417, WBH-0104, WQT-0076, WJD-0112,
　　WIR-0191, WJO-0199, WAE-0170,
　　WCA-0164, WYM-0090.

보 안 통 제	13

앙 고 재	91년 2월 24일 2국	기안자 성명		과장		국장 전결.		차관	장관	

외신과통제

0141

분류번호	보존기간

발 신 전 보

WSB-0420   910224 1454 FK   종별 :

번   호 : _____

수   신 : 주 사우디 대사대리 ~~대사//총영사~~

발   신 : 장 관 (중동일)

제   목 : 공관 비상 근무

연 : WSB - 0417

    걸프전이 지상전으로 확전됨에 따라 귀관의 비상근무 체제가 더욱
강화되어야 할 것인바, 공관장 부재중 박명준 대사대리의 지휘아래 ~~공관의~~
~~만전재책을~~ 비상 근무 ~~대책~~에 철저를 기하기 바람.   끝.

(장 관) ~~박명준//중동//~~

예 고 : 91.6.30 일반

1991. 6. 30. 애 예고문애
의거 일반문서로 재 분류됨.

보 안 통 제	13

앙 고 재	91 년 2 월 24 일	中 東 一 과	기안자 성명		과 장	심의관	국 장		차 관	장 관		외신과통제
			박정우			아				79		

0142

2. 동포 사망문제

0143

발 신 전 보

분류번호 | 보존기간

번 호 : WSB-0216   910124 1800 DA   종별 :

수 신 : 주 사우디   대사. 총영사

발 신 : 장 관 (영재)

제 목 : 교민 사망관계

1. 국내 의정부 거주 이일섭씨는 사우디의 미군 병참기지(타북
소재)에 근무하는 동인의 부친 이병락씨가 1.21. 18:00경 심장마비로 사망
하였다는 연락(전화 및 전보)을 동 부대로 부터 받았다 함.

2. 이와 관련, 유족측은 동인의 사망경위와 함께 시신 도착일시,
수송편경을 알려줄 것을 요청하여 온 바, 상기 부대에 연락, 확인 보고바람.
연락처는 전화번호(04) 422-7200, Mr. Osman 이라함.

3. 유족측은 가능하면 시신이 부산으로 도착되기를 희망함을 참고바람.

(영사교민국장-허리훈)   항공편으로 운구,

2구니라, 항번느.
1.25 의교건보 시신저 저형 에게 통보.
   총리산 회영천 교용.

아중동국 신서반

보 안 통 제 | 10

외신과통제

앙고재	년월일	기안자성명	과장	국장	차관	장관
	제외국민과	유성길	10			

0144

1. 22 출발 : 사우디 비행기로,
24 취항 : Osman.

---

1. 21. 18:00.

1. 22.
출발. 취항

1. 24.
비행편, Osman.

○ 90. 10. 20.
사우디.

연경

취임.

李東樂
31연생.

부인 張蓮子
2남3여.

따수리 ██ 전보 이국인 새아연

의정무   873-0753
0354 -

대방과 성명: 이병락 ?

사망일자: 10월 20여

근무지: 이주 병참기지 - 타부

확인내용: (예약) 1.22일 후리지에 전화 (외무부)

유족 내용 : 이 필상 (자)

대책 본부   22일

사방통지
1. 기. 18시에 사방
실장바비 (국지
시먼、육품. 예요

처리 사유시

전오   액-001-966-4(

(0K) - 422-7200

Mr. 오스만
Osman

화인도, 94/90-23 0900

0146

원 본

외 무 부

종 별 :

번 호 : SBW-0270 일 시 : 91 0124 2230

수 신 : 장 관(영재,노동부,중근동,)

발 신 : 주 사우디 대사

제 목 : 사망자보고

대:WSB-216

1.당관에서는 고 이병락씨가 1.21 저녁 타북에서 심장마비로 사망하였다는 보고를 1.22 10:00경 리야드에 근무하고 있는 동료근로자 김청운으로부터 듣고, 동지역관할하는 제다총영사관과 접촉토록 안내하고 제다총영사관에 이사실을 통보했음

2.고인의 시신은 주재국의 항공기사정을 감안하여, 운구에 필요한 서류가 갖추어지는대로 본국에서 보내올 전세기편에 운구토록 조치할예정임

(대사 주병국-국장)

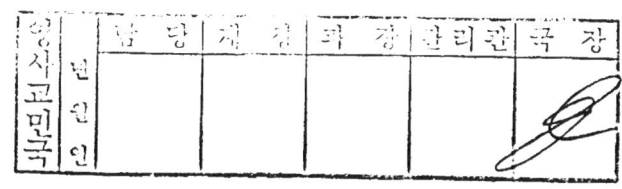

영교국 중아국 노동부

PAGE 1

사우디 美군무원 한국인 1명 사망

심장마비…미사일피격여부 확인 안돼

사우디아라비아 미군기지에서 근무하던 李병락씨(60·京畿道議政府市 佳陵洞71의5)가 지난21일 심장마비로 숨졌다.

이사실은 사우디주재 한국대사관이 23일새벽 이같은 사실을 李씨의 가족에게 통보함으로써 알려졌다.

그러나 李씨가 이라크의 미사일공격으로 숨졌는지 여부는 확인되지 않고 있다.

李씨 가족들은 李씨는 주한미군 미사일부대 군무원으로 근무하다 지난해10월 사우디아라비아에 파견돼 근무해왔으며 출국전 건강진단에서는 건강에 아무런 이상이 없었다고 말했다.

중앙일보

사우디 韓國人근로자 미사일 死亡說로 소동

○…사우디아라비아 주둔 미군부대에 근무하던 韓國人 근로자 李秉樂씨(50·議政府市佳陵2洞)가 이라크의 미사일공격으로 25일 사실확인을 하느라 법석.

李씨 가족들에 따르면 사우디아라비아 韓國대사관이 李씨가 22일 있었던 이라크의 미사일공격에 의해 사망했다고 통보해 왔다는 것.

그러나 외무부는 다시 현지에 확인해본 결과 미사일공격이 아니라 지병에 의해 사망했음을 확인하고 유해운구의 편의를 제공토록 조치.

경찰은 피격에 의한 사망인지, 지병에 의한 사망인지를 확인하느라 관할 議政府경찰서에 긴급지시를 내리는등 부산.

0148

발 신 전 보

분류번호	보존기간

번   호 : WSB-0232   910125 1841   AO 종별 : _____

수   신 : 주사우디   대사. /총영사 (사본 : 주젯다총영사) WJD-0053

발   신 : 장   관   (영재)

제   목 : 근로자 사망

연 : WSB - 0216

대 : SBW - 0270

① 고 이병락씨 시신은 1.25(금) 젯다발 서울행 특별기 이용이 불가능

하면, 현지의 고인 소속부대에서 적절한 주선을 통해 항공편으로 조속 서울에

운구될 수 있도록 조치하고, 동 결과 보고바람. 끝.

~~2. 아울러 동인의 상세한 사망경위와 함께 사망에 따른 보상관계등 참고~~
~~사항 있으면 보고바람. 끝.~~

(영사교민국장 허리훈)

91. 1. 25 18:45
유족 이밀숙에
동사실통보

아주동국장

보 안 통 제	

앙고재	년 월 일	기안자 성명	과장	국장	차관	장관	외신과통제
		유ㅇ길					

0149

영재
원본

외 무 부

종 별 :

번 호 : JDW-0030   일   시 : 91 0125 1435

수 신 : 장관(영사,중근동,노동부)

발 신 : 주 젯다총영사

제 목 : 취업근로자 사망보고

대: WJD-0053

1. 당지 사우디 병기 보수회사 타북지사에 90.10.21 차량부속 공급 담당요원 으로 취업한 이병락 (31.7.12생)이 91.1.21 17:55경 숙소에서 휴식중 갑자기 호흡장애를 일으켜 현지병원으로 긴급후송중 1.21 18:00 심장마비로 사망하였음.

2. 사후처리및 운구를 위한 절차를 진행중이나 정기항공편 운항이 중단되어 다소시일이 걸릴것으로 사료되는바 가능한한 신속히 운구토록 조치후 결과 보고 하겠음.

끝.

(총영사 김문경-국장)

91. 1. 28 본인에게 송부

영사교민국		담 당	계 장	과 장	관리관	국 장

영교국   중아국   노동부   치안부   법무부

발 신 전 보

분류번호	보존기간

번   호 : WSB-0255   910129 1727 AO 종별 : ＿＿＿＿＿

수   신 : 주 사우디   대사. 총영사 (사본 : 주젯다 총영사)   WJD -0060

발   신 : 장 관 (영재)

제   목 : 근로자 사망

    연 : WSB - 0216, 0232

    대 : SBW - 0270, JDW - 0030

대호 고 이병락씨 시신은 가능하면 2.5. 운항예정인 4차 특별기를

이용, 운구되도록 조치하시고, 동 결과 보고바람. (영사교민국장-허리훈)

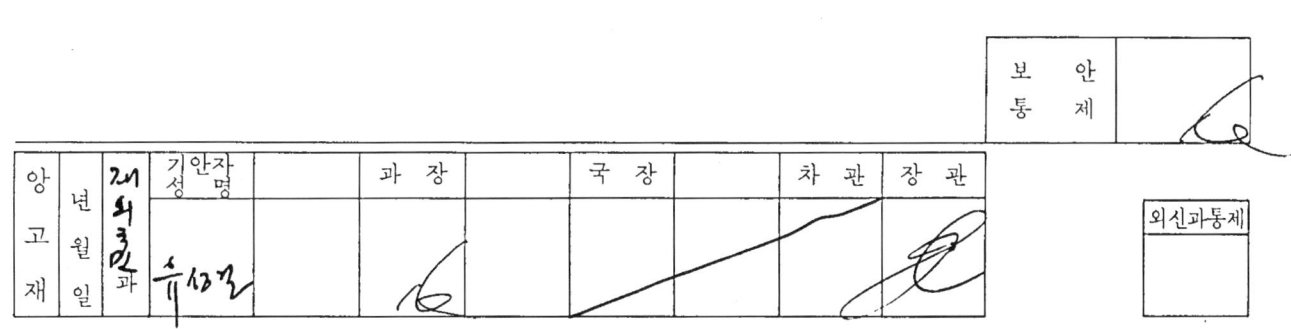

0151

외 무 부

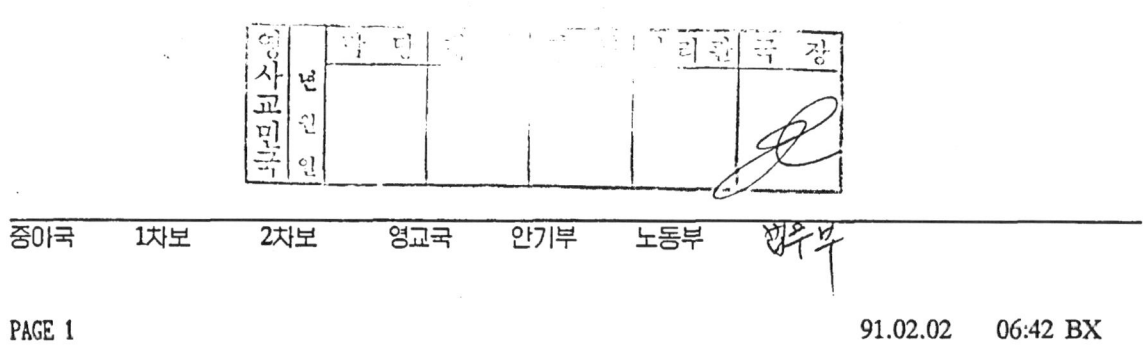

증 별 : 지 급

번 호 : SBW-0363   일 시 : 91 0201 2000

수 신 : 장관(중근동,노동부,영교)

발 신 : 주사우디대사

제 목 : 근로자 유해 운구

　　대:WSB-255

　　연:SBW-270

　　대호,고 이병락씨의 유해는 2.6 제다발 KAL전세기편에 운구토록 S.O.M.C본사와
협의하고 칼제다지사에 통보하였음,동 유해는 동사 리야드근무자 김청운,최성봉에
의해 운구될 계획임

　　　(대사 주병국-국장)

－ KAL 화물기 도착 : 2.7일 11:20 김포

－ 김포세관 보세과 665-3760

PAGE 1   91.02.02   06:42 BX

　　　　　　　　　　　　　　　　　　　　　외신 1과 통제관

　　　　　　　　　　　　　　　　　　　　　　　　　　　　0152

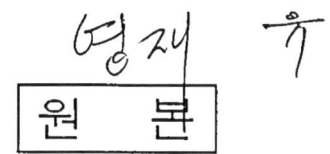

외 무 부

종 별 : 지 급

번 호 : JDW-0052   일 시 : 91 0206 1550

수 신 : 장관(영사,중근동,노동부)

발 신 : 주 젯다총영사

제 목 : 시신운구

     대:WJD-53,80

     연:JDW-30,50

   당지 관내 사우디체신청 젯다전화국에서 근무하다 사망한 박이길과 사우디병기
보수회사 타북지사에서 근무하다 사망한 이병락의 시신을 2.613:50 KAL전세기편으로
운구 조치 하였기보고함.끝.

    (총영사 김문경-국장)

영고국   중아국   노동부

외교문서 비밀해제: 걸프 사태 13
걸프 사태 재외동포 철수 및 보호 3: 사우디아라비아, 철수 지원

초판인쇄 2024년 03월 15일
초판발행 2024년 03월 15일

지은이 한국학술정보(주)
펴낸이 채종준
펴낸곳 한국학술정보(주)
주 소 경기도 파주시 회동길 230(문발동)
전 화 031-908-3181(대표)
팩 스 031-908-3189
홈페이지 http://ebook.kstudy.com
E-mail 출판사업부 publish@kstudy.com
등 록 제일산-115호(2000. 6. 19)

ISBN 979-11-6983-973-0 94340
      979-11-6983-960-0 94340 (set)

이 책은 한국학술정보(주)와 저작자의 지적 재산으로서 무단 전재와 복제를 금합니다.
책에 대한 더 나은 생각, 끊임없는 고민, 독자를 생각하는 마음으로 보다 좋은 책을 만들어갑니다.